Владимир Соловьев
Елена Клепикова

# США

PRO ET CONTRA

Глазами
русских
американцев

РИПОЛ
КЛАССИК

МОСКВА

УДК 32
ББК 63.3(7Сое)6-3
С60

**Соловьев, В.**

С60 США. PRO ET CONTRA. Глазами русских американцев / Владимир Соловьев, Елена Клепикова. — М. : РИПОЛ классик, 2017. — 378 с. : ил.

ISBN 978-5-386-10105-3

Актуальная книга о США от Владимира Соловьева и Елены Клепиковой, известных американских писателей и политологов родом из России. Сложный, противоречивый, парадоксальный совокупный портрет Америки — от океана до океана, от Нью-Йорка и Нью-Гэмпшира до Аризоны и Аляски, с парадного подъезда и с черного хода, извне и изнутри — глазами русских американцев.

Америка предстает в этой книге объемно и стереоскопично, с самых разных сторон: политической, идеологической, социальной, исторической, психоаналитической, бытовой, анекдотической — со всеми ее минусами и плюсами, pro et contra. Не только Америка, но и сами американцы — в широком диапазоне от нового хозяина Белого дома и голливудской звезды до среднего статистического гражданина этой великой страны — с маниями, комплексами, синдромами, предрассудками, с неискоренимым оптимизмом и упоенным созиданием будущего, с катастрофическим мышлением и абсолютной уверенностью, что в их руках национальный мандат на счастье.

УДК 32
ББК 63.3(7Сое)6-3

ISBN 978-5-386-10105-3

ВЛАДИМИР СОЛОВЬЕВ

# ТРАМП: ИСКУШЕНИЕ АМЕРИКАНСКОЙ ДЕМОКРАТИИ

*Не метя в нострадамусы, должны все-таки отметить, что пару-тройку раз, будучи профессиональными политологами, мы с Еленой Клепиковой попадали в самое яблочко времени и угадывали впрок ход истории. Так, задолго до смерти Брежнева мы предсказали в газете «Лос-Анджелес таймс» приход в Кремль Юрия Андропова, когда никто больше на него не ставил: журналисты, политологи и историки полагали его шансы ничтожными, а то и вовсе никакими из-за его службы в КГБ, хотя как раз это обстоятельство и сыграло решающую роль в его победе над соперниками. Все другие аналитики ссылались на отсутствие подобного прецедента в русской истории, когда ни один шеф тайной полиции не становился лидером страны, тогда как мы исходили из противоположной концепции — что в будущем вовсе не обязательно происходит то, что случалось в прошлом. Нам щедро и всяко воздалось за то наше предсказание. Когда Андропов таки стал руководителем страны, наша шестистраничная заявка на книгу о нем вместе с предсказательной статьей в «Лос-Анджелес таймс» была выставлена нашим литагентом на аукцион, который выиграл «Macmillan Publishing House», выложив за кота в мешке (мировые права на еще не написанную книгу) шестизначный аванс. А когда книга вышла еще при жизни нашего героя под интригующим названием «Yuri Andropov: A Secret Passage Into the Kremlin», старейшина (dean) здешних журналистов Макс Лернер писал в «Нью-Йорк пост»:*

*«Соловьев и Клепикова обнажают динамику кремлевской борьбы за власть — то, что никогда не встретишь ни в учебниках, ни в американской печати о Советском Союзе. Рассказанное ими могло бы показаться невероятным, если бы авторы еще раньше не зарекомендовали себя надежными и проницательными исследовате-*

*лями, предсказавшими в безошибочных деталях приход к власти Андропова в то время, когда никто не рассматривал председателя КГБ даже в качестве одного из претендентов на кремлевский престол».*

*Опускаем бездну лет, плотно заполненных писательской работой в различных жанрах — от прозы и эссеистики до политоложества и мемуаристики. Хотя точнее будет назвать меня не мемуаристом, а мнемозинистом — я копаюсь не в воспоминаниях, а в памяти, что сложнее — Мнемозина дама капризная, но так честнее и продуктивнее: «Роман с памятью» — подзаголовок моих «Записок скорпиона».*

*Так вот, спустя три с половиной десятилетия, профессионально следя за предвыборной борьбой в стране нашего нового ПМЖ, мы опять-таки вырвались вперед и в противовес всей мировой прессе уже в феврале 2016 года, за 9 месяцев до судьбоносных выборов президента США, печатно предсказали поражение Хиллари Клинтон, в победе которой не сомневался тогда никто, и сделали ставку на Дональда Трампа, успев даже выпустить о нем книгу с его физией и именем на обложке — за полгода до его неожиданной для других и ожидаемой нами триумфальной победы. И опять воздалось, хоть и не в той, конечно, мере, как прежде с Андроповым. Вот вкратце история той книги.*

*Первым мою статью про Трампа опубликовал нью-йоркский уикли «Русский базар» под ее изначальным названием «Дональд Трамп как зеркало американской революции», а сразу же вслед — «Московский комсомолец», вынеся в за- и подзаголовок мемы из текста: «Трамп, которого стоило выдумать. Экстравагантный политик разбудил Америку от летаргической спячки». На эти публикации мгновенно откликнулся гендиректор нашего издательства Сергей Михайлович Макаренков с его удивительной и штучной в наше время отзывчивостью на авторские идеи и предложил нам по-быстрому сработать книгу про Трампа. Что мы никак не смогли бы сделать, если бы не наши регулярные на протяжении последних десятилетий аналитические публикации по американской политике. А потому наша книга показывала казус Трампа и борьбу за Белый дом в контексте современной американской истории, явной и тайной, с ее главными фигурантами — прези-*

*дентами и кандидатами в президенты, политиками и политиканами. Само явление этой книги было тем более поразительным, что вклинилось во время выхода нашего мемуарно-аналитического пятикнижия «Памяти живых и мертвых» о випах русской культуры, которых мы знали в личку и близко — от Бродского, Довлатова, Окуджавы и Евтушенко до Эфроса, Слуцкого, Шемякина и Искандера.*

*О чем мы сейчас сожалеем, что уступили издательским реализаторам и взамен нашего названия, которое подтвердилось дальнейшим ходом современной американской истории, «Дональд Трамп как зеркало американской революции» согласились на осторожное и никакое «Дональд Трамп. Сражение за Белый дом».*

*Воспроизводим здесь несколько статей из тех, что последовали вслед за ее выходом — вплоть до инаугурации 45-го президента США.*

*Не далее. Пусть первые месяцы президентства Трампа сопровождают скандал за скандалом. Пусть даже встает вопрос: не станет ли триумф Трампа его пирровой победой? Дальнейшее — молчание, как говорил известно кто. Судить-рядить преждевременно. Все равно что описывать пулю в полете.*

> *Ходить бывает склизко*
> *По камешкам иным,*
> *Итак, о том, что близко,*
> *Мы лучше умолчим.*

# ВЫБОРЫ ПРЕЗИДЕНТА США — ЧЕРЕЗ НЕ ХОЧУ

Чудеса в решете, да и только! Мой 19-летний внук Лео Соловьев из Ситки, бывшей столицы русской Аляски, — из молодых да ранних: пропускает семестр в колледже по причине чрезвычайной занятости в избирательной кампании Хиллари Клинтон в Пенсильвании, хотя изначально, как и большинство американской молодежи, болел за ее соперника социалиста с человеческим лицом Берни Сандерса, но тот сошел с дистанции и сам теперь ее пиарит. А что ему остается?

## Эквилибриум: паника Хиллари и оптимизм Дональда

Тем временем дед моего внука, то бишь автор этой статьи Владимир Соловьев, получает благодарственное письмо от Дональда Трампа, который разузнал про московское издание нашей — в соавторстве с Еленой Клепиковой (по совместительству моя жена) — книги про него (пусть не только про него, но на обложке его имя и физия) и сообщает, что хоть книга по-русски, но он выставил ее на всеобщее обозрение в своей штаб-квартире в Trump Tower на 5-й Авеню как доказательство своей популярности в России, а с ней он хочет установить нормальные отношения, а то сейчас, при чмо Обаме, они ниже плинтуса, а при Биллари Клинтонах, если они вновь, хоть и путем рокировки, оккупируют Белый дом, опустятся еще ниже, хоть ниже и некуда.

Письмо от Трампа пришло в мое отсутствие. Пока я почти весь август прохлаждался в Национальном парке Акадия, штат Мейн, спасаясь от нью-йоркской невыносимой липкой жары (три «h» — hot, hazy, humid), жена бывшего президента и сама, возможно, будущий президент подрастеряла электоральные очки, хотя и сохраняет пока что свое преимущество, но выражается оно уже не двузначным, а однозначным числом, а по некоторым опросам судя, носит и вовсе маргинальный характер, сводимый к математической погрешности. А есть опросы, которые дают фору Трампу: согласно престижной компании IPSOS, он пошел в обгон и опережает Клинтониху на одно очко, а CNN дает ему даже два очка: 45:43.

По-любому, за два месяца до выборов шансы соперников если не сравнялись, то выровнялись — так будет точнее. Возник некий эквилибриум, то бишь равновес, который делает борьбу за Белый дом не фатально предрешенной, а триумф Хиллари Клинтон и фиаско Дональда Трампа не такими неизбежными. Отсюда панические настроения в стане Клинтонов и осторожный оптимизм и крепнущие надежды в лагере Трампа, который с третьего раза обрел наконец вполне достойного профессионального лидера своей команды. После брутального хулигана Кори Левандовски и сомнительного из-за прежних связей с украинским президентом Януковичем Пола Манафорта главным политтехнологом Трампа стал журналист и банкир Стивен Бэннон, которого, правда, заподозрили было в антисемитизме, но эти подозрения нейтрализованы, потому как его крышует ортодоксальный еврей Джаред Кушнер, а тот не только друг, зять и отец внуков Трампа, но и серый кардинал его избирательного штаба.

Не слишком ли враз много американских имен для русского читателя? Роль политического гуру для будущего американского президента возрастает с каждым високосным годом. Двух последних президентов не просто вытянули, а сделали их политтехнологи: не было бы в Белом доме ни Буша-младшего, ни Барака Обамы, если бы не их «дядьки»: соответственно, Карл Роув и Дэвид Аксельрод. Последнего я печатно прозвал «усатый нянь» — уже после выборов, первые два года, Барак без него шагу ступить не мог. Потом оклемался. Про штаб Хиллари Клинтон не говорю: стабильный, ультрасовременный, высоколобый. Достаточно взять в качестве примера моего внука Лео Соловьева: весьма продвинутый и смекалистый юноша, далеко пойдет. Говорю объективно, потому как наши с ним ставки на этих выборах — разные.

# Фишка: негатив & позитив — кто кого?

Не то чтобы я симпатизировал Трампу, скорее наоборот — герой нашей с Леной Клепиковой книги, но не герой моего романа, однако мои антипатии к Хиллари будут, пожалуй, посильнее моих антипатий к Дональду. В этом вся фишка. Чтобы я был в этом перевесе одних моих «анти» над другими моими «анти» одинок? Не скажу. Именно в этом вопросе проходит электоральный водораздел страны, гражданином которой я являюсь: кого из кандидатов в американские президенты больше не любят? Проценты здесь стали неожиданно меняться.

В каких-то отраслях — скажем, в рекламном пиаре книг — негативное, скандальное паблисити в бóльшей цене, чем дежурные кудосы: знаю по себе. Не в президентских выборах, однако. Нынешние — беспрецедентны в истории Америки: никогда еще кандидаты от двух главных партий не вызывали такой дружной, повсеместной, почти тотальной нелюбви. И это еще мягко сказано. Кто бы ни был избран президентом, избиратели в большинстве своем будут голосовать на этот раз по необходимости — «через не хочу». Вот где главный между ними контест: не кто из них лучше, а кто из них хуже.

Ну да: американскому избирателю предстоит выбор из двух зол. Есть, конечно, анекдотическая возможность, когда еврей из двух зол выбирает оба. В Сети гуляет фотожаба будущего американского президента: пол-лица Трампа и пол-лица Клинтон без никаких швов между ними. К счастию или к несчастию, такой возможности у соискателей высшего поста на нашей планете нет: в Белый дом въедет только один кандидат — отнюдь не на белом коне, как мечталось Хиллари Клинтон совсем еще недавно при благоприятном расположении звезд на небе и благожелательном электоральном раскладе очков на земле, и кое-кто предсказывал ей не просто инаугурацию, а коронацию первой женщины-президента США. Мечты, мечты, где ваша сладость? Пальцем в небо.

Вот где статистические опросы не просто прелюбопытны, а могут оказать решающее, если не роковое (зависит от того, как посмотреть) влияние на исход ноябрьских выборов. Еще в начале августа Дональд значительно опережал в нелюбви к нему потенциального электората, а тут вдруг они с Хиллари сравнялись в негативе. Могул-застройщик утратил свое негативное первенство — порядка 60 плюс-минус процентов относятся теперь к обоим отрицательно. Это как в том анекдоте «Ну не люблю я его», а здесь не любят обоих.

# Женская карта бита!

Что самое интересное, так это тенденция: у Трампа число отрицателей осталось прежним, тогда как у Клинтон за один всего месяц возросло почти на десять процентов. Даже в электоральных стратах, на которые она опирается: среди либералов ее популярность упала с 76 до 63 процентов, среди латинос — с 71 до 55 процентов и даже среди однополых с ней избирателей — с 54 до 45 процентов.

А ведь совсем еще недавно это был ее гендерный козырь — первая женщина-президент, а теперь, судя по опросам, сам этот фактор потерял свою привлекательность и перестал гальванизировать женский электорат. В самом деле, если следовать этой «женской» логике, то главный недостаток Трампа в том, что он не женщина, да? Тем не менее Хиллари Клинтон продолжает предъявлять эту битую карту и спекулятивно упрекает тех, кто сомневается в ней как в будущем президенте, что они отрицают само право женщины на этот пост. Женщина женщине рознь! Шокирующую реплику известного рэпера о наличии матки как недостаточной квалификации, чтобы стать президентом, я уже как-то приводил, но здесь ставлю ее в новый контекст. А что, какая-то правда-матка в этом приколе о матке есть, да? Прошу прощения за невольный каламбур.

Не в моих правилах профи-политолога повторять прописные истины. Потому не стану вдаваться в подробности и перечислять все причины стремительного роста непопулярности Хиллари Клинтон — от деловой электронной почты (включая секретную) с незащищенного от хакеров домашнего сервера в бытность ее госсекретарем до сомнительных взносов от зарубежных доноров в фонд Клинтонов и непотизма коррупционного толка, ежели те станут лоббировать свои интересы. Не за красивые же глаза Хиллари они жертвуют миллионы! Пусть гипербола и даже dirty trick надпись на популярной у трамповцев тишотке **Hillary for Prison** — по звуковой аналогии со слоганом **Hillary for President**. Однако живи Хиллари в России, ее давно бы уже объявили иностранным агентом. А теперь представьте: иностранный агент метит в президенты США! Что меня больше всего в этой истории поразило, так это обещание Хиллари Клинтон прекратить принимать пожертвования от иностранцев, как только она станет президентом. А почему не прямо сейчас, не немедленно? Как бы не сгубила фраера жадность. С утратой доверия снижаются шансы Хиллари и Билла Клинтон снова попасть в Белый дом.

## Октябрьский сюрприз?

Кто спорит, есть множество других факторов, которые могут повлиять на исход этих беспрецедентных президентских выборов. Взять тот же политический опыт, на отсутствие которого справедливо пеняют Трампу, но справедливо ли ставить его наличие в заслугу Хиллари Клинтон? Да она и сама без устали ссылается на свой четырехлетний тенюр в госдепартаменте. Однако похвастать большими успехами наш топ-дипломат вряд ли может, зато провалы — налицо. Суперстар — да, но не супердипломат, каковыми были генерал Маршалл (ну да, «план Маршалла»), Даллес, Киссинджер: рядом не стояла.

Те, кто поет ей теперь осанну, упоминают ее рекордные путевые показатели: из четырех лет службы госсекретарем она чуть ли не год провела в самолетах, налетав миллион миль, а это все равно что облететь земной шар 40 раз! Прямо-таки лягушка-путешественница, а не госсекретарь. Однако те, кто, наоборот, хулят ее, указывают в своих диатрибах, что достигнуть чего-либо госсекретарь никак не может в небе, а только на земле, спустившись с трапа. Так вот, на земле сплошные фиаско, ответственность за которые она должна нести вместе с президентом Обамой. Одна только бездумная поддержка арабских весен привела в итоге к политическому хаосу, гражданским войнам, вакууму власти и разгосударствованию на Ближнем Востоке и к проблеме беженцев, которые хлынули в Европу, подобно водам библейского Потопа. Как говорится, это хуже преступления — это ошибка. Не говоря уже о Бенгази, за убийство американцев в котором Хиллари Клинтон несет личную ответственность. Да, хвастать нечем — ее дипломатический опыт ей в минус.

Не оттого ли в стане Клинтонов так боятся октябрьского сюрприза и прямым текстом говорят, что Кремль пытается сорвать президентские выборы в США. Угроза эта, однако, исходит не из Кремля, а от клинтонидов. Октябрьский сюрприз не исключен, возможен и даже вероятен — типа компроматной публикации секретных депеш Хиллари по остропроблемной международке, но исходит он не от кремлевского мечтателя, а от австралийского анахорета, который четвертый год прячется в посольстве Эквадора в Лондоне: не от Владимира Путина, а от Джулиана Ассанжа. Другое дело, как к нему попадут эти сверхсекретные документы? Вопрос на засыпку. Зато без вопросов, что бенефициантом этой гипотетической публикации станет не только Трамп, но и Путин.

Но это еще когда будет (если будет), хоть октябрь и не за горами. А на носу — в конце сентября — первые дебаты кандидатов в президенты. И опять-таки задача у демократки сложнее, чем у республиканца: если Хиллари более-менее предсказуема и просчитываема, пусть и будут, конечно, какие-то домашние заготовки, то многоликий, как Протей, Дональд непредсказуем вовсе. «Я не знаю, с кем мне придется иметь дело», — честно признается Хиллари. А сам Трамп знает, какие коленца он выкинет на этих дебатах, которые могут решить исход президентских выборов?

Аты-баты, шли дебаты…

# ТРУДНЫЙ ВЫБОР НА ВЫБОРАХ: ПОЧЕМУ Я ЗА ТРАМПА

**Чума на оба ваши дома?** Грубо говоря, прежде я тоже так думал, профессионально следя за оголтелой — все средства хороши — борьбой двух претендентов на белодомовский престол, ни один особых симпатий у меня не вызывал, как и у большинства американцев. На моем веку в стране моего нынешнего обитания, натурализованным и законопослушным гражданином которой являюсь, это уже — считаю по високосным годам — десятые выборы, а ничего подобного не припомню.

## Диархия в Белом доме?

Послушав оппонентов-антагонистов, даже если только четверть из того, что они глаголят друг о друге, — правда, рука не поднимется опустить бюллетень или нажать на рычаг, чтобы проголосовать за одного из этих безобразников: по жизни одного (Дональд Трамп) и в политике другого (Хиллари Клинтон). Вот где кроется между ними коренное различие: Трамп никак себя в политике еще не проявил, зато по жизни напортачил — мало не покажется, тогда как Клинтон, хоть по жизни тоже пробы негде ставить, однако не любят ее не только за черты характера либо поступки-проступки, но прежде всего за никакую — это в лучшем случае, а в худшем — за ущербную, провальную, а то и преступную политику на посту госсекретаря. Впрочем, автор придерживается известного мнения, которое не кажется мне парадоксом: ошибка хуже преступления. В политике — безусловно. Другое дело, что ошибка может обернуться и преступлением, как, например, убийство американского посла со товарищи в Бенгази.

Вернемся, однако, к Трампу, чтобы поставить обе точки над Ё. Кто спорит, хватать неподобающим образом женщин, как осьминог, за все части их невинных или винных телес, включая те самые, — нехорошо. Но, во-первых, это высказано нашим вуменайзером в теоретическом, так сказать, аспекте в частном к тому же трепе — типичный мальчишечник, не более того, я о магнитофонной записи. Остальное — табунчик престарелых, давно вышедших из употребления дам-септогенариек (плюс-минус), вспоминающих «дела давно минувших дней, преданья старины глубокой» — иллюстративного характера ангажированные фикшн. Почему они помалкивали до сих пор, с чего бы вдруг ударились в интимные воспоминания, да еще хором, именно сейчас, когда косяком каждый божий день пошли разоблачения Клинтонов и клинтонистов на WikiLeaks? В качестве отвлекающего маневра? Ставлю риторический вопросительный знак, хотя по смыслу следовало бы поставить точку.

Это во-вторых.

А в-третьих, касаемо мужской тактики по убалтыванию женщин, хотя, конечно, настоящий мужчина всегда добьется от женщины того, что она больше всего хочет. Один способ — дать волю рукам. Ну, скажем, приобнять женщину, дотронуться до ее эрогенных зон — необязательно гениталий, скажем, за ухом и проч. По мне, у которого за спиной имеется кой-какой опыт в этих прелестных для обеих сторон играх, такая стратагема куда как более пристойна и достойна, чем предлагать даме или девице интим, «достав из широких штанин дубликатом бесценного груза» — нет, вовсе не «молоткастый серпастый советский паспорт». И делать это не где-нибудь, а в эпицентре мира — в Овальном кабинете Белого дома, в который владелец своего «бесценного груза» надеется снова въехать на плечах своей измученной предвыборной борьбой жены. В качестве кого? Первой Леди мужеского пола? Первого Джентльмена? Или — эврика! — в качестве со-президента? Диархия в Белом доме? То бишь двоевластие?

Это что! Балованное, капризное, распущенное 36-летнее беломдомовское дите Челси Клинтон, от которой стонут те, кому с ней приходится работать в их семейном фонде, будто бы заявляет во время производственных конфликтов: «После мамы президентом буду я!» Одна сотрудница после такого разговора с Челси пыталась даже кончить жизнь самоубийством путем утопления в океане. Клан — в гипотетической перспективе — еще тот.

## Окромя похабели, за Трампом других грехов не водится, да?

Такое у меня ощущение, что весь этот отлично срежиссированный и оркестрованный антипиар против Трампа постепенно сдувается, хоть его и продолжают подкачивать, но до выборов вряд ли дотянет. А то, что организованный и проплаченный, теперь уже нет никаких сомнений, коли были, оказывается, смелые леди, имевшие мужество отказаться от участия в этом женском параде, несмотря на уговоры и посулы. И не только леди.

Взять, к примеру, эфирного хулигана, скандалиста и похабника Говарда Стерна, популярность которого зашкаливает: его любит и ненавидит вся Америка, 50 на 50. И еще один полтинник, имеющий прямое отношение к нашему драйву: Говард Стерн взял с полсотни интервью у своего друга Дональда Трампа, а уж там похабели про баб — немерено. Так вот, в последние недели, когда новости о пикантных непристойностях Трампа шли по нарастающей в ритме крещендо, на Говарда Стерна оказывалось неимоверное давление, чтобы он запустил в эфир хотя бы дайджест тех программ с отобранными изюминками, чтобы политически убить Трампа окончательно. Тем более, Стерн по партийной принадлежности демократ и публично поддерживает Хиллари Клинтон. «Да, он любит поболтать о бабах, оценивая их по десятичной шкале, — говорит Стерн, — но делает это единственно, чтобы развлечь (entertain) аудиторию. Было бы предательством пустить эти записи в эфир заново, когда Трамп подвергается таким атакам». Короче, эпатажник и безобразник Говард Стерн оказался морально на высоте и отказался участвовать в этой групповщине — очернительной кампании по дискредитации республиканского кандидата в президенты.

Вот что меня еще удивляет. Почему никто не обращает внимания, что такая зацикленность клинтонистов и СМИ на амурных высказываниях и жестах Дональда Трампа парадоксальным образом свидетельствует в его пользу: им просто больше нечем крыть, другой компры на него они не накопали, вот и талдычат об одном и том же, уже не развлекая, а утомляя публику. К тому же возможен и даже неизбежен обратный эффект по принципу: мне сказали — я поверил, повторили — стал сомневаться, а на третий раз понял, что ложь. Неужто у Клинтон и ее команды больше ничего не припасено про запас? Тогда как из WikiLeaks продолжает капать, а капля долбит камень, тем более Хиллари Клинтон не каменная — отнюдь. Можно только посочувствовать этой старой, больной, еле живой женщине, которая ведет свою кампанию на последнем дыхании, чтобы не сказать издыхании, а не измываться над ее здоровьем, как это делает нагрянувший хам Дональд Трамп. Ладно, пусть будет слон в посудной лавке, тем более это супер-пупер мстительное животное — символ Республиканской партии.

## Что осталось от нашей «железобетонной леди»?

Вот что по-человечески важно и что никто почему-то не делает: поставить себя на место каждого из этих двух политических фигурантов. Каково им на финишной прямой беспрецедентной, на измор, гонки за Белый дом? Ну да, по Станиславскому: путем перевоплощения, а не остранения.

Ту же Хиллари взять. Когда она только начинала восемь лет назад свое восхождение к зияющим высотам высшей на земле власти, ее на манер Маргарет Тэтчер называли железой леди. По аналогии: железный Феликс, Tin Woodman, которого по-русски именуют железным дровосеком, Człowiek z żelaza покойного Анджея Вайды — все они на поверку оказываются не такими уж железными. Я взял тоном выше и покруче, назвав тогда Хиллари Клинтон «железобетонной леди», хоть и добавил на всякий случай: мы знаем, как закалялась эта сталь. Было это восемь лет назад, когда дорогу ей перебежала черная кошка — прошу прощения за невольно политнекорректный каламбур — Барак Обама. Да еще припомнил в той давней своей статье историю с моим любимым шотландским писателем Стивенсоном. Когда тот был маленьким мальчиком, он как-то сказал: «Мама, я нарисовал человека. А душу тоже рисовать?» Кто знает, кто знает: чужая душа — потемки.

Тогда Хиллари в самом деле выглядела жестоковыйной и каменносердной женщиной. Сердце, может, и не каменное, но воля железная, глаза сухие, не из плакс: гордая, самоуверенная, не знающая сомнений, вела себя по-королевски. Еженедельник «Ньюсуик», помню, опубликовал сопоставительную статью: Хиллари Клинтон как нашего гипотетического президента — с английской королевой Елизаветой, но не Второй, а Первой, опираясь на фильм, где ее сыграла Кейт Бланшетт. Два портрета один против другого: реальная Хиллари и вымышленная, фикшнальная Елизавета. Обе — ледяшки и больше похожи на роботов, чем на женщин. Здесь про таких говорят «bionic women». Статья начиналась с фразы, которая не потребует перевода: «Queens are meant to be looked at, not touched».

И что с тех пор осталось от той сухоглазой, крепкой, мужеподобной по характеру женщины? Физически и эмоционально Хиллари Клинтон сдала и изменилась до неузнаваемости. Старость к ней подкралась преждевременно, выглядит дряхло даже для своего почтенного возраста, подолгу исчезает из поля зрения — на целых пять дней перед последними дебатами, подготовка к ним — только отговорка, а во время дебатов — это видно невооруженным глазом — держится только благодаря лекарствам и допингам, да и то в полуобморочном состоянии. Особенно это видно не когда она говорит, как заводная кукла из оффенбаховых «Сказок Гофмана», но когда молчит: господи, какая мука у нее на лице, скорей бы это кончилось — единственная ее мысль. Со страхом думаешь: дотянет ли? до конца дебатов? до конца избирательной кампании? до выборов? А если ее изберут — до инаугурации, потому как все силы у нее уходят на эту кампанию. А хватит ли у нее сил на президентство? Задаю этот вопрос, в отличие от Трампа, без всякого злорадства, а с одним только — поверх идеологических и политических барьеров — чисто человеческим сочувствием:

*И нам сочувствие дается,*
*Как нам дается благодать…*

До чего безжалостно, бесчеловечно действует сейчас американская политическая система! Хиллари бы в койку, на покой, на пенсию, но нет, нельзя — она ставленница не только своей партии, но и всего либерального истеблишмента, а потому должна добежать, дойти, доползти до финиша, живая или мертвая — без разницы.

## Один против всех, все против одного

Мне легко представлять себя на месте Хиллари Клинтон еще и потому, что мы приблизительно — плюс-минус — одного с ней возраста. Как, впрочем, и с Дональдом Трампом, хотя он держится, в отличие от нее, молодцом — тьфу-тьфу, не сглазить! Однако и ему есть в чем посочувствовать. Как Хиллари давно уже не та железная леди, даже если была ею когда-то, так и Дональд вовсе не такой тефлоновый человек, каким представляется и хочет выглядеть так, будто ему все как с гуся вода и брань на вороту не виснет. Еще как виснет! За всей его публичной бравадой видна растерянность уязвимого с детства человека (см. нашу в соавторстве с Еленой Клепиковой «риполовскую» книгу «Дональд Трамп. Сражение за Белый дом»). Словами Пастернака: «О, знал бы он, *что так бывает, когда пускался на дебют*», не уверен, что Трамп пустился бы во все тяжкие предвыборной борьбы.

Если за старой и больной Хиллари Клинтон стоит весь политический и культурный истеблишмент — от Уолл-стрит, СМИ и всей белодомовской рати во главе с Бараком и Мишель Обама до Голливуда, Бродвея и нобелевских лауреатов всех мастей, то соответственно все они против Дональда Трампа, включая его собственную партию, а он один-одинешенек со своей семьей, несколькими лоялистами (не путать с роялистами!) да Джулианом Ассанжем с его WikiLeaks. Заговор или не заговор, травля или не травля, но за ним одним идет охота, а охота пуще неволи.

Уж коли начал с Шекспира, то им и кончу. Нет, не могу повторить вслед за умирающим Меркуцио «Чума на оба ваши дома». Потому как у тогдашних Монтекки и Капулетти равные приблизительно силы, а здесь один против всех, и все против одного. Потому хотя бы я за этого одного, что он оболган, преследуем и гоним, поверх моих политических, идеологических и вкусовых разночтений с парвеню и эгоцентриком Дональдом Трампом. У него «мильон терзаний», как у Чацкого, чью сторону я тоже беру, хоть он анфан террибль и возмутитель спокойствия, но круговая, мафиозная порука фамусовского общества страшнее и гаже. Не сравниваю, конечно, но и по личному, питерскому еще опыту знаю, что значит бросить вызов клановой мишпухе и вызвать огонь на себя.

Уж коли пошли стихи, то эти строки Высоцкого сами напрашиваются — один к одному:

> Рвусь из сил и из всех сухожилий,
> Но сегодня — опять, как вчера, —
> Обложили меня, обложили,
> Гонят весело на номера.

# ТРАМПЛЕНД. МЫ ПРОСНУЛИСЬ В НЕЗНАКОМОЙ СТРАНЕ, или ИСКУШЕНИЕ АМЕРИКАНСКОЙ ДЕМОКРАТИИ

Оставим другим гадание на кофейной гуще — какими будут США и мир в президентскую каденцию победителя, а сами вдумаемся, в чем значение этой победы для американской демократии. А для этого понадобится спервоначалу выяснить, кто кому противостоял на этих выборах. Дональд Трамп и Хиллари Клинтон? Как бы не так! Пусть они и не пешки в этой игре, но и не главные фигуранты у шахматной доски истории. То есть фигуры — да, но не игроки. А с шахматных фигур что взять — они не умеют играть в шахматы. Как лебеди — танцевать.

## Трамп: шкура неубитого медведя?

Вот прям сейчас признаюсь в одной своей ошибке и в одной своей догадке, которая на поверку оказалась отгадкой. И то сказать, ошибку я не совершил, то есть не успел тиснуть в печать, потому как тут у нас в Америке начался такой накат предвыборных сенсаций, ну типа сплошь форс-мажор, что моя ошибка так и осталась в замысле. Однако упоминания заслуживает. Ибо судимы будем не токмо по делам, но и по намерениям.

А задумал я написать свою последнюю, под занавес предвыборной кампании, статью в канун этих беспрецедентных президентских выборов и даже придумал ей броское название «Трамп: шкура неубитого медведя?» В том смысле, что рано еще на основании опросов — все в пользу Хиллари Клинтон! — объявлять ее победителем. Ну, во-первых, «все врут календари», а во-вторых, результаты опросов были какими-то странными с пляшущими цифрами: в одном, к примеру, мадам обгоняла нашего Мистер Твистера аж на 12 процентов, тогда как в других разрыв был значительным, но не таким катастрофическим для Трампа и выражался в более скромных, однозначных числах — порядка 4–5–6 процентов. Не мне одному этот разнобой показался диковинным, но заподозрить такую авторитетную, престижную телекорпорацию, как Эй-би-си, которая оповестила публику об этих сенсационных 12 процентах, в недобросовестности, тенденциозности, а тем более в проплаченности, не имея на то прямых доказательств, было как-то не с руки. Однако если даже конспирологические подозрения были обоснованны, то такие цифровые преувеличения могли возыметь обратный эффект — за счет тех сторонников Хиллари, которые, узнав о ее победоносном рейтинге, решили на выборы не идти: зачем, когда победа их фаворита и так уже у них в кармане?

И вообще, такая разлилась среди демократов (партийная принадлежность) и либералов (идеологическая тенденция) блаженная эйфория, что хоть столы с яствами и бутылями расставляй, такой праздник начался на их виртуальной улице. Уверенная и самоуверенная мадам Клинтон заранее заказала салют над Гудзоном в честь своей победы и стала уже раздавать синекуры в своем будущем правительстве, включая пост госсекретаря, который когда-то сама занимала, а теперь он гипотетически достался нынешнему вице-президенту Джо Байдену, да еще пообещала больше говорить о будущих планах, чем о своем сопернике, который был закидан комьями грязи — хорошо, что не каменьями! — по самое некуда за его неподобающее поведение с дамами и заживо погребен. Что с него взять — живой труп! Даже его партия ввиду такой очевидной политической смерти Дональда Трампа решила сосредоточиться на выборах в Конгресс, чтобы сохранить свое большинство в Сенате и Палате представителей. А положенные ему партийные деньги на рекламу и пиар его однопартийцы в аварийном порядке перераспределили между собой: какой ему от них прок, коли ему больше на этих выборах ничего не светит?

Все равно что делить шкуру неубитого медведя, возмутился я, а потому и назвал так свою статью, которую написать не успел ввиду появления на нашей политической сцене даже не нового персонажа, а — бери выше! — как в древнегреческой трагедии deus ex machina, именуемого в просторечии аббревиатурой ФБР. Что было предсказано данным автором сначала в статье, напечатанной в СМИ по обе стороны океана, а потом в нашей с Еленой Клепиковой московской книжке не только про Трампа.

# Кто остановит Хиллари?

Так называлась та моя февральская еще статья с подзаголовком «Опыт политического некролога». Под конец я поставил три риторических вопроса, последний из которых звучит сегодня провидчески, как в воду глядел, пусть и без окончательного ответа:

Кто остановит Хиллари Клинтон на ее отнюдь не победоносном наступлении на Белый дом? Берни Сандерс? Дональд Трамп? Люди из ФБР?

Оставим в стороне, что двигало директором ФБР Джеймсом Коми, когда он за полторы недели до выборов возобновил расследование электронной почты Хиллари Клинтон, а только перечислим альтернативные причины либо импульсы, пусть даже они действовали скопом, в совокупности. Католическая (а он из набожных ирландцев) mea culpa, а то и mea maxima culpa за то, что в июле он морально прогнулся под нажимом извне (точнее, свыше) и не стал возбуждать уголовное дело против Хиллари Клинтон, несмотря на ее крайне небрежное и опасное для безопасности страны обращение с секретными документами на своем домашнем, незащищенном сервере — и теперь вот реванш для успокоения совести: возобновление расследования? Рецидив партийной лояльности, а Джеймс Коми до того, как возглавил ФБР, был республиканцем — вот он и решил переломить ход выборов в республиканскую сторону? Либо его надсхваточная гражданская и юридическая порядочность, а Джеймс Коми следит по долгу службы за Клинтонами давно — с тех пор, как в должности прокурора расследовал помилование Клинтоном всего за пару часов до истечения его президентских полномочий супержулика Марка Рича, чья жена направила в фонд Демократической партии пожертвование в размере 1 миллиона долларов. Хотя Клинтон тогда каким-то чудом отмазался (взятки — гладки?), ФБР решило теперь опубликовать сотню страниц по этому делу. Да еще взяло под свой контроль дело о Фонде Клинтонов, куда поступали миллионные дотации из-за рубежа, в том числе от исламских стран (включая миллион от Катара, спонсора терроризма), когда Хиллари Клинтон была госсекретарем и обязана была сообщать в Госдепартамент про такого рода дела и делишки, но подозрительно отмалчивалась об этих гигантских приношениях. С этим «благотворительным» фондом все нечисто, потому как на благотворительность уходил мизер, а остальное — себе в карман. Не просто нечисты на руку — пробы негде ставить.

Вот я и говорю, что сгубила фраеров жадность — с фондом, с астрономическими гонорарами за лекции для «Голдман Сакс», с взяткой за амнистию Марка Рича и проч. Как поет Боб Дилан, новоиспеченный Нобелевский литературный лауреат:

— *Кто-нибудь хочет быть чем-нибудь неординарным?* — *спрашивает преподаватель.*

— *Я хотел бы стать долларом,* — *говорит самый находчивый пацан в классе.*

В самое яблочко! Адекватная характеристика коррумпированного семейства Клинтонов — пацана и пацанки, которые как ни в чем не бывало снова намылились в белодомовские паханы.

Пусть Джеймс Коми за пару дней до выборов дал задний ход делу о почтовой электронке, снова выдав Хиллари Клинтон индульгенцию от уголовной ответственности. Не исключено, что опять под давлением Белого дома и явно на скорую руку, потому что просмотреть за несколько дней 650 тысяч писем не под силу и Гераклу. Республиканцы осудили Коми за то, что пошел на попятную, а мой приятель из Атланты написал в сердцах: «Последний редут пал. На баррикаде остался Трамп, один». Однако эффект от этой индульгенции был в разы меньшим, чем само возобновление расследования. Напрашивающееся сравнение отступничества Коми с отречением Галилея опускаю: а все-таки она вертится.

Директор ФБР послужил для Клинтонов Nemesis, а хотели въехать на одном белом коне в Белый дом оба. Поясню: в английском языке Nemesis — это не только богиня возмездия, но и олицетворение возмездия. С таким уголовным шлейфом в Белый дом — позор Америки, который ей чудом удалось избежать. Благодаря трем донкихотам, названным мной в той предсказательной статье — два по имени и третий имярек по ведомству, которое он возглавляет.

Пусть ни один из них — Берни Сандерс, Дональд Трамп и Джеймс Коми, — ни вся троица в совокупности на Дон Кихота ни ухом ни рылом не тянет. Характеры — иные, но функция — та же: вызов сплоченному, компактному, системному большинству. Ставки были очень высокие, а борьба смертельно рисковая, потому что велась не с Хиллари Клинтон, которая не более чем послушная кукла, но с кукловодами, Карабасами Барабасами, за ней стоящими и диктующими ей свою волю. В широком диапазоне — от коррумпированного Вашингтона (вертикаль власти) до Фирмы, как подобострастно именуют «Голдман Сакс», от либеральных СМИ во главе с «Нью-Йорк таймс» до вездесущего Голливуда. Рискну сказать — а почему не рискнуть? — что это был заговор против демократии. Вот-вот: обло, озорно, огромно, стозевно и лаяй. Цель этого Левиафана — подмять под себя демократию и заменить собой общество. Это к вопросу, кто в доме хозяин, да не все коту масленица. Против лома нет приема? Оказалось, есть.

Первым против этого засилья выступил социалист с человеческим лицом Берни Сандерс, но всеми правдами и неправдами (главным образом последними) был сметен с пути собратьями-демократами. Дело не в его несбыточных лозунгах, которые зажулила Хиллари Клинтон, а его самого взяла в свою обслугу, но в том, что он распознал, кто стоит за проплаченной соперницей, и назвал по имени с марксистской прямотой: крупный капитал, Уолл-стрит, означенная Фирма, которая присвоила себе прерогативу политической власти не в одной только Америке.

Дональд Трамп оказался орешком покрепче, его подкусывали и обкусывали со всех сторон, пока не нашли у него ахиллесову пяту — его слабость к слабому полу, а тот продемонстрировал свою групповую силу, выставив против него облыжные обвинения в приставаниях. В наш круто феминистский и фанатично политкорректный век этого оказалось достаточно, чтобы послать Дональда в рейтинговый нокаут, его песенка казалась спетой, путь Хиллари в Белый дом расчищен.

*Но, как известно, именно в минуту отчаянья*
*и начинает дуть попутный ветер.*

# Нос Клеопатры или пенис Винера?

Может, двойной отступник Джеймс Коми из всех троих больше смахивает на Дон Кихота, а не на донкихотствующего: именно его вызов сыграл решающую роль — нет, не в победе Трампа и не в поражении Клинтон, а в триумфе демократии над заговором против демократии. Во всех трех поединках соратником самозванцев-заговорщиков выступали, говоря по-совковски, нацменьшинства, а те совершают сейчас в Америке ползучий демографический переворот, политический эффект которого удалось на этот раз чудом нейтрализовать — и в последний, боюсь, раз. И то благодаря случайности, точнее, случаю, а роль случая в истории ничуть не меньшая, убежден, чем роль личности.

Слова Паскаля про влияние носа Клеопатры на судьбу человечества общеизвестны. Само собой, нос египетской царицы — символическая условность, не более. Его можно подменить на усики Адольфа или трубку Иосифа. В нашем случае роковую роль сыграл пенис похабника-эксгибициониста Энтони Винера, который демонстрировал свое достоинство виртуальным кралям. Такой у него был заскок, который сначала стоил ему места в Конгрессе США, а потом поста мэра Нью-Йорка, на который он бы несомненно был избран, если бы снова не взялся за свои, с моей точки зрения, невинные проказы. Однако среди его визуальных пассий затесалась пятнадцатилетняя мамзель, а это уже преступление — совращение несовершеннолетних, чем не могла не заинтересоваться наша полиция нравов, в просторечии — ФБР. Но, как гласит загадочная русская поговорка, горе — не беда. Настоящая беда стряслась из-за того, что у проказника Энтони оказался один на двоих с женой лэптоп, а его жена Хума Абедин — не просто помощница, но близкий друг и доверенное лицо Хиллари Клинтон. Вот на этом лэптопе и были обнаружены письма Хиллари Клинтон, из-за чего вся карусель закрутилось сызнова, и остановить ее не смог даже удар по тормозам директора ФБР. У Дональда Трампа были все основания воскликнуть на предвыборном митинге: «Спасибо, Энтони Винер!»

Есть за что.

По идее, к этой, пусть немного экстравагантной, парадоксальной благодарности должны присоединиться миллионы американцев. И не только американцев. Демократия — как живое существо: далека от совершенства, испытывает риски, вызовы, угрозы и искушения. На этот раз она испытание выдержала. Пусть мы и проснулись в незнакомой стране: Трампленд.

Сошлюсь напоследок на Алексиса де Токвиля: «Кто ищет в свободе что-либо, кроме самой свободы, создан для рабства».

# Геннадий Кацов, Нью-Йорк__К ИНАУГУРАЦИИ ДОНАЛЬДА ТРАМПА

Написано впрок — 31 марта 2016 года.

*Привет тебе, держава Трампа,*
*Которой лучше не бывает!*
*Свободен, я схожу по трампу*
*С морского, так сказать, трампвая.*

*Я — эмитрамп, мой утрампбован*
*Надеждами багаж до края:*
*Не до какого-то Трампбова —*
*Доплыл я до земного рая.*

*Здесь всё по-честному, ни грампа*
*Сомнений нету у таможни,*
*Здесь уважают эмитрампа*
*И зря вопросом не тревожат.*

*Здесь возвели на юге стену,*
*Въезд трамплиерам запретили*
*До лучших дней — и въедешь хрена,*
*Пока тебя не пригласили.*

*Здесь, как у театральной трампы,*
*Теперь без права на ошибку,*
*Ты брат и заодно сестрампа*
*Всем, кто в тебя поверил шибко, —*

*Не те сатрампы и тираны,*
*Кто делать запрещал аборты,*
*Кто, кроме языка Корана,*
*Ни на каком другом не ботал,*

*Кто, пребывая годы в трампсе,*
*Народ трампвили несвободой,*
*Кто видел в каждом пидарасе*
*Не гражданина, а урода.*

*Теперь ты здесь, в Долине счастья,*
*В трампатлантических просторах,*
*Коль хочешь — в выборах участвуй,*
*Читай хоть Библию, хоть Тору,*

*Садись на Медикейд — здесь рады*
*Тебе, с тобой стал чище воздух,*
*Хоть им же дышат демократы*
*И их электорат нервозный.*

*Госдолг уже почти погашен,*
*Над Централ-Парком — голубь мира,*
*И год от года только краше*
*Нам будет здесь, внутри трампктира.*

ЕЛЕНА КЛЕПИКОВА

# АМЕРИКАНСКИЙ МАНДАТ НА СЧАСТЬЕ

# НАЦИЯ ПОДОПЫТНЫХ КРОЛИКОВ

Так окрестила американцев директор по пиару и общественным связям в Johns Hopkins медицинском центре, потрясенная преизбытком добровольцев, готовых жертвовать своим телом, мозгом и психикой ради опасных медицинских экспериментов.

Сейчас не надо рекрутировать желающих сдать внаем свое тело для клинических опытов. Как было, скажем, в середине прошлого столетия. В послевоенное время народ больше ценит и бережет свою единственную жизнь, свое драгоценное здоровье, у людей ослаблены общественные инстинкты, и они не доверяют врачам, зовущим их на личное самопожертвование. Зато они были безотказными донорами (опять же, следствие Второй мировой) и сдавали кровь охотно, безвозмездно и в массовом порядке.

В наши дни не только не надо созывать волонтеров на подвиги ради чудодейственных медицинских открытий, но всякий раз, когда требуются «подопытные кролики», между ними тут же вспыхивает бешеная конкуренция, и многие волонтеры принимают участие в клинических опытах не раз и не два, а пожизненно.

Что ими движет, идущими запросто на такой огромный риск? Именно эта неуемность, даже страстность в самопожертвовании ради научных открытий и отличает волонтеров от неволонтеров и в то же время делает испытание этих открытий проблематичными, а то и вовсе сомнительными.

Рассмотрим внимательнее этот парадокс.

## Страдальцы поневоле

Долгое время Марк Кузиниц, когда-то энергичный молодой писатель в жанре научной фантастики да еще с докторской степенью по биологии, приходил на работу в свой офис в Johns Hopkins, наглядно демонстрируя учебник Мерка по болезненным симптомам. Признаки самых разных болезней варьировались у него от сыпи, крапивницы и распухших гланд до озноба, судорог, лихорадки, кровавых пятен и прыщей. Однажды он выглядел таким больным, а кожа приобрела такой зловещий зеленоватый оттенок, что сотрудники хотели вызвать скорую помощь. «Никакой необходимости, — отговорил их страдалец. — Я прохожу так с неделю — после того как врачи ввели в меня болезнетворную жидкость. Я к этому привык».

Один из все растущего, хотя и неизвестного, числа нормальных, здоровых волонтеров, Марк предоставил науке свое тело, мозг и кровообращение — за плату. Он был «вознагражден» множеством экспериментальных проб: вливаниями в нос бактериальной и вирусной жидкостей, бесчисленными кровопусканиями, прививками ослабленных или измененных версий организмов, ответственных за туберкулез, гепатит, оспу, сифилис и СПИД (да, представьте себе, Марк пошел даже на испытание на себе смертоносного, всех ужасающего СПИДа!). Когда на нем изучали свойства и последствия малярии, он подхватил эту болезнь и прошел мучительный и долгий курс лечения хинином.

Двадцать миллионов американцев рекрутируются ежегодно в клинические эксперименты — университетами, медцентрами, фармацевтическими и биотехнологическими компаниями, а также тьмой исследовательских центров, которые получают около 10 миллиардов долларов в год от названных выше компаний на проведение опытов.

Вклад, или, скорее, самопожертвование, нормальных здоровых волонтеров абсолютно необходим для накопления медицинских знаний, и много новых средств излечения открыты и востребованы исключительно благодаря этим людям — «подопытным кроликам».

## Многократные жертвы
## научных экспериментов

Многие волонтеры возвращаются к мукам и опасностям опытов над ними — и многократно. Из 440 добровольцев, жертвующих собой ради науки, 44 процента записываются в среднем на пять экспериментов в год. В другой группе 14 процентов волонтеров за три года подверглись испытаниям в 18 медицинских тестах.

Ушли в прошлое годы, когда приходилось обманом или принудительно вовлекать заключенных или безграмотных простаков в медицинские эксперименты. Тем не менее несколько широко разглашенных прессой случаев смерти среди волонтеров, иногда — совершенно неожиданных и непонятных, поставили перед медиками вопрос: что именно побуждает эту группу «повторных профессиональных волонтеров», для которых участие в эксперименте есть образ жизни, а для некоторых — заработок на жизнь?

Платить волонтерам, чтобы поиграть с их здоровьем, — в этом нет ничего нового. Уолтер Рид, хирург американской армии XIX века, платил рекрутам 100 долларов золотом, если они согласятся подхватить желтую лихорадку. По закону оплата подопытных рекрутов частными медицинскими фондами не лимитирована, и некоторые частные медцентры предлагают волонтерам тысячи долларов. Национальный институт здоровья, основанный на федеральные фонды, в вопросе оплаты волонтеров придерживается смутных границ — чтобы деньги не послужили «чрезмерной приманкой».

Если принять во внимание разнообразные приманки для волонтеров, а также брезгливость и даже гадливость, которые испытывают неволонтеры при одной только мысли отдать свои тела науке, возникает резонный вопрос: а почему волонтеры идут на эти малоприятные, а то и смертельно опасные испытания?

Многие врачи, подолгу работающие с волонтерами в разных тестах, сомневаются: действительно ли они нормальны, здоровы, или даже так: они и в самом деле волонтеры?

## Кто они — добровольные жертвы науки?

Вопросы, окружающие мотивацию и личность повторных волонтеров, — отнюдь не академические вопросы. Ответы могут круто изменить надежность и точность тысяч исследований, прошлых и будущих. Сейчас, к примеру, проходят четыре эксперимента, скоро будет пятый — и на все записалась волонтером Делла Малон. 74-летняя пациентка медцентра в Балтиморе претерпела сканирование мозга для изучения болезни Паркинсона, сканирование легких для исследования функции левого легкого, семь месяцев подряд пила сок из концентрированного брокколи с манго в опыте для предотвращения рака и уже готова принимать месяцами селен в исследовании процесса старения и старческого слабоумия. Не всякий на это способен, и не всякий на это пойдет.

Оказывается, личные характеристики ветеранов-волонтеров и неволонтеров различны. Различия влияют на метаболическую и иммунную системы, что, в свою очередь, может поставить под сомнение исход клинического эксперимента, в котором задействованы эти волонтеры. Что же делать? По каким личным признакам отбирать подходящих для данного опыта добровольцев?

Увы, на этот вопрос пока еще нет ответа. Так мало сделано для проверки психологии, мотиваций и личностных вариаций волонтеров, что исследовательская индустрия, да и сами волонтеры предпочитают держать этот ящик Пандоры наглухо закрытым.

Что делать со скрытыми психопатами, сумасшедшими, невротиками, душевнобольными, которые тоже проникают в волонтеры и с виду вполне здоровы? Но и здесь врачи не проводят скрининг всех волонтеров на возможную психопатологию. Считается, что это очень редкий случай — когда буйный маньяк захочет стать волонтером, а делать всем скрининг — крупная трата ресурсов. Просто надо иметь в виду, что в армии нормальных волонтеров несколько «с приветом».

Кто же они — эти добровольные жертвы медицинских экспериментов? Искатели острых ощущений? Мазохисты, пристрастившиеся к тому, что их всегда используют? Ипохондрики, упивающиеся всесторонними проверками здоровья, которые в обязательном порядке входят в эти медицинские опыты? Может быть, они страдают комплексом барона Мюнхгаузена и ищут, где бы только заболеть и получить свою долю сочувствия и заботы? На самом деле они скорее напоминают бесстрашных любителей банджи-джампинга или прыжков с парашютом, людей, особенно склонных к рискованным действиям.

Так и пошло. Сравнили 48 здоровых, мужского пола, университетских студентов-волонтеров и 43 отказника, которые наотрез отказались жертвовать собой ради науки. Оказалась огромная разница между ними в сфере острых ощущений, в накоплении опыта, в подверженности скуке, в компанействе, в эксгибиционизме.

## Что их гонит? и как их вербуют?

Что ими движет, когда добровольно и легко они готовы калечить свое здоровье? Ради денег? Да, конечно, большинство «подопытных кроликов» волонтерствуют за деньги или если не могут позволить себе всеобщую медицинскую проверку.

Рекруты отвечают на объявления, рекламу и заметки в газетах и журналах, на ТВ, на разнообразные сообщения в Интернете. Они считают обращенные к ним призывы прямо с воздуха, с дрейфующего блимпера: «Кури марихуану, получишь награду! Легальный эксперимент». Для здоровых, но отчаянных и рисковых душ специально даются до ужаса откровенные объявления: «$1,000 — за курс питья апельсинового сока с пестицидами».

Нынче по всей стране наблюдается острая конкуренция среди волонтеров за участие в клинических опытах. Число добровольцев, сдающих внаем свое тело и здоровье науке, увеличилось за последнюю четверть века в три раза. Моралисты обеспокоены, что такое великое множество призывов-приманок для участия в медэкспериментах преуменьшает риск и опасность этих самых экспериментов. Обратите внимание на прельстительную рекламу эксперимента с лекарством от лейкемии: «Вам щедро заплатят за ваше время и за все неудобства. Бесплатный медосмотр, бесплатная еда. У вас будет уйма свободного времени — читать или заниматься, или просто расслабиться — с дигитальным ТВ, бильярдным столом, видеоиграми, дисководом и бесплатным входом в Интернет!» Говорят, была давка среди соблазненных этим развеселым объявлением. Наконец отобрали шестерых счастливцев.

У этого эксперимента были, к сожалению, катастрофические результаты, от которых содрогнулись все имевшие к нему отношение ученые и врачи. Дело было в Лондоне. Шесть здоровых мужчин (в основном иммигранты) по доброй воле приняли новое лекарство с оплатой в 3500 долларов за штуку. Предполагалось провести целый курс лечения этими таблетками. Но все шестеро оказались в реанимации сразу после принятия лекарства с острой болью и поражением всех внутренних органов — результат иммунной сверхреакции.

Тем не менее большинство волонтеров отрицают, что деньги — единственная привлекательная сторона их участия в эксперименте. Упоминают также альтруизм, желание послужить на пользу науке, интеллектуальную любознательность, тщеславное желание побывать в кругу медицинских светил. Особенно бескорыстны (не отказываясь от оплаты), любознательны к медицине и склонны «идолизировать ведущих врачей» ветераны-волонтеры. 70-летняя Эллен Рош, многократный доброволец, умерла прямо на операционном столе в эксперименте с повышенной нагрузкой на легкие. И вот какие причины своего самопожертвования она привела в вопроснике: радость служения передовой науке, альтруизм, восхищение врачами-экспериментаторами, опасение их подвести своим неучастием в опыте — в дополнение к положенным ей 365 долларам.

Таких самозабвенных — до самой смерти! — энтузиастов называют отважными разведчиками научного прогресса.

# ВАШЕ БЛАГОРОДИЕ, ГОСПОЖА УДАЧА!

*Брось везунчика в воду, и он выплывет с рыбой в зубах.*
**Юлиан Тувим**

Вы скажете, что об удаче и удачливых людях можно подобрать куда более яркие и мудрые афоризмы, чем этот утилитарный тувимовский. Но именно в нем схвачено основное свойство удачников — непрерывная готовность использовать шанс. Они, эти удачливые люди, всегда наготове, всегда интуитивно настроены на золотые просверки в текущей мимо них пустой породе жизни. Русские обкатанные фразы совершенно неверно передают эту уникальную способность удачников к судьбоносным открытиям. Нет, счастье не само «идет к ним в руки», судьба ничего им не «подбрасывает», удача им не «светит», и не удача «улыбается» им, а они сами, угадав и схватив свой шанс, расплываются в улыбке навстречу удаче.

Запомните это волшебное слово — серендипити (serendipity).

Да, это особенные, удивительные люди, живущие среди нас, — удачники, крепко верящие в свою удачу. Не обязательно очень счастливые, но никогда — долго несчастные, редко — знаменитости, суперуспешники, но всегда — достигающие предела своих возможностей. И такими они рождаются, такая у них генная предрасположенность к удаче.

И если во всех других языках, включая мой любимый русский, нет специального слова, обозначающего это врожденное свойство избранных людей ловить миг удачи, в английском есть — serendipity. И я помню, когда впервые, глазам своим не поверив, натолкнулась в какой-то статье на это редкостное виртуальное слово, гениально уловившее несказанный душевный дар — счастливую способность к открытиям, инстинктивную прозорливость.

Конечно, это слово не коренное, а сочиненное, придуманное в середине XVIII века английским писателем. Однако с тех пор serendipity органически вошло в английскую лексику.

Народы неанглоязычные с радостью позаимствовали это редкостное слово, и, я уверена, россияне, столь жадные до лексической иностранщины, вот-вот обогатят свой словарь изысканным словом — серендипити.

А сейчас на простых житейских примерах посмотрим, кто они — эти прирожденные удачники.

# И чем случайней, тем верней

Нынче на Лонг-Айленде в окрестностях городка Хантингтон можно посмотреть старинный, начала XIX века, бывший амбар с прекрасно сохранившимися историческими деталями. Но владельцы этого недавно отреставрированного дома-амбара — назовем их поименно: Мэри и Чарльз — настолько любовно и комфортно вжились в свой необычный дом, что посетителей не привечают и ставить свой исторически ценный амбар в музейный каталог Хантингтона отказываются наотрез. Их дом — их крепость и, ко всему прочему, исключительно удачное приобретение. Вот как это случилось.

Больше года манхэттенцы Чарльз и Мэри охотились за новым домом на Лонг-Айленде, но всякий раз предложения оказывались либо неподходящими, либо недостижимыми. Как-то, после долгого воскресенья, проведенного в бесплодных поисках вместе с риелтором, супруги торопились домой, но крепко застряли в трафике — как раз рядом со старым полуразвалившимся амбаром в строительных лесах. Парень в рабочем комбинезоне подошел к ним: «Ищете дом?» И хотя старинный амбар совсем не походил на жилой дом — не видно было даже окон — Мэри и ее муж вылезли из машины поглядеть.

Постройка оказалась как бы двухэтажной, с лофтом, невероятно просторной и с чудными подробностями старины (включая задние — во двор — окна). Будущий диковинный дом существовал только в воображении, но Мэри и Чарльз приобрели его тут же, на месте, у строителя, который и был хозяином старинного амбара.

Считалось, что супругам необычайно повезло. Вероятность, что хозяин подойдет к их машине, застрявшей в пробке, именно тогда, когда им позарез нужен дом, была нулевой. Однако именно они моментально согласились разведать сомнительную безоконную постройку, да еще в ремонтных лесах. Их восприимчивость к случайности, их открытая непредубежденность и превратили странный момент в безусловную удачу.

Это особая, своеродная порода людей — способных заметить и вмиг обернуть себе на пользу счастливый случай. Они пытливы — до дотошности — ко всем разветвлениям на дороге жизни и потому видят возможности, которые другие пропускают. В результате они счастливее и скорее достигают цели в жизни.

# Кто верит в свою удачу — удачлив

Помните жесткие постулаты Максима Горького: «Случайностей — нет, все явления жизни обоснованы». Однако мы скорее похожи на шарики, отскакивающие от игорной машинки, чем на капитанов у руля. Некоторые люди отлично приспособлены к этому факту жизни. Профессор психологии из Мэриленда, исследуя успешные карьеры тридцати женщин-профессионалок, пришел к выводу, что именно случайность сыграла огромную роль в их профессиональном успехе. Женщины, умеющие подчинить себе счастливый случай, обычно компетентны, самоуверенны и охотно идут на риск.

Другой психолог, Ричард Вайзман, угробил целое десятилетие, выясняя, как люди воспринимают удачу. Оказывается, те, кто верит в свою удачливость, необыкновенно экстравертны. Это значит, что они неутомимо заводят все новые знакомства, и у них бессчетно друзей, приятелей, френдов, случайных знакомцев. Вайзман провел небольшой эксперимент. Он разместил одни и те же случайные возможности — деньги на земле и встречу с предприимчивым «бизнесменом» — на пути двух людей: одна считала себя горькой неудачницей, другой утверждал, что ему всегда и во всем невероятно везет.

Что же вышло? Удачник немедленно усмотрел деньги в траве и прикарманил, затем разговорился с актером-бизнесменом в кафе. Вечная неудачница тем временем наступила на деньги, вовсе не заметив их, и молча потягивала свой кофе, не обмолвившись ни словом с тем же самым радушным «бизнесменом».

# Наденьте розовые очки!

Удача обычно жалует людей непринужденных, умиротворенных, без излишних требований к жизни. Они отлично знают, чего хотят добиться, но не спешат с деталями, с краткосрочными обязательствами. Удачник, скажем, не метит на должность главного хирурга-кардиолога в прославленной клинике Майо. Скорее он намерен стать врачом, готовым спасти жизнь пациента. Как только эти люди точно определили свою конечную цель, они полагают, что существует много разных способов для ее достижения. Для такой веры необходима открытость и готовность для внезапных поворотов и изгибов на жизненной дороге, а также познавательная и поведенческая гибкость. Но зачем заходить в такие высокие сферы? Вот примеры из мелочной жизни.

Человек, открытый всем жизненным сюрпризам, отправляется в собачий парк, полагая, что может встретить там нового друга, партнера по бизнесу или даже приударить за какой-нибудь соблазнительной собачницей. Зажатый человек встретит только владельцев собак. «Не судите заранее о людях и обстоятельствах, — наставляет тот же Вайзман. — Ждите, пока не убедитесь, что именно перед вами».

Также можно приучить себя к большей мобильности в поступках и привычках. Удачники часто реагируют на одни и те же стимулы совсем иначе, чем жесткие, негнущиеся натуры. Они ходят на работу по разным, порой даже нелепым, маршрутам или выбирают непривычное, черт-знает-где, местечко, чтобы выпить чашку кофе, а не потрюхают напрямик в любимую кафешку, где всё «как обычно».

«Изменяйте, ломайте застылые привычки жизни, — советуют психологи. — Займитесь чем-нибудь новым, другим и по-другому».

Очень важно также пребывать в хорошем настроении, в позитивном настрое — чтобы уловить, учуять больше шансов, ежедневно проносящихся мимо вас. И — представьте! — очень полезно и выгодно смотреть на мир сквозь розовые очки.

Оказывается, люди в отличном настроении вбирают больше визуальной информации, а мрачные угрюмцы почти ничего не замечают в окрестном мире.

## Чересчур перестараться

Вот еще один парадокс: добросовестность, усердие, ретивость в работе — личностные черты, напрямую связанные с успехом, с достижением, — не приманят к себе госпожу Удачу, скорее — оттолкнут ее.

Что означает добросовестность? — Вы делаете, что вам положено делать, и вы отдаете все силы этому делу. Проблема в том, что добросовестные люди будут упорствовать в задании, даже когда это совсем не нужно. Такой рабочий казус американцы называют «чересчур перестараться». Круто прилагая все усилия к одному заданию, эти старатели непременно пропустят неожиданную — но более прямую — связь с успехом.

Что же советуют нам психологи? Позволить себе уклониться от курса, попросту отвлечься от самого напряженного труда. Только вольная птица учует скрытые возможности. Если очень пристально смотреть на что-то, ничего окрест не увидишь. Даже если вы с головой ушли в сложный проект, отвлекитесь на минутку, поболтайте с сотрудниками, побегайте по Интернету от одного интересного блога к другому. Вы можете пропустить срок сдачи проекта, но можете и найти лучшее и более оригинальное решение своей задачи.

Отвлекитесь от мысленной одноколейки — и вы наверняка найдете оптимальный конечный результат.

## Примирись с неудачей

Психологи настойчиво советуют использовать подвернувшийся случай. Ловите миг удачи! А неудачник пусть плачет. Лучше рискнуть, чем всю жизнь жалеть об упущенных возможностях.

Так рассуждают и так поступают удачники. Не всякий риск венчается успехом. Не каждый использованный шанс плодотворен.

Удачникам очень хорошо знакомы неудача, провал, даже крутой облом. Но они никогда не назовут свои промахи — невезением, неудачей, а только — ошибкой, просчетом, осечкой. Они нисколько не сомневаются — так уж генетически устроены, — что за ошибкой непременно привалит им удача, или — если так придется — они исключительно удачливо начнут с нуля.

Да, это особые люди — гибкие, оборотливые, маневренные в обращении с собственной судьбой. И вместо горьких сожалений в их ушах непрерывно звучит волнующая музыка удачи.

Знаете ли вы, что большинство успешных бизнесменов — бывшие провальные бизнесмены, обломившиеся не раз и не два? Кое-кто потерпел даже полный финансовый крах, но чудом (как многие считают) восстановился.

Они — не игроки, не азартники, не искушают судьбу, а крепко полагаются на свою инстинктивную прозорливость, которая, понятно, срабатывает не на все сто.

На свои неудачи или, скорее, промахи судьбы (кстати, довольно редкие) они смотрят как на необходимое зло, и не было случая (ученые проследили), чтобы коренной удачник сломился под ударами невзгод.

## Когда рождаются везунчики?

Оказывается, какие-то дни и месяцы благоприятны для рождения удачливых людей, в другие же сроки у везунчика нет никаких шансов появиться на свет.

Не подумайте, что наука в данном вопросе вошла в заговор с вещей колдуньей астрологией. Просто ученые установили, что определенные болезни — шизофрения, к примеру, — или даже личные свойства — такие, как неодолимая тяга к новизне, — напрямую связаны с днем рождения. Здесь не небесные светила влияют на рождение людей, а скорее тончайшие воздействия на мозг эмбриона, различные от сезона к сезону.

Действительно ли судьба зависит от срока нашего вступления в этот мир?

Ученые опросили группу британцев, считают ли они себя удачниками, а также определили у каждого основные личностные черты. И что же оказалось?

Люди обоего пола и любого возраста, рожденные между мартом и августом, считают себя удачливее, чем рожденные в холодные месяцы с сентября по февраль.

Май — самый удачливый месяц.

Не факт, конечно, но если вы хотите родить счастливое, везучее дитя, попытайте удачу в августе!

# АМЕРИКАНСКИЙ МАНДАТ НА СЧАСТЬЕ

Поговорим о счастье. Не о личном, частном, персональном. О валовом — в охвате этноса, народа, страны.

Оказывается, счастливым может быть не только человек. Но и целая страна, весь материк и даже такая эфемерная субстанция, как время. «Мы живем в исключительно счастливое время», — говорил в конце советских 20-х советский нарком Луначарский. На что язвительный Виктор Шкловский отвечал: «Время счастливо, очевидно, само по себе, без людей».

Меня, однако, как и журнал «Тайм», посвятивший однажды этой теме целый номер, интересует звездно-полосатое счастье с американским паспортом в кармане. Среди разновидностей земной радости существует, оказывается, и специфическое американское счастье. Попробуем его определить.

Нынче, когда нация — политически и психически — расколота и разногласна по любому коренному вопросу — от Обамакера и нелегалов из Мексики до беженцев из исламских стран и даже до окраса штатов на родимой карте, — в одном американцы сходятся безоговорочно: они — счастливы.

78 процентов американцев счастливы безоглядно, пожизненно и каждодневно. Остальные тоже счастливы, но с оговорками — не каждый день и не во всю жизнь. Но навык к счастью, привычка к оптимизму, вкус к будущему присущи всей этой жизнелюбой нации.

Американцы рассматривают свое неуемное счастье как легитимный факт, как завет истории. Ведь это отцы-основатели США в Декларации независимости объявили погоню за счастьем благородной целью человека и общества.

Почти по-нашему: человек создан для счастья, как птица для полета. Но по тем временам и в той стране это была романтическая фраза. А вот американцы относятся к счастью прагматично — как к исключительно жизненной, земной цели. Предписания отцов-декларантов народ воспринял буквально — как мандат на счастье. И следует ему неукоснительно уже два столетия.

Но так ли безоблачно американское счастье? И что к нему ведет, а что уводит? Счастье самопроизвольно или вызываемо? Безусловно или относительно? И с чем его едят? И есть ли рецепты и формула счастья?

Короче, экспериментальная группа психологов и психиатров отследила, как влияют на «американское счастье» такие его старинные компоненты, как работа, брак, религия, деньги, здоровье. И пришла к неожиданным результатам.

## Когда сердце поет?

Прежде всего, всем этим ученым в услуге у «Тайма» пришлось срочно переучиваться. Круто менять квалификацию. Они всегда имели дело с чернухой, мраком и негативом в человеке, с больной, ущербной или сломанной психикой. Цель психиатра — вывести пациента из негативного больного состояния в нейтральную норму. Или, на шкале психического здоровья, — от минус пяти до нуля. А на арго — довести психаря до чистяка, нейтрала, человека без свойств.

А есть ли более надрывный контраст, чем, скажем, клинический депрессант и жизнерадостный счастливец? Психологи признали, что их профессия была споловинена. Необходимо было выяснить, при каких условиях человеческая психика не угнетается и болеет, а — здоровеет, цветет, нирванится и кайфует. То есть исследовать весь букет положительных эмоций. Довести оценку психики от нуля до плюс пяти, до высшей точки довольства и счастья. Что к этому ведет? От чего американец счастлив?

Не от денег — это точно. Рухнул еще один американский стереотип: культ доллара, хищный меркантилизм, мечта о богатстве. «Прижизненные хлопоты по добыче деньжат», которые Борис Слуцкий не относил к жизненному опыту, американскую душу также не греют. В обойму счастья не входят. Новый американец усвоил старую истину: на деньги счастья не купишь. Кузнец доллара не кузнец своего счастья. Доллары американец припечатал иначе: деньги — это свобода. Уолл-стритские акулы резвятся в реке жизни наравне с финансовой мелюзгой. Когда основные потребности жизни удовлетворены, повышение дохода ненамного, а то и никак не повышает тонус жизни. Миллиардер ничуть не счастливее миллионера, а сводящий концы с концами середняк не чувствует себя пролетчиком, доволен жизнью и оптимист.

Ни высшее образование, ни высокий интеллект, ни блеск вундеркиндства счастью не способствуют. И даже юность — казалось бы, синоним счастья — не часто ходит к счастью в гости. Немолодые люди более в ладах с судьбой, испытывают больше довольства от жизни и реже хандрят и унывают, чем молодые. Молодежь дуется на жизнь три-четыре дня в месяц, тогда как пожилые люди (верно, из экономии) — всего два дня. Вот к ним-то, к этим пожилым, и обращено чаще всего «смеющееся лицо счастья».

И даже брак — как бы его потом ни называли: счастливый-несчастный, удачный-провальный — не увеличивает ваше счастье ни на йоту. Ни — счастье, ни — здоровье, ни — радость жизни. Все эти бесценные дары могут в браке только уменьшаться — но не возрастать. Ученые утвердили этот странный факт с несомненностью, подвергнув испытанию сотни молодоженов. В первые дни после свадьбы они испытали прилив экстрасчастья, но чуть позднее их жизнерадостность вернулась на добрачную метку. Да там и осталась. В лучшем случае. Очевидно, брак не вяжется напрямую со счастьем. Как у Мандельштама, но по другому поводу: «А счастье катится, как обруч золотой, чужую волю исполняя».

Самым лакомым блюдом на пиру жизни американцы считают не любовь, а — дружбу и семейные тесные связи, теплые сношения с детьми, приятелями, супругой, партнером по работе. Но только дружба и весь набор переживаний, с нею связанный, вызывает у американца, как некогда у древнего спартанца, счастье самой высокой пробы. Ну, а девушки? А девушки — потом.

## Заповедь счастья

Пушкин рекомендовал искать счастье «на проторенных дорогах». Сам он его так и не нашел. Отсюда его вывод: «На свете счастья нет, а есть покой и воля».

Здесь встает вопрос, актуальный во все времена и во всех религиях: хотел ли Бог, чтобы люди были счастливы?

Вспомним сетования несчастного Иова в одной из ранних книг Ветхого Завета. Судя по Евангелию от Луки, счастье не является оправданием земного бытия человека. И многие современные верующие, судя по их отношению, скажем, к гомосексуалам или трансвеститам, вовсе не приветствуют чужое счастье, если оно не соответствует или противоречит Божьей воле.

Однако раннехристианский культ страдания — если не в прямое подражание Христу, то из уважения к тому, что тот претерпел на кресте, — не мог оказаться особенно жизнестойким, ибо природа человека брала верх, жизнь вносила коррективы в религиозные каноны, монастырский устав не годился для мирской жизни. Если кесарю — кесарево, а Богу — Божье, то и человеку — человечье. Церковь была оставлена для воскресных служб, проповедей и исповедей, а жизнь шла своим чередом, и церковные догматы приспосабливались к ее каждодневным нуждам.

И пусть негласно, но очевидно в Америке возобладал древний принцип: не человек для субботы, а суббота для человека. Субботу в этом афоризме следует заменить на воскресенье. Так американцы теологический вопрос о счастье перевели в свою жизненную несомненность. Фактически они возжелали получить второй мандат на счастье — но уже не от государства, а от Бога.

В книге «Современное счастье» автор Дженнифер Гехт усматривает Божественный промысел в «американском счастье». Даже в книге далай-ламы, написанной вместе с Ховардом Катлером,

«Искусство счастья» (бестселлер 97 недель!) отстаивается Божественное пожелание человеку счастья, хоть Будда и утверждал нечто противоположное, а именно: жизнь человека есть страдание.

Это очень по-американски: переосмыслить все теологические доктрины на свой лад и полагать, что у Бога нет занятия важней, чем устроение нашего счастья. Но эта уверенность позволяет американцу крепче стоять на ногах и чувствовать себя — с Божьей помощью — гораздо счастливее, чем в одиночку, без Бога.

# Кто на свете всех счастливей?

Никаких сомнений на этот счет у самих американцев нет: они. Существует, однако, статистика глобального счастья с отметками — от счастья к несчастью — по семибалльной системе. На этой шкале нищие жители Калькутты занимают четвертое место — ровно посередине. Другими словами, они чуть ближе к счастью, чем к несчастью, не так ли? Конечно, они не так безоговорочно счастливы, как американцы, но счастливее, чем можно было ожидать, глядя на них со стороны. Кто себя совсем не чувствует счастливыми, так это мрачные, с апокалиптическим взглядом в будущее русские и угрюмые литовцы, замыкающие эту статистическую таблицу счастья.

А кто ее возглавляет? Да американцы! Но совсем не те, которые уверены в своем счастье — не штатники, а латиноамериканцы из Южной и Центральной Америки. В чем тут дело? Может, к ним перекочевала наша поговорка: горе — не беда? Или в состав их счастья входит нечто иное, чем в счастье североамериканское? Скажем, любовь, которой латинос придают первостепенное значение, тогда как у северных американцев она из реала ушла в кино и мыльную оперу? Влюбиться и создать семью — это и есть для латиноамериканца самое большое счастье, в то время как женитьба, по опросам судя, не меняет тонуса жизни североамериканца.

Тем не менее, хоть и уступая своим южноамериканским соседям, граждане США в ощущении себя счастливыми занимают почетное восьмое место, но, увы, делят его... со Словенией, родиной нынешней первой леди Мелании Трамп. Что не может не огорчать лидеров нашей страны, тогда как словенские лидеры должны прыгать до потолка от счастья, что их нация так же счастлива, как американская. Видимо, каждый мерит счастье на свой аршин — относится ли это к индивидууму или целому народу. Есть американское счастье и есть словенское. Диоген, скажем, был счастлив, живя в бочке...

# ЕСТЬ ПРОРОК В СВОЕМ ОТЕЧЕСТВЕ: МАРК ТВЕН!

Прошло сто лет, и вот мы встречаемся, как и было условлено, с живым, насмешливым и говорливым Марком Твеном. Этим непревзойденным корифеем смеха. Этим мощным комическим талантом. Он таки достал нас из могилы спустя столетие! Буквально. По завещательному распоряжению Твена, век спустя после его смерти, изданы его сенсационные, политнекорректные, мстительные и бранчливые, запальчивые и резкие, негодующие и чудно юморные воспоминания.

## Знакомый незнакомец

Впервые в этой трехтомной «Автобиографии Марка Твена» писатель заговорил с нами откровенно, непосредственно и без всяких цензурных искажений. Это удивительное ощущение разговора живого Твена с его будущими, через столетие, читателями связано и с тем, что он не писал свою, в 500 000 слов, автобиографию, а наговаривал ее четыре года подряд перед смертью стенографисту. Прекрасный и опытный оратор, Марк Твен считал, что, рассказывая о своих воспоминаниях и взглядах, а не записывая их, он придает повествованию более натуральный, разговорный и откровенный тон.

Коли речь зашла о его смерти, нельзя не упомянуть, что она, как и рождение Твена, сопровождалась мистическими, а точнее — космическими знамениями. За год до смерти писатель сказал: «Я появился на свет в 1835 году вместе с кометой Галлея, через год она снова прилетает, и я рассчитываю уйти вместе с ней». Так и случилось. Твен умер 21 апреля 1910 года, когда комета ярко и грозно стояла в небе.

Но вот что странно: в этой своей цельной, без сокращений и искажений, автобиографии Марк Твен как-то не похож на себя, точнее, на того Марка Твена, которого мы знаем (или думаем, что знаем), прочтя подростками «Тома Сойера», «Гекльберри Финна», «Принца и нищего», «Янки при дворе короля Артура» и другие его книги, полные неистощимого веселья, кипучей радости бытия, стойкого оптимизма и несокрушимого доверия к жизни. Именно таким — природным жизнелюбцем, упоенным смехачом и насмешником, солнечным и радостным оптимистом — остался писатель в памяти тех, кто остановился в чтении на его основных шедеврах.

Зато в автобиографии, упрятанной самим писателем от читателя на сотню лет, возникает совершенно иной, незнакомый Марк Твен, утративший иллюзии и растративший оптимизм, угрюмый мизантроп, безотрадный скептик, усомнившийся в прогрессе своей эпохи. Более того — что несколько покоробило ортодоксальных марктвенистов, — писатель в своей новой книге становится на какое-то время бескомпромиссным политиком, резко осуждая «преступные действия» американского правительства, а также с увлечением — гордо, достойно и без всякого юмора — играет роль гневного пророка.

## «Только мертвым позволено говорить правду»

Страдающий из-за американских военных интервенций в чужие страны или яростно громящий магнатов с Уолл-стрит, этот Марк Твен на диво современен и актуален. Кажется, он живет не в своем любимом XIX веке, начисто не приемля начальный XX, где его «угораздило отмучиться 10 лет», а в нашем XXI, который тоже вряд ли чем бы его порадовал! Некоторые его наблюдения за американской жизнью настолько беспощадны — однажды Твен называет американских солдат «убийцами в военных мундирах», — что его наследники и редакторы, да и сам писатель, опасались, как бы подобные высказывания, если их немедленно не выбросить из текста, не подорвали всерьез его репутацию.

«Из первого, второго, третьего и четвертого изданий следует выбросить все здравые, дельные и разумные суждения», — наставлял Марк Твен в 1906 году редакторов. «Может, и подвернется рынок для такого товарца через столетие от наших дней. Никакой спешки. Поживем — увидим». А в дневнике, который вел с юности, Марк Твен в 1904 году запечатлел свое беспросветное отчаяние: «Только у мертвых есть свобода слова. Только мертвым дозволено говорить правду. В Америке, как и повсюду: свобода слова — для мертвых».

И эти горькие, безнадежные строки пишет первый писатель Америки с мировой славой, кипучий жизнелюбец, ярый оптимист, неистощимый весельчак и смехач, гордый своей страной, безмятежно верующий в особый удел Нового Света. Давайте вкратце проследим, как произошла в жизни и сознании писателя эта трагическая метаморфоза.

# Очарования и разочарования Марка Твена

Как идиллична, щедра и полна чудесных обещаний Америка времен детства писателя, прошедшего на Миссисипи! С этой жизнестойкой американской дикой вольницей мы встречаемся в главных книгах Твена — «Томе Сойере», «Жизни на Миссисипи» и «Гекльберри Финне». Могучая, шириной в несколько километров, великая река с ее далями неоглядными, с бойкой жизнью на берегах в «старые времена» расцвета пароходства была для Сэмюэла Клеменса, еще не ставшего Марком Твеном, родной стихией, поэтическим и романтическим образом родины, а позднее — символом свободы, полной независимости человека в еще не обузданных техническим прогрессом американских просторах.

Нигде, наверное, любовь и гордость за свою страну — разумеется, в юмористическом, шутливо дерзком, а не помпезном изложении — не выразилась у Твена так ярко и так откровенно, как в его знаменитой «путево́й» книге «Простаки за границей», имевшей феноменальный успех. Эта уморительно смешная, неистощимая в шутках и комических бурлесках книга, вышедшая в 1869 году, знаменует пик писательской славы Марка Твена. Но за обвальными шутками и буйным юмором, извлеченным из сопоставления Нового Света со Старым, была серьезная цель. «Простаки» прославляют свою страну, «не знавшую феодального угнетения, раболепства и безземелия». Тут встретишь американские гимны прогрессу и XIX веку, веру в особенное предназначение Америки, запальчивое, страстное утверждение национальной культуры, не признанной вообще за культуру (а только за грубое варварство) Старым Светом.

И через 10 лет после «Простаков» в записных книжках Твен отстаивает несомненное превосходство своей страны над Англией, «презирающей Америку»: «Мы равнодушны к тому, что страна не лучше и не обширнее нас глядит на нас свысока. Мы ввели в практику телеграфную связь. Мы придумали скоропечатный станок, швейную машину, спальный вагон и салон-вагон, телефон, броненосец, мы внесли свою долю в успехи столетия, мы первые начали предсказывать погоду». Однако этот гражданский энтузиазм и патриотическая гордость улетучиваются бесследно со страниц, написанных Твеном в последние два десятилетия его жизни.

Столь дорогие ему впитанные с детства американские идеалы поздний Твен развенчивает как наивные поэтические иллюзии.

Вместо вымечтанного молодым Твеном общества равноправия и справедливости пришел корыстный «позолоченный век» — так сам писатель назвал время спекуляций и афер, чудовищной коррупции и растущих имперских амбиций. И вот его твердое убеждение — нет и не было никакого, им самим когда-то воспетого, американского прогресса: «Шестьдесят лет тому назад „оптимист“ и „дурак“ не были символами. Вот вам величайший переворот — больший, чем произвела наука и техника. Бо́льших изменений за шестьдесят лет не происходило с сотворения мира».

Много разочарований, нравственных и социальных потрясений, много жизненных катастроф должно было произойти, чтобы прирожденный оптимист под старость с презрением высмеивал «эту жалкую жизнь, бессмысленную Вселенную, жестокий и низкий род человеческий, всю эту нелепую смехотворную канитель».

# Он все еще шутит

К счастью, старый мизантроп, находясь в глубокой депрессии, все еще любил пошутить. Мне по душе его мудрое высказывание об обожаемых мною кошках: «Изо всех божьих созданий только одно нельзя силой принудить к повиновению — кошку. Если бы можно было скрестить человека с кошкой, это улучшило бы людскую породу. Но повредило кошкам». И, конечно, его знаменитая фраза в ответ на посвященный ему некролог в «Нью-Йорк джорнел»: «Слухи о моей смерти сильно преувеличены». И как бы ни менялся со временем смех Марка Твена — от комедийного буйства до резкой сатиры, — писатель убежден, что владеет оружием чудотворным: «Ни одно божество, ни одна религия не выдерживает насмешки. Церковь, аристократия, монархия, живущие надувательством, встретившись с насмешкой лицом к лицу, — умирают».

# Марк Твен негодующий

И вот нынче цельная версия «Автобиографии Марка Твена», выдержав столетний мораторий, проходит проверку временем. Дождется ли Твен посмертно, как он предсказывал, своего массового — из неведомого ему XXI века — читателя? Несомненно.

Отдельные версии автобиографии издавались и раньше, но в них Марк Твен был укрощен, урезан, нейтрализован — нигде не прорывалась его неистовая, безостановочная страсть. Страсть, ярость и гнев. Такого — обличающего, исступленного, негодующего — Марка Твена читатели встретили впервые. А главным цензором, по сути, была дочь писателя Клара, дожившая до 1962 года и с наилучшими намерениями — оберегая пристойный имидж Марка Твена — немилосердно изуродовавшая рукопись своего знаменитого отца.

Резкая критика Твеном американской интервенции на Кубу и Филиппины, к примеру, была хорошо известна еще при его жизни. Но только нецензурованная автобиография дает понять, как непримирим и страстен был его протест, как близко к сердцу принимал он, как личное несчастье, войны своей страны. С гневом и горечью повествуя о нападении на туземные племена на Филиппинах, Твен называет американских солдат «нашими убийцами в мундирах», для которых убийство «шестисот беспомощных и безоружных дикарей... было чем-то вроде долгого и удачного пикника, где всего и дел-то, как сидеть с комфортом и палить в этих жалких людишек и воображать письма, которые они напишут домой восхищенным семьям, и упиваться без конца своей славой и отвагой».

Что и говорить — в новом сочинении Марка Твена встречаются такие крутые и бескомпромиссные замечания, что, будь они сказаны теперь, в контексте войн в Ираке и Афганистане, они бы, вероятно, заставили наших правофланговых усомниться в патриотизме этого самого американского из американских писателей.

Марк Твен также непримирим и беспощаден к плутократам и уолл-стритовским заправилам своего времени, которые — так он считает — уничтожили врожденную щедрость американцев, подменив ее жадностью и эгоизмом. «Весь мир убежден, что старший Рокфеллер стоит миллиард долларов, — едко замечает Твен. — Однако он платит налоги с двух с половиной миллионов».

Звучит ультрасовременно, стоит на место Рокфеллера поставить любого из нынешних мультимиллиардеров.

## Марк Твен бранится, умиляется, шутит

Разумеется, не только гнев, страсть и обида ведут в бешеном темпе эту ругачую автобиографию. Да, Марк Твен любит побраниться в своей книге, считая своим прямым долгом расквитаться и свести счеты с нелюбезными ему людьми. Особенно досталось графине, владелице виллы, на которой Марк Твен проживал с семейством во Флоренции в 1904 году. Писатель так и кипит гневом и обидой, честя ее нещадно как «психопатку, злобную, злокачественную, злопамятную, дико мстительную, жадюгу, скупердяйку, сквалыгу, сквернословку, грубую, вульгарную, похабную, неистовую куражницу снаружи, а в душе — жалкую трусиху». Что и говорить — круто разделался Твен с ненавистной графиней, да еще и на сто лет вперед!

А вот главка под названием «В деревне». Это прозрачная, лирическая, слегка сентиментальная, удивительной чистоты и словесной утонченности проза. Твен вспоминает свое идиллическое детство, проведенное на миссурийской ферме дяди, размышляет о рабстве и о рабе, с которого он списал своего Джима в «Гекльберри Финне», и предлагает почти прустовское размышление о памяти и воспоминаниях, но только вместо прустовской «мадленки» у Твена толчком, пускающим память в долгий путь, служат арбуз и кленовый сок.

И как ни огорчен или сердит бывает Твен в автобиографии, его неизменный комический талант рассыпает веселье, смех и шутки почти на каждой странице. Вот он вспоминает, как был приглашен в Белый дом на официальный обед и как его жена Оливия, которая оставалась дома, строго внушала, чтоб он не надевал свои зимние галоши. В Белом доме Твен отыскивает Первую леди Френсис Кливленд и заставляет ее расписаться на карточке под словами «Он их не надел».

Таким новым и неузнаваемым предстает Марк Твен перед нами, его далекими потомками.

Вот я и говорю: знакомый незнакомец.

Парадоксы ВЛАДИМИРА СОЛОВЬЕВА_

# РАСКОЛОТАЯ АМЕРИКА

Избранное избранного

Сколько я настрочил за свою жизнь! В литературе я работаю в разных жанрах — проза, публицистика, политоложество, мемуаристика, культурология. Даже в последней, помимо крупномасштабных произведений — от диссертации о Пушкине и докуромана о Бродском «Post mortem» до исповедальных книг, типа «Трех евреев» и «Записок скорпиона», а совсем недавно мемуарно-аналитического пятикнижия «Памяти живых и мертвых» — еще я регулярно выступаю в американских русскоязычниках, а теперь вот и в российских СМИ с короткометражками, блиц-статьями, которые печатаются просто так, а часто в моей авторской рубрике «Парадоксы Владимира Соловьева». Плюс скрипты под тем же названием для здешнего ТВ (WMRB) и радио «Либерти». Это, конечно, скоропись — эссе поневоле конспективны, сжаты, как пружина, читатели иногда спрашивают, почему бы не развернуть их в полноценные книги? А зачем?

Политкорректность соблюдать никогда не считал нужным. Даром что парадоксы, они провоцируют шквал полемики, а иногда зашкаливают в скандал. Для этой книги я выбрал всего ничего — избранное избранного. В отличие от скоропортящейся все-таки политики, о которой я тоже пишу книги и статьи, эти эссе не устаревают, ибо касаются если не вечного, то долговечного: искусства, литературы, философии, соитологии, инвентологии, социологии, юрисдикции — я знаю?

Даже в частном вроде бы случае убийства дежурным патрульщиком черного юноши, которое всколыхнуло всю страну, автор видит общеамериканскую проблему, может быть, самую острую и болезненную, которая расколола США надвое: две Америки взамен одной. А последние президентские выборы? За всю мою жизнь в Штатах — а я живу здесь со времен президента Картера — никогда еще страна не была так поляризована, как теперь — сначала во время предвыборных баталий, а тем более, когда в Белый дом пришел человек со стороны, еще точнее — человек ниоткуда Дональд Трамп. Напряг после этих экстремальных, а возможно, судьбоносных выборов еще больше увеличился: расколотая надвое нация. Выборы — не выход, а очередной тупик в социо-культурно-политическом лабиринте, где мы волею судеб оказались.

О чем спорят мои нынешние соотечественники? Да обо всем. Трудно отыскать, о чем они не спорят.

А начну я, пожалуй, с секса, коли сексуальные скандалы стали чуть ли не центральным сюжетом последних президентских выборов.

# ПОД ОДЕЖДОЙ ВСЕ ЛЮДИ ГОЛЫЕ!

## Секс-скандалы и политические судьбы

Уж коли речь о сексе, то вот недавний эпизод из моей внесупружеской жизни: несостоявшийся секс. Я живу вплотную к Куинс-колледжу и часто гуляю по его кампусу, любуюсь с холма обалденным видом на Манхэттен и заглядываюсь на встречных студенток: попадаются хоть куда. С годами, правда, я стал то ли менее разборчив, то ли более всеяден — не знаю. Выражаясь научно, сексуальный эврифаг. Или омнивор? Читателю на выбор. Даже подвел биологическую базу под изменения, а точнее, расширение моего сексуального аппетита: в самом деле, так ли уж велико отличие одной женщины от другой? С гуманитарным уклоном: секс позарез любой из них — так чего нам привередничать и своим выбором обижать тех, кто не попал под наш естественный — а на самом деле неестественный! — отбор.

Пока я блуждал в теоретических дебрях — чем не отвлек от похоти! — поймав мой голодный взгляд, останавливает меня девица очень даже ничего собой и предлагается за сотнягу. Я опешил:

— Понимаешь, в моей практике нет такого опыта, я никогда не пользовался платными услугами...

— Многое случается в первый раз, — рассмеялась «ничего собой». — Не подумай чего — я не проститутка, но сейчас на мели, ты мне нравишься, а если хватит сил, сводишь меня потом в пиццерию.

— У меня нет ста долларов, — нашелся я наконец, чтобы ее не обидеть. Она и отвалила.

Вечером рассказываю эту историю друзьям-приятелям моего приблизительно возраста

— Типичная подстава, — говорит один. — Переодетый коп. Вот ты бы и попался. Проституция у нас в городе запрещена.

— Нормалек, — возразил другой. — Была бы подстава, она бы поторговалась и снизила таксу.

По-любому, еще одна упущенная возможность. Тут одна знакомая сказала мне, что жалеет, что никогда не изменяла мужу:

— Какое ни есть, а приключение!

— Пошли мне, господи, ужасное приключение! — припомнил я реплику незнамо откуда.

Я как раз о любовных приключениях наших знаменитых мужей — артистов, спортсменов, политиков. Точнее о тех из их приключений, которые просачиваются наружу и становятся известны urbi et orbi, а сколько остаются за семью печатями — и слава богу! Минуя все-таки обвинения и контробвинения в сексуальном непотребстве во время последней президентской гонки: на какое-то время эта пикантная тема стала главной в предвыборных баталиях, и, казалось, Трампу уже не отбиться и не отмазаться от вменяемых ему в вину преступлений на почве не любви, а похоти и пошлости, если бы главный советник и по совместительству зять Джаред Кушнер не присоветовал ему перейти в контратаку, и тогда на свет божий извлечены были дамы, соблазненные, совращенные, а одна так даже изнасилованная мужем Трамповой соперницы Биллом Клинтоном, а у того рыльце в таком пуху, что все скушают. Так или не так, никто со свечой не стоял, главное — прокукарекать: ложки нашлись, а осадок остался. Similia similibus destruuntur. Ну, типа клин клином вышибают. Я сейчас про других фигурантов-знаменитостей, которые таки засветились при свете дня, свечи без надобности.

Ну, например, секс-скандал с генералом Дэвидом Петрэусом, у которого был роман с собственным биографом Полой Бродвелл — по преимуществу, как можно судить по их переписке по мылу, под письменным столом директора ЦРУ. А если это любовь? В любом случае, мыльная опера, которую размусоливали на все лады американские и мировые СМИ. Отвлекали ли высокого сановника труды на ниве любви под письменным столом от деловых трудов за письменным столом и не произошло ли утечки секретной информации таким генитальным, извиняюсь за медицинский термин, путем — другой вопрос. Лично меня интересует пикантная сторона этого дела, тем более не первый и, полагаю, не последний скандал на сексуальной почве в истории Америки. Сколько здесь живу — половину моей жизни! — страну сотрясают секс-скандалы с великими и мнимовеликими мира сего.

Ну, самый громкий на нашем политическом Олимпе — на моей памяти — с президентом США, когда Билл Клинтон подзалетел с сосалкой Моникой Левински и чуть не вылетел с позором из Белого дома. Однако скандал разгорелся вовсе не из-за его адюльтера в святая святых, пульте управления человечеством — Овальном кабинете, и даже не из-за сексуальных склонностей — еще будучи губернатором в Аризоне, он советовался со своими телохранителями, относит ли Библия оралку на стороне к супружеской измене, а по причине его лжи по поводу этих отношений. К слову, как изменились у нас в стране нравы в сторону их устрожения (чтобы не сказать — ожесточения): ДФК — политический и, я так понимаю, мужской идеал Билла — изменял своей Жаклин налево и направо, тот еще был ходок — и все ему сходило с рук, никаких публичных аутодафе!

Впрочем, сошло и Клинтону — воистину везунчик: чудом — маргинально при голосовании по его импичменту — уцелел в президентском кресле. А за давностью лет его грехи и вовсе были подзабыты, и судя по опросам, он один из самых популярных политиков и, как знать, мог бы вернуться в Белый дом в качестве Первой леди, если бы его жена Хиллари стала нашим следующим президентом. Не судьба, однако!

А сколько политиков и политиканов сошли с президентской дистанции из-за «седьмого греха», согласно той же Библии! От демократа Гэри Харта до республиканца Германа Кейна: одного папарацци застукали с любовницей на яхте в разгар предвыборной гонки (или это была подстава?), а другого уличили женщины, которым он делал непристойные предложения — имя им легион! Или вот дважды кандидат в президенты Джон Эдвардс, этакий голливудский красавчик, который нагулял на стороне ребеночка.

И это при смертельно больной жене! А обманутая жена простила его на смертном одре. Для кого политическая мелодрама, а для кого — личная трагедия.

# Аппалачская тропа

Вот еще парочка наших несостоявшихся — по той же причине — президентов. Два губернатора — Южной Каролины и Нью-Йорка: республиканец Марк Сэнфорд и демократ Элиот Спитцер. Оба были вероятными кандидатами в президенты от своих партий, а нашего Спитцера уже прочили в первые еврейские президенты Америки. Свежо предание, а верится с трудом! Оба поскользнулись опять-таки на «опасных связях». Имея прелестную жену и милых дочерей, Элиот Спитцер пользовался услугами подпольной эскорт-службы, а Сэнфорд, тоже женатик и не бездетный, летал к любовнице в Аргентину — да еще за казенный счет, а своих субординатов уверял, что путешествует по Аппалачской тропе, на которую сроду не ступал. Жена Элиота вроде бы смирилась с изменой мужа, а жена Марка подала на развод и сочинила мемуар о жизни со своим непутевым мужем. Кто из жен прав, не знаю, а отставной Спитцер, который когда-то вел крестовый поход против Уолл-стрит, очухался и читает теперь в Гарварде лекции о морали — представьте себе! — в бизнесе. А что, пусть слаб на передок, но в остальном — молоток.

А если нашему губернатору подкинули высокооплачиваемую шлюху в отместку за его разоблачения? Не знаю, не знаю. Ладно, замнем для ясности.

Касаемо южнокаролинского губернатора — нет худа без добра. Представьте себе! Каждый год в американский язык входит по дюжине мемов — новых идиом, крылатых выражений. Вот одна из новинок: hiking the Appalachian trail. С учетом значения переведу вольно: прошвырнуться по Аппалачской тропе. У этого выражения есть дубль: hiking the euphemistic trail. То есть прогулку по этой знаменитой тропе, которая тянется три с половиной тысячи километров из штата в штат от Мейна до Джорджии и многие участки которой я протопал на своих двоих, останавливаясь на ночь в караван-сараях, следует теперь понимать не буквально, а в переносном смысле. Вот именно как эвфемизм — недаром невольный автор этой новой идиомы Марк Сэнфорд получил звание «лауреата-эвфемизмиста». Это когда он загадочно исчез на неделю под видом путешествия по этой самой Аппалачской тропе. А сам — вот адекватная русская идиома — ходил налево. Губернаторский пост ему пришлось покинуть: опять-таки не за адюльтер, а за ложь. Однако потом он всплыл на политическую поверхность, местный электорат ему все простил и избрал его своим представителем в Палату представителей США. Прошу прощения за невольную тавтологию.

# Невинный грех

Кто только не ходил на эту Аппалачскую тропу — тот же губернатор Калифорнии Арнольд Шварценеггер, более известный как голливудский актер и бодибилдер, который прижил на этой злосчастной тропе ребеночка. Ладно, проехали! Вот куда более поразительная история с человеком, который на эту тропу не ступал ни ногой, то есть ступал, но исключительно виртуально, в киберпространстве. Зато пострадал за воображаемый секс в виртуальном мире по полной: оказался в самом эпицентре секс-скандала, его имя трепали все американские СМИ, брали интервью с «его женщинами», с которыми он не был даже лично знаком, а только заочно, путем взаимной электронной переписки. (К слову, меня немного смущали эти доносительные интервью его партнерш по Твиттеру, Фейсбуку и прочей электронике.) Его крови требовали не только республиканцы, но и однопартийцы-демократы во главе с неподкупной Нэнси Пилози, их лидером в Конгрессе. В конце концов этот виртуально согрешивший политик покаялся в несовершенном преступлении, лишился места в Палате представителей, сошел с дистанции в борьбе за пост мэра Нью-Йорка, а потом и с политической сцены. И всплыл во время последнего раунда последней президентской гонки, да и то по касательной: на его лэптопе нашлись письма Хиллари Клинтон, которые она неосторожно отправляла с домашнего незащищенного сервера. Ну да, наш бывший конгрессмен Энтони Винер.

На этом я настаиваю: преступления не было, хотя грех был. А кто из нас безгрешен? Как говорится, пусть те и бросают в Энтони Винера камни. Без устали цитирую ревностного католика писателя-парадоксалиста Честертона: если вы не хотите нарушить Десять заповедей — значит, с вами творится что-то неладное. Да и кто в наше время помнит их все наизусть? Попробуйте перечислить в уме или вслух. Из всех самая, может быть, трудная — не прелюбодействуй. Сужу по себе.

Однако в случае с Энтони Винером грех был, но грехопадения не было. Он — самый невинный грешник из политиков. Было желание предстать во всей своей красе перед дамами-респондентками, но не было поступка, а тем более проступка или преступления. Даже если, на чей-нибудь пуританский взгляд, и было, то «преступление и наказание» не адекватны. По-любому, наказание превышает «преступление». Виртуальное преступление и реальное наказание. Нет, конечно, Энтони Винер — не совсем без вины виноватый. Кто спорит, стыд и срам для американского законодателя рассылать пусть не похабель, но свои не совсем пристойные фотки по Инету — даже не обнаженки, а полуобнаженки, в трусиках, но с очевидно эрегированным фаллосом, да еще завязывать электронный флирт с незнакомыми дамами! Тем более это был не просто виртуальный промискуитет, а еще и адюльтер — измена жене. Которая была к тому же беременна. Скандал усугублялся еще тем, что его супруга Хума Абедин — тоже видный политик, состояла в штате Госдепартамента и в качестве ближайшего помощника Хиллари Клинтон сопровождала ту в зарубежных поездках, особенно в мусульманские страны, будучи сама мусульманкой по вере (детство прошло в Саудовской Аравии). Ее мама Салеха жаловалась, что Хума больше времени проводит со своей патроншей, чем с ней. С либеральной точки зрения Энтони Винер и Хума Абедин были редкой и идеальной парой: еврей и мусульманка. Дружба народов — вот бы их примеру последовали на Ближнем Востоке иудеи и арабы!

Когда разразился этот секс-скандал, я гадал о причинах непристойного и недостойного поведения Энтони Винера. Желание расслабиться от супружеской жизни и политической деятельности? Эксгибиционизм? Сексуальный бзик-заскок? Заточенность на виртуальных сексизмах? Клиника в голове?

Пальцем в небо! Представьте себе: Энтони Винер без никаких сексуальных отклонений, разве что в подсознанке. А потому шутливое обыгрывание сленгового «weiner» (пенис) в связи с ним неуместно. Тем не менее психоанализ и тут не помешает. Выставление напоказ своего тела — впрочем, всего полдюжине корреспонденток за три года — той же патологический природы, что его неутоленный и неутоляемый аппетит к успеху, к аплодисментам, к избирательным кампаниям, к раздаче автографов и прочее, и прочее. Куда дальше, если Энтони Винер всегда имел при себе — на всякий случай — макияж! Одним словом, нарциссизм. Желание — да, но всего лишь желание покрасоваться. Одна из жен Евтушенко жаловалась мне, что ей не подойти к зеркалу — Женя от него не отходит. Самолюбование, самоупоение, самовлюбленность. Комплекс Дориана Грея: любите себя — этот роман никогда не кончается. Любовь к самому себе и как следствие — желание быть любимым и обожаемым: всеми! Вот почему Энтони Винер прикипел к киберпространству.

# Ату Доминика!

А вот вкратце история ДСК, как сокращенно называли директора Международного валютного фонда Доминика Стросс-Кана — по аналогии с Джоном Фидцжеральдом Кеннеди: ДФК. Тем более для этого акронима были политические основания: ДСК метил в президенты Франции и опережал в опросах действующего президента Николя Саркози на целых 20 %! А его жена голубоглазая красавица Анн Синклер, когда-то суперзвездная телеведущая, с которой лепили бюст Марианны, символ Франции, шла впереди тогдашней Первой леди Франции, бывшей модели фигуристой Карлы Бруни — на все 40 %! А роль жен во французских предвыборных кампаниях — огромная. Cherchez la femme! Бедный, обреченный Саркози — второй срок в Елисейском дворце ему явно не светил. Что делать, что делать? Вот тут мы и вступаем в область загадочную, гипотетическую, конспирологическую.

Соперничеством двух этих политиков — центриста Саркози и социалиста Стросс-Кана и объясняется, что французский президент услал своего соперника из Парижа в Вашингтон: директором МВФ. Пост мирового значения, но через океан, и Сарко явно надеялся, что французы о нем позабудут: с глаз долой — из сердца вон. Не тут-то было! Благодаря европейскому экономическому кризису ДСК, блестящий экономист и администратор, засветился на весь мир, спасая от дефолта европейские страны — Грецию, например. А на вопросы журналистов, собирается ли он переизбираться директором МВФ на второй срок или вернется во Францию, чтобы участвовать в президентской гонке, ДСК двусмыслил и лукавил, ссылаясь на дочь, студентку Колумбийского университета, которой нравится в Америке, и на жену, которой Америка не нравится, хотя она здесь родилась: ее родители бежали из Франции, как евреи, во время немецкой оккупации (из очень почтенного и богатого рода: дедушка Поль Розенберг — галерейщик и друг Пикассо). Собственно, именно она была драйвером политической карьеры мужа, образовала штаб-квартиру по его избранию президентом и Елисейский дворец рассматривала как своего рода исторический реванш евреев за все те жертвы и унижения, которые они претерпели во Второй мировой войне. Хотя в самом Саркози нет ни капли французской крови — он наполовину венгр, а на другую еврей, и 58 близких и дальних родственников погибли, как евреи, в концлагерях, но настоящими полноценными евреями во главе Франции были только ее довоенный и послевоенный премьер-министры — Леон Блюм и Мендес-Франс. Такой вот расклад. И ДСК уверенно шел в президенты страны, его называли Немезидой президента Саркози. Те, кто подзабыл: древнегреческая богиня мести и возмездия. В этом смысле слово и вошло в политический лексикон главных языков: Nemesis — как своего рода вендетта.

И вот как гром среди ясного неба: сенсационный арест в Нью-Йорке Доминика Стросс-Кана заслонил на время все остальные мировые события.

Нет, наверное, я все-таки француз. Сам того не сознавая. Как еще объяснить, что, когда американские таблоиды во главе с «Нью-Йорк пост» дружно травили «лягушатника» за то, что он будто бы пытался всяко изнасиловать отельную горничную и в конце концов таки поимел ее в рот, я — как большинство французов — был полностью на стороне Доминика Стросс-Кана и ни на мгновенье не усомнился в его невиновности, хотя сам, понятно, в манхэттенском отеле Sofitel, где это 6-минутное совокупление произошло, со свечой не стоял. Свеча — это метафора, потому что действие происходило утром. Но посудите сами. Лидер Международного валютного фонда с ежегодным окладом в полмиллиона и, судя по опросам, без пяти минут президент Франции силой добивается оралки от иммигрантки-мусульманки из Гвинеи, которая на тридцать лет его младше и на полголовы выше (1 метр 80 см). Я спросил знакомую, с которой мы в таких же разных приблизительно категориях в росте и возрасте, смог бы я, да еще таким образом, ее изнасиловать. Она посмотрела на меня с высоты своего роста и рассмеялась:

— Зачем насиловать?

Мужской контраргумент: почему «жертва», сопротивляясь, не воспользовалась своим зубами и не откусила ДСК его мужское достоинство во время «насильственного» орального акта. В конце концов ДСК был оправдан — причем, по требованию той самой прокуратуры, которая выдвинула против него вздорные и низкопробные обвинения и, позабыв про презумпцию невиновности, надела на него наручники и бросила в тюрьму. «Пострадавшая», однако, так запуталась в своих показаниях и изолгалась, и не только по этому делу, но с самого своего приезда в Америку, когда объявила иммиграционным властям, что подверглась у себя в Гвинее групповому изнасилованию, плюс попалась на других обманах, замешана в отельной проституции, принадлежности к гвинейско-исламской мафии — пробы ставить негде.

Кто заказчик этой подставы, из-за которой ДСК лишился сверхвлиятельного поста директора МВФ и выбыл из президентской гонки, которую у него были все шансы выиграть. Не слишком ли дорогая цена за 6 минут оралки? Пострадали не только он и его амбициозная жена, но и Франция, которая в трудный период экономического кризиса лишилась профессионально лучшего кандидата в президенты — недаром он так отрывался от соперников в общественных опросах и запросто побеждал Николя Саркози. Вот почему французские обозреватели и аналитики приписывали если не ему самому, то его спецслужбам авторство этой провокации, накопав множество подозрительных фактов.

Увы, эта сексуально-политическая интрига оказалась напрасной и не помогла Сарко остаться в Елисейском дворце, где Карла Бруни родила ему отпрыска, что впервые в истории Франции. Президентом Франции стал серый, как вошь, партийный аппаратчик Франсуа Олланд. Тоже, по слухам, еврей. Куда ему до блестящего ДСК, который был «нужен Франции, Европе и миру», на чем сходились все политические комментаторы. Увы и ах! Какие только коленца не выкидывает судьба с человеком. Как быстро, вмиг, герои становятся антигероями. Как скоро проходит мирская слава. То немногое, что я еще помню по-латыни: sic transit gloria mundi.

Оглянитесь окрест — сколько на этой скользкой аппалачской тропе упавших, павших, падших. Это не значит, что они не заслуживают сочувствия. Сказал же поэт: «И милость к падшим призывал». Само собой, это равно относится к мужчинам и женщинам — без разницы. Убежден: мораль не должна быть строже закона. В каком мире мы живем — высоконравственном или чересчур ханжеском?

# ДЕЛО Ц. РАСКОЛОТАЯ АМЕРИКА

## Автор без собственного мнения

Стыдно признаться, но на этот раз у меня нет собственного мнения. С другой стороны, почему стыдно? Фигура речи, не более того. Просто читатель, наверное, уже привык к тому, что я обычно выступаю с открытым забралом и высказываю свою точку зрения, не считаясь ни с мнением «компактного большинства», ни с политкорректностью. А здесь, когда страна расколота на два пусть неравных лагеря в связи с убийством в Сэнфорде, штат Флорида, черного пацана тоже не совсем белым дружинником (помесь латинос с белым) и «повсюду страсти роковые», я нахожусь в каком-то странном моральном ступоре.

Употребляя слова «пацан» и «дружинник», я русифицирую обоих: жертва Трэйвон Мартин — рослый 17-летний безоружный тинейджер в худи, а убийца — толстый 28-летний патрульный-доброволец Джордж Циммерман, имя которого я тоже даю на русский манер: здесь он — Zimmerman. Именно с его слов мы знаем, что произошло — покойники, увы, молчат. Разве что искусство дает слово мертвецам, как, например, в великом фильме Куросавы «Расёмон», когда убийство показано в четырех вариантах — в рассказах женщины, слуги, убийцы и убитого. Однако потому этот фильм и супер, что даже мертвец, оказывается, не говорит всей правды. Даже если бы Трэйвон Мартин чудом ожил и заговорил, вряд ли это пролило бы свет на трагедию: были бы две альтернативные версии, и нам бы все равно пришлось выбирать наиболее правдоподобную и доказательную. Либо — скорее всего — корректировать обе, пытаясь привести в соответствие с реалом.

Если честно, я бы ни в какую не согласился стать членом жюри, которое будет судить Циммермана, если до этого дойдет — пока что он должен предстать перед Большим жюри, и оно должно решить, запускать ли дело Ц. в дальнейшее судопроизводство. Или наоборот — именно такие нерешительные, непредвзятые, непредубежденные люди, как я, и нужны, чтобы определить, насколько виновен и виновен ли общественник-патрульный, застреливший подростка? Не знаю, не знаю.

## Худи — символ или козырь?

Тем временем в стране началась массовая истерия: на митингах, шествиях, демонстрациях толпы (по преимуществу афроамериканцы) качают права и требуют ареста и суда над Циммерманом. Вплоть до угрозы суда Линча — Циммерману приходится скрываться, а экстремисты из «Черных пантер» предлагают за его голову 10 тысяч долларов. Само собой, автор, хоть и колеблемый, как тростник, — адепт правосудия, страшится толпы и ненавидит самосуд, любой.

Злосчастная худи стала символом несправедливости и даже расизма, хотя по цвету кожи Циммерман и Мартин не так уж отличаются друг от друга, на что напирают защитники патрульного-волонтера, включая его отца, чтобы отмазать его от обвинений в расизме. Не факт: по статистике, между неграми и латинос разборки случаются куда чаще, чем у каждого из этих этносов с белыми. Если бы Леонард Бернстайн, Стивен Сондхайм и Джером Роббинс делали свою «Вестсайдскую историю» сейчас, им пришлось бы обойтись вовсе без белых персонажей и сосредоточиться на афроамериканских и латинских уличных бандах: эффект был бы не тот!

Один телекомментатор вызвал возмущение зрителей (включая собственного сына), заявив, что Трэйвона Мартина убила его худи в той же мере, что и Циммерман. Черный демократ-конгрессмен, сказав, что человек не может считаться хулиганом только за то, что носит худи, снял пиджак, а под ним оказалась эта самая худи, но, когда он нацепил на голову капюшон, его прервал молоток председательствующего, и ему пришлось покинуть зал: членам

Палаты представителей запрещено носить головные уборы во время заседаний.

Понятно, при таком общественном резонансе на убийство наш президент тоже не мог остаться в стороне и высказал свое сочувствие жертве. Нормалек. Заявление достаточно острожное по сравнению, скажем, с его критикой полиции, которая задержала в Гарварде чернокожего профессора, приняв его за грабителя, когда тот взламывал замок, чтобы попасть в собственный дом: потом Бараку Обаме пришлось дезавуировать собственные слова и пригласить в Белый дом обоих фигурантов того абсурдного конфликта. Обжегшись на молоке, дуют на что попало, а потому на этот раз президент подпустил немного лирики — «Если бы у меня был сын, он бы выглядел, как Трэйвон Мартин», — что тут же вызвало диатрибы наших правофланговых. «А если бы убитый был косоглазым китайцем, рыжим ирландцем или курчавым евреем — какая разница?» — цитирую гневный отклик из консервативного издания «National Review». Необходимая поправка на нынешний високосный год, когда грядут президентские выборы: что́ Обама ни скажи, всё будет встречено в штыки его оппонентами. Что же, ему и вовсе играть в молчанку до 6 ноября? Не думаю, однако, что при существующем в стране расовом напряге республиканцы решатся разыграть эту карту. Худи — символ, а не козырь.

## Охлократия или юрисдикция?

Так уже было на моей памяти, когда судили О. Джей Симпсона, причем трещина в обществе прошла по расовому признаку: белые считали его убийцей, а черные яростно защищали. Не так чтобы без исключений: один мой кровожадный приятель из наших, русскоязычников, нисколько не сомневаясь, что чернокожий футболист и актер таки зарезал свою белую жену и ее гипотетического хахаля (тоже белого), считал, что оба получили по заслугам — и чтобы другим женам и их полюбовникам неповадно было!

Лично я допускаю расовый мотив — что Джордж Циммерман сдвинут по фазе на почве негритянской преступности, с которой ему приходилось сталкиваться, патрулируя не очень благополучный район города, а потому замочил невинного парня с пакетиком «Скитлз» и бутылкой холодного чая. А то и вовсе крыша поехала от страха и ненависти.

Хладнокровный убийца? Изощренный садист? Психо- или социопат?

Что же касается упомянутых исключений, то сошлюсь на мой раздрай с одной приятельницей, которая, само собой, белая и либералка, по сравнению с которой я — консерватор. Когда у нас случаются споры, она кладет меня обычно на обе лопатки, но, на мой взгляд, по причине более богатого словарного запаса, будучи прирожденной американкой, тогда как я — натурализованный, и мой родной язык — русский.

Когда в стране началась массовая истерия в связи с этим убийством, я не то чтобы встал на сторону Ц., но вся эта вакханалия была мне не по душе: испытываю нечто сродни содроганию от любого разгула черни. Имею в виду не черный цвет кожи, а охлократию, власть толпы. Генетический страх погрома.

Скажу сразу же, ни к юриспруденции, ни к рацио наша с Рейчел — так зовут мою американскую подружку — перебранка не относится, а исключительно к всплескам эмоций. Я не принадлежу к фанатичным апологетам Циммермана, которые считают, что, не застрели он черного пацана, тот бы еще много дел натворил. Соответственно, собирают деньги в фонд Циммермана, героизируют его, а некоторые так даже выдвигают в президенты США. Нет, я против демонизации жертвы и героизации его убийцы, даже если убийство было совершено в целях самозащиты.

# Презумпция невиновности

За неимением точной информации о том, с чего началась потасовка между подозрительным патрульным и подозрительным парнем (слово «подозрительный» в разных значениях), и невозможностью воссоздать сцену убийства, нам остается только строить догадки. Да и членам жюри не позавидуешь: верить или не верить Циммерману?

Судите сами. Свою «надсхваточную» (вроде бы) позицию я уже изложил, а сердобольная и жалостливая Рейчел упрекала меня в отсутствии сострадания и сочувствия к жертве, в равнодушии, бессердечии и даже в жестокосердии. А когда я сказал, что жизнь Циммермана тоже поломана, пусть даже его оправдают, то получил в ответ «Как можно сравнивать убийцу с убитым!»

В конце этой фразы Рейчел должен стоять не вопросительный, а именно восклицательный знак.

Мой последний довод, ultima ratio — дождемся суда — был отвергнут с ходу:

— Нам не нужен суд, чтобы иметь собственное мнение! У тебя оно тоже есть, хоть ты и скрываешь его под маской объективности. На самом деле, ты сочувствуешь убийце, а не его жертве.

— Пусть так! Ни мое, ни твое сочувствие не воскресит парня, а Циммерман — живой, и если он действовал в качестве самозащиты, а против него ополчилось общественное мнение, то да: я ему сочувствую. А теперь все, что нам остается, — это довериться суду, который, надеюсь, окажется более беспристрастен, чем мы с тобой.

Вот суд и начался. Читателю теперь понятно, почему ни Рейчел, ни меня не взяли бы в жюри?

## Подросток или юноша?

Здесь, по-видимому, требуется оговорка. Трэйвона Мартина американские СМИ называют teenager, а журналисты-русскоязыки, включая меня, — подросток, парень, пацан, а то и мальчик, что не совсем грамотно. Трэйвону было 17 лет, а, согласно словарям, «после достижения зрелости (13–15 лет) мальчика называют юношей». Точно так же растиражированный снимок улыбающегося Трэйвона сделан давно, за несколько лет до его убийства, когда он был подростком. Прошу прощения, но того же пиарного свойства кулек конфет, который был в руке жертвы, — трогательно, конечно, но не имеет никакого отношения к судебному разбирательству. Как и противоположные, со знаком минус биофакты — та же, к примеру, марихуана, которую употреблял юноша. Всё это типа «характеристики с места работы» на нашей географической родине.

Такого рода спекуляции в ту или другую сторону не имеют никакой юридической ценности. Верховенство, примат закона над эмоциями, над мщением, возмездием или милосердием, даже над справедливостью и моралью. На этом я настаиваю.

Вот почему лично для меня ничего неожиданного в оправдательном вердикте не было. Наоборот, я бы несказанно удивился, если бы суд нашел Джорджа Циммермана виновным. Признание Джорджа Ц. невиновным означает, что его вина юридически не доказана, а не то, что он не виноват в смерти черного юноши или что этот юноша заслужил смерти за предполагаемое нападение на добровольца-патрульного.

А что если в самом деле так, и Циммерман не лгал, утверждая, что вопрос для него стоял — жизнь или смерть, и если бы он не убил Мартина, то Мартин убил бы его, будучи на порядок сильнее и ловчее? Представим теперь суд над Мартином...

Возникают и другие гипотетические вопросы: а что, если бы убитый был белым, а Циммерман, наоборот, — черным? А если бы оба были черными — дружинник и юноша? Или оба белыми?

Убежден: никаких волнений, никаких демонстраций, никакого ажиотажа, никаких сенсаций, никаких судов.

# Правовая нация

На улицах относительно спокойно — пара-тройка сотен несогласных с вердиктом демонстрантов, никаких беспорядков, хотя полиция в их ожидании в Южной Флориде была приведена в состояние наивысшей боевой готовности, а призыв Барака Обамы к спокойствию оказался излишним.

«Не виноват, так не виноват», — разводя руками, сказал мне встречный афроамериканец на улице, не согласный с оправдательным вердиктом.

Это меня поразило больше всего: расколотая, хоть и не пополам, Америка проявляет себя в эти дни как правовая, юридически грамотная нация.

Вот почему американцы доверили решение этих полуторалетних общенациональных дебатов жюри из шести женщин — ну впрямь как в знаменитой античной пьесе «Женщины в народном собрании». Шесть женщин — пять белых и одна латинос.

«Почему ни одной черной?» — спросила моя прекрасная спорщица. «А почему ни одного мужчины?» — парировал я. Большинство, однако, сходится на том, что жюри виднее, чем каждому из нас: у нас мнение, а у них — упрямые факты и кропотливая работа над фактами. Им были доступны все материалы, которые они без устали рассматривали и анализировали в течение почти 16 часов, чтобы принять разумное и взвешенное решение в соответствии с законом и правом. Пусть оно и причинило боль близким Мартина и вызвало возмущение людей, которые возненавидели Джорджа Циммермана.

# НОС КЛЕОПАТРЫ: АЛЬТЕРНАТИВНАЯ ИСТОРИЯ

Утопия или дистопия, а теперь поговорим о литературном жанре, который хоть и взял кое-что от упомянутых, но коренным образом отличается от них, а потому у него еще нет устоявшегося названия ни в одном из главных языков мира. В отличие от утопий и антиутопий (дистопий), он обращен не в будущее, а в прошлое, но не в реальное, а в предполагаемое, сослагательное, альтернативное: как сложилась бы наша история, если бы... «Великое может быть», как говорил Рабле.

Детерминисты убеждены в закономерной связи и причинной обусловленности прошлого — в противоположность индетерминистам, которые отрицают эту связь и полагают, что закономерность на самом деле зависит от случайности и сама по себе есть цепь случайностей: случилось так, а могло иначе и даже наоборот. Первым о роли случайности в истории заговорил Блез Паскаль, выдав блестящую формулу: «Будь нос Клеопатры чуть покороче, изменилось бы лицо всего мира».

В этом еще не названном, по преимуществу политологическом, жанре работают многие писатели — прежде всего, конечно, романисты, потому что легче всего представить себе, как сложилась бы наша история, если бы что-то в прошлом заклинилось и пошло по-другому, в жанре фантастического романа.

Таких альтернативных примеров в русской и мировой истории можно поднабрать множество — начиная с древних времен.

Американский образчик желаете? Представьте, что на выборах 1940 года победил не Франклин Делано Рузвельт, а Чарльз Линдберг — да, тот самый летчик, который первым совершил беспосадочный перелет из Лонг-Айленда в Париж на борту крошечного дельтаплана «Дух Сент-Луиса» и стал после этого общенациональным американским героем. Политические взгляды Линдберга известны — был антисемитом и симпатизировал нацистам. Когда они встречались с автомобилистом Генри Фордом, который издал на свои деньги самый известный фальшак всех времен и народов «Протоколы сионских мудрецов», то разговоры двух этих великих американских мужей велись исключительно о евреях — страшнее кошки зверя нет. Для мышек, пусть две эти «мышки» и медийные титаны той достославной эпохи.

Всё это документально зафиксировано, а теперь представьте, что Генри Форд оплачивает избирательные расходы Чарльза Линдберга, который, став президентом — что вполне могло случиться, учитывая его зашкаливающую популярность, — заключает в Рейкьявике сепаратный мир с Гитлером, а в самой Америке начинает медленную, но масштабную антиеврейскую кампанию. Как сложилась бы американская история дальше? До американского Аушвица сюжетный драйв не доходит, но только потому, что действие пересказываемого мною романа многозначительно обрывается в 1942 году, когда герои — не только евреи — находятся в «сумеречной зоне» кошмаров и еще худших предчувствий.

Называется роман «Заговор против Америки», а написал его известный американский писатель, живой, можно сказать, классик Филип Рот.

Хотя этот альтернативный роман обращен в гипотетическое прошлое, в контексте нынешнего времени он читается как предупреждение на будущее. А французский философ-публицист Бернар-Анри Леви полагает его актуальным и злободневным в связи с победой Трампа.

Упомяну еще парочку аналогичных фикшнальных книг по альтернативной истории — и одновременно романов-предупреждений — о предполагаемой победе немцев во Второй мировой войне: «1945» бывшего республиканского кандидата в президенты Ньюта Гингрича и бестселлер «Фатерланд» британца Роберта Харриса. К тому же наоборотному, но в противоположном, оптимистическом направлении жанру следует отнести и расхваленный на все лады критикой роман «Союз идишских полицейских» лауреата Пулитцеровской премии Майкла Чабона. Роман уже издан по-русски под неточным названием «Союз еврейских полисменов», что избавляет меня от необходимости пересказывать его детективный сюжет. Но вот что занятно. Действие романа разворачивается в Ситке, бывшей столице русской Аляски, где я неоднократно бывал по семейным обстоятельствам (там живут мой сын и его семья). В романе Чабона Ситка — не русский и не американский город, а колония еврейских беженцев из Европы. И знаете, скольким евреям удалось бежать из зачумленной Европы и обрести Землю Обетованную на Аляске в этом гипотетическом романе? Одному миллиону! Круто.

Еще один оптимистический вариант альтернативной истории — классный фильм Квентина Тарантино «Inglorious Basterds» (намеренно коверканный инглиш) — про засланных в Германию американских коммандос-евреев, которые устраивают шикарный такой взрыв в парижском кинотеатре, когда там кайфуют нацистские вожди во главе с Гитлером: фюреру капут! Мечты, мечты, где ваша сладость?

А вот образчик альтернативной истории в несколько ином жанре — книга известного журналиста Джеффа Гринфилда «Then Everything Changed» (переведем это как «Тогда все было бы иначе»). Это уже не совсем проза, а скорее публицистика, нон-фикшн, хотя, несомненно, с элементами фантастики, что неизбежно. Автор берет три примера из недавней американской истории. Убийство Джона Кеннеди было такой грандиозной трагедией, что мало кто помнит, как его пытались убить раньше, сразу после избрания, еще до инаугурации, но та попытка провалилась. А если бы удалась? Что, если бы, наоборот, не удалось убийство другого Кеннеди — Роберта? Что, если бы, наконец, Джеральд Форд выправил свой промах во время президентских дебатов и одолел на выборах Джимми Картера? Можно не соглашаться с предположениями журналиста, но что у него не отнимешь, так это профессионализма и опыта: он был спичрайтером Роберта Кеннеди, работал на Си-би-эс, Си-эн-эн и Эй-би-си.

Самая парадоксальная, невероятная, фантастическая, но, по мнению автора, вполне возможная — третья история. Президентом становится Форд, которым крутит-вертит, как ему заблаго-рассудится, Генри Киссинджер, профессиональный и циничный политик. Никакой борьбы за права человека, бойкота московской Олимпиады и конфронтации с Советским Союзом, а, наоборот, продолжение реалполитики, детанта и тайной дипломатии. Однако главное и далеко идущее фиаско картеровской политики — Иран, где США допустили приход к власти исламских фундамен-талистов во главе с вернувшимся из Франции аятоллой Хомейни, с чего и начался исламский обвал и длится по сю пору. По версии Гринфилда, духовный вождь исламской революции не успевает возвратиться на родину, а погибает в Париже в автомобильной катастрофе по пути в аэропорт, что выглядит ненужной натяж-кой — это уже литературщина. Зато вполне убедительно, как Форд с Киссинджером предотвращают приход к власти ислами-стов и, не обращая большого внимания на нарушения прав чело-века в Иране, обеспечивают постепенный переход там от едино-личной власти шаха к коалиционному правительству, которое включает и парочку умеренных аятолл, но те наотрез отказыва-ются от какого-либо альянса с Хезболлой. Благодарный Америке Израиль идет на уступки в переговорах с палестинцами и резко сокращает рост еврейских поселений на Западном берегу Иорда-на. Опять натяжка: на этот раз — либеральная. Как тогда, так и сейчас израильтянам по-любому не с кем вести переговоры — палестинцы всех направлений не признают их право на суще-ствование.

По ходу дела прихватывает автор и ряд других альтернативных вопросов. Что было бы с Новым курсом и Второй мировой вой-ной, если бы удалась попытка покушения на Франклина Делано Рузвельта в 1933 году? А что, если бы, наоборот, не удалось убий-ство Джона Фицджеральда Кеннеди в Далласе 23 ноября 1963 го-да? Вопросы, вопросы, вопросы.

Можно спорить и оспаривать предлагаемые разными авторами варианты альтернативной истории, однако роль случайности в мировой истории — несомненна. География, топография, этно-графия, климат, идеология, религиозный антагонизм, терроризм, борьба за прибыль и богатство, массовые миграции — что еще, я знаю? Это, конечно, основные, базовые двигатели истории. Но неудавшееся или, напротив, удавшееся покушение, пропущенная встреча в верхах, изменение в погоде, а значит, и в расписании политиков, неудачный выбор слов во время выступления или дебатов — и устоявшийся вроде бы ход истории летит вверх тормашками.

Вот именно: нос Клеопатры.

Елена Клепикова_

# ЛИНКОЛЬН: ГЕРОЙ НАШЕГО ВРЕМЕНИ

# РЕАНИМАЦИЯ ИСТОРИИ

Авраам Линкольн сегодня самый востребованный из президентов США. На то есть веские причины. Не только сама личность этого, вероятно, самого яркого и незаурядного из всех американских президентов, но легко просматриваемые исторические аналогии и параллели настоящего с прошлым: политическая расколотость страны. Одна страна, а фактически — две нации. Так, впрочем, было почти всегда. Но сейчас, в преддверии, а теперь в результате последних президентских выборов — особенно. В схожей ситуации Линкольн послужил спасителем отечества, хотя спасение пришло через кровавую Гражданскую войну и трагическую гибель самого президента. Помогут ли уроки истории избежать на этот раз таких нежелательных, мягко говоря, последствий? Вот почему Линкольн всем сейчас позарез. Тем более — политикам. Стоит ли удивляться, что два последних президента диаметральных идеологий — Барак Обама и Дональд Трамп — клянутся не только его именем, но и на личной Библии, принимая президентскую присягу.

Но Линкольн не только эталон президента и президентства в годину тяжких испытаний. Он как-то ощутимо и веско присутствует в американской повседневности. Его феноменальная личность до сих пор неистребимо привлекательна для соотечественников. На него ссылаются, его охотно цитируют, сочувственно и ревизионно прокручивают его личную жизнь. А популярность Линкольна зашкаливает нынче повыше голливудских суперзвезд.

Нынче его зовут «старина Эйб». Каждый год ему справляют день рождения. Подсчитывают, сколько бы стукнуло сегодня. Что ж, вполне жизнеспособный возраст, коли Авраам Линкольн до сих пор настырно торчит в современности как ее коренная мета. Он не только популярен, он насущно потребен сегодня — как тот живительный и — пока что — неиссякаемый источник, что исподволь подпитывает национальное самосознание и самоощущение.

Проломившись свкозь полтора столетия, Линкольн неотвязно и жизнетворно пребывает в американском настоящем и явно метит в будущее.

## Животрепещущий историзм американцев

История Соединенных Штатов так молода, что прошлое еще не отвердело в былое, не отделилось физиологически от настоящего. По сравнению с тысячелетней панорамностью европейских государств, где крупный факт Новейшего времени тут же обезврежен, укорочен, почти стерт этой всепоглощающей обратной перспективой, два коренных события американского прошлого — Война за независимость и Гражданская война — стоят четко и выпукло в глазах современности.

У Америки нет позавчерашнего дня, все было только вчера и живо помнится народу. Если европейские страны, включая Россию, сбросив невыносимый груз истории в анналы, академии, музеи, выработали в себе — из чистого инстинкта выживания — короткую память на прошлое, то в Америке, где история еще не выбродила в законченный результат, память на прошлое — очень длинная, мучительная и невероятно дробная.

Не буду говорить о назойливом присутствии в американском сегодня Джорджа Вашингтона и Томаса Джефферсона со всей мелочовкой их личной жизни и государственной службы. Они — представители «золотого века» гражданского идеализма и политической невинности Америки, утраченной навсегда после Гражданской войны с ее сокрушительными уроками.

Этот процесс нравственного самоанализа, на уровне всего народа, идет с переменной интенсивностью по сю пору. Гражданская война еще точно не отстоялась в исторический факт, не свернулась в прошедшее время, а бродит желчью и кровью в настоящем. Песни времен той войны с 1861 года звучат на каждом перекрестке Америки, под эти старомодные мелодии и напевы отплясывают не только пенсионеры на летних танцплощадках, но и панки вкупе с рокерами в грохочущих дискотеках.

Документальный телесериал в эпическом стиле «Гражданская война» потеснил в популярности крутые телебоевики. Знаменитые и не очень битвы и эпизоды той войны разыгрываются ежегодно при полной аутентичности бытового, военного и идейного реквизита во всех уголках Америки — даже там, куда эта война не достала. На Аляске, к примеру, которая тогда была русской. Или на Гавайях, присоединенных к Америке только в самом конце XIX века.

А памятных мест, по которым так или иначе та война прошлась, в Америке так несообразно, так несчетно много, что на первый взгляд принимаешь за одержимость историей. Но начинаешь вглядываться... Тем более что на каждом шагу, особенно в исторических штатах, все эти достопамятные дома с табличками; целые — в мемориальном трепете — улицы, кварталы, города, места сражений, привалов, лагерей, ухоженные кладбища, леса, парки, маршруты славы и бесславия... И понимаешь, что это — не мертвая кунсткамера, а самая что ни на есть живая атрибутика сегодняшнего дня. Всякий раз заново переживаемая, а по сути еще не свершившаяся окончательно и бесповоротно — историческая реальность. Этот документальный мемориал живет в современности, как в новехоньком доме семейные реликвии и старые фотографии.

## Еще не поздно: как спасти Линкольна?

Вот этим внутрисемейственным, домашним ощущением американцами своей недолгой истории и можно объяснить тот эмоциональный раздрызг, каким встречают они тысячный раз попавшийся им на глаза факт или эпизод прошлого, особенно — из Гражданской войны. На моей памяти, например, уже четвертый раз гибнет и все не может окончательно опочить в истории Авраам Линкольн. Его убийство на шестой день после окончания войны — общенациональная слезная трагедия, и звук пистолетного выстрела, оборвавшего его жизнь, отдается до сих пор шоком и ужасом. Вот наглядный пример этой исторической чувствительности американцев.

В очередную годовщину открытия в Вашингтоне театра Форда, где Авраам Линкольн был застрелен актером Уилксом Бутом, выступал перед аудиторией Кен Бернс, продюсер и до сих пор модного, на уровне национальной сенсации, телесериала «Гражданская война». Срывающимся от волнения голосом Бернс рассказал, как во время съемок фильма он все не мог найти в себе мужества подойти к эпизоду убийства Линкольна. К самому месту, сказал Бернс, вся съемочная группа испытывала неодолимое отвращение. «Как Геттисберг, как Голгофа, это место — юдоль слез, — говорит режиссер уже близкой к рыданиям публике и далее делает поразительное признание: приближаясь к роковому кадру с выстрелом Бута, мы пытались всячески оттянуть его, у всех было ощущение, что Линкольн еще живет, он точно жив, вот он сидит в своей ложе и смотрит эту нелепую викторианскую пьеску, и будто у нас есть такая возможность — оттянуть его смерть. Когда вместе со звукооператором мы отрабатывали звуковой монтаж для всех кадров в театре, то как безумные прогоняли раз за разом эту звукозапись, не в силах вставить проклятый выстрел: вот зыбкие голоса актеров, вот музыкальный фон неслаженного оркестрика, вот кашель и смех в зрительном зале, а вот подошло нам время снова убить Линкольна, и мы не могли, иначе стали бы такими же убийцами, как Бут. Какой-то заколдованный круг: всякий раз, как выстрел должен был грохнуть в студии звукозаписи, я смотрел на оператора, который задыхался от слёз и кричал: „Стоп!“ — и запись прекращалась как раз за секунду до выстрела. Что было делать? — просидели до ночи, вся техгруппа, крутя одну и ту же пленку, спасая его от смерти, от боли, от мучений, даруя ему жизнь, храня его целым и невредимым. Наконец, я собрался с духом, кивнул оператору, и мы таки убили Линкольна, закончили фильм и разошлись по домам — как раз к Рождеству».

Так закончил Кен Бернс среди вздохов, всхлипов и слез в зрительном зале, где полтора столетия назад был застрелен президент Линкольн.

Кажется, я начинаю понимать это интимно-эмоциональное, всегда в настоящем времени, переживание американцами своей, не выбродившей еще в прошлое, истории, которая, как заметил поэт, «все еще не в памяти, а в самой крови и в сердце нации». Ведь это только — сошлюсь на Сэмюэла Джонсона — «истории падений царств и революции в империях читаются с полнейшим хладнокровием». История Соединенных Штатов, где не было ни царя, ни императора, ни одного узурпатора власти и, соответственно, ни одного государственного переворота, есть история непрерывно действующей демократии, безостановочного «правления народа, народом и на благо народа», как определил Авраам Линкольн в своей знаменитой речи при закладке национального кладбища жертвам войны в Геттисберге.

Следовательно, история эта рукотворна, сделана и делается народом, а не Божественным промыслом, к которому привыкли взывать авторитарные режимы. В ней нет бесповоротности и окончательных приговоров судьбы, нет событий, накрепко прибитых к своим датам, все слишком близко и горячо, и есть ощущение, что история эта недовершена, что, как в семейных драмах, еще можно что-то поправить.

Последняя на моей памяти всенародная попытка спасти Линкольна от пули Бута случилась через месяц после аналогичных попыток телепродюсера Кена Бернса.

Известный нью-йоркский редактор и издатель Роберт Жиру, просматривая театральные архивы в «Клубе актеров», что расположен в бывшем доме брата убийцы Линкольна Эдвина Бута, тоже актера, сделал сенсационное открытие. Среди частных бумаг Эдвина Бута Жиру нашел рукопись в 21 страницу, принадлежащую Уилксу Буту и написанную за четыре года до убийства последним Линкольна. Из этой рукописи выступает человек фанатических убеждений, яростно симпатизирующий конфедератам, политический и клинический маньяк, полностью отождествляющий себя, например, с историческими героями, которых он играл в пьесах Шекспира.

Едва содержание рукописи Уилкса Бута стало известно историкам и публике, как в прессе, по телевидению и радио стали проигрывать варианты спасения Авраама Линкольна от его маниакального убийцы. В основе всех версий измененной судьбы Линкольна лежало убеждение: если бы чиновникам, ответственным за охрану президента, были известны политические страсти Бута, тому нелегко было бы проникнуть в вашингтонский театр 14 апреля 1865 года, а тем более — в президентскую ложу.

И тогда, и тогда... историческая отзывчивость некоторых авторов обострялась здесь до ясновидения, и снова отсрочивалась мученическая смерть Линкольна, и его судьба не была так невыносимо, так безысходно трагична для его соотечественников начала XXI века, что они не могут до сих пор с ней сладить и примириться, принять за исторический факт.

Доходит до курьезов — президенту Линкольну суждено еще много раз умирать и возрождаться, — и жить в настоящем времени и в будущем.

# Зрелищная реанимация прошлого

Вот настанет 12 февраля — очередной день его рождения, — и американцы снова кинутся спасать от пули убийцы старину Эйба. Вспомнят, что ему бы стукнуло в этом году 208 лет. Кабы не злодейский выстрел в упор в затылок, от которого Авраам Линкольн скончался наутро 15 апреля 1865 года, и врач сказал его жене: «Все кончено. Президента больше нет». 16-й президент Америки был первым, убитым на президентском посту. Позднее их стало четверо.

Его убил актер и ярый сторонник южан Джон Уилкс Бут. Он ненавидел северян-федералистов и считал Линкольна выскочкой, плебеем и тираном. Случилось это на спектакле «Наш американский кузен», который Линкольн с женой, блаженно кайфуя, смотрели из своей президентской ложи. Бут тайком проник в ложу, заблокировав задвижку на двери, чтобы никто не смог войти вслед за ним, и выстрелил из однозарядного револьвера сзади в голову президенту.

Застрелив Линкольна, Бут прыгнул из ложи на сцену, сломав при этом ногу, и убежал за кулисы, а из Вашингтона — на свой любимый Юг, в Вирджинию, укрылся с содельником в сарае, где и был пристрелен, отказавшись сдаться.

Первой всенародной попыткой реанимировать Линкольна, продлить его дни на земле были его неправдоподобно затянувшиеся похороны. До сих пор в памяти американцев — траурный поезд, с ритуальной медлительностью влекущий гроб с Линкольном из Вашингтона в его родной Спрингфилд. Тысячи скорбно стоят по ходу поезда, тысячи прощаются с Линкольном на остановках. Перекличка от города к городу: «Он еще с нами? Еще на земле?» Значит, не под землей, не схоронен. Свыше миллиона американцев повидали своего убиенного лидера в открытом гробу. Рыдательная атмосфера на всем пути траурного кортежа. Такого длительного и всенародного горя история еще не знала. Короче, 20-дневный вояж из Вашингтона в Спрингфилд доставил президента-великомученика прямиком в бессмертие.

В какой-то степени Линкольну, этому вечному пролетчику по жизни, повезло в смерти больше, чем его соперникам за почетное место в истории. Кабы не пуля, Линкольн не стал бы вторым по культу президентом США. Да и Вашингтон умер бесславно. И никому из потомков в голову не пришло искать варианты спасения первого президента страны, умершего через 12 лет после отставки от банальной ангины. Оставшись в истории только как первый американский президент. Ничего не добавив своей смертью к посмертной славе. Джордж Вашингтон был мертв в день своей смерти, а Линкольн и теперь живее всех живых.

Расправа с заговорщиками, куда попали, как водится, и безвинные, не утолила гнев, горечь и сострадание нации — ни современной Линкольну, ни нынешней. И дело не только в том, что месть всегда неутолена, а жертва всегда в проигрыше. Уж слишком горемыка был во всём 16-й президент США — страстотерпец земли американской. Злосчастие преследовало его с нудной оголтелостью. И вот когда Линкольн впервые после долгих лет тихо возрадовался, поддался победной эйфории и вознадеялся семейственно объединить страну, — убит! В триумфальный взлет своей жизни, в самый солнечный просвет своей судьбы — непредставимо! Бедняга Эйб! Неужели никак не повернуть колесо истории обратно?

К услугам исторических реаниматоров Линкольна — его новый шикарный музей в иллинойсском Спрингфилде. Там Эйб прожил с четверть века, там приобрел единственную за жизнь свою жилплощадь, там прошел, по его же словам, трудный путь — от молодого человека до старика. Старику был 51 год. Вот каким упадочным пессимистом был 16-й американский президент!

Встречает посетителей «живой» Линкольн — воссозданный с помощью голографии его трехмерный призрак, который к тому же и говорит. Музей в Спрингфилде — невероятный зрелищный ремейк, сюрреальный клон жизни Линкольна в ее знаковых моментах. Посетители входят в оживленное новейшей технологией и компьютерным иллюзионом пространство истории, где имитация претендует на сиюминутную реальность. Там с дюжину разновозрастных Линкольнов — в натуральную величину и предельно жизнеподобных. Эти Линкольны предстают в разных интерьерах, обстоятельствах и эпизодах их жизни.

Соорудили убогий сруб — на манер наскоро сбитого отцом Линкольна в лесной глуши Индианы. Оттуда подросток Эйб (ненавидящий кличку) бежал спозаранку за четыре мили в школу, перекидывая в руках горячую картофелину — мороз был крут, о руковицах за все его детство и речь не шла. В этом линкольновом «диснейленде» воссоздана, по просьбам трудящихся, и адвокатская контора в Спрингфилде с легендарной жесткой кушеткой внутри. Растянувшись на ней, Линкольн с упоением читал вслух книгу за книгой, доводя до отчаяния своего компаньона, а в своей музейной реинкарнации — подавая пример любви к книжке нынешним безлюбым школьникам.

Но музейщики были заранее готовы к тому, что публика, войдя в этот живой мираж истории, уже не остановится в раздумье перед кентуккской избой, где родился Линкольн, а ринется в первую очередь к Белому дому, где в кустах засел убийца Уилкс Бут, реалистичный до жути, примериваясь — как бы поточнее пальнуть в президента. Исход неизбежен — на этот случай в музее заготовлена сменная и дорогостоящая модель убийцы. Буту, понятно, несдобровать, а Линкольну, соответственно, жить и жить в этом реалити-шоу.

# ОТСТУПЛЕНИЕ В ИНТИМ: БЫЛ ЛИ ЛИНКОЛЬН ГЕЕМ?

Культовые фигуры прошлого, будь то политические лидеры, типа Вашингтона или Джефферсона, или художники, как Моцарт и Шекспир, суть объекты не только китчевой мифологизации, но и время от времени они подвергаются ревизии, находясь в контексте изменчивых, сменных тенденций в историографии и биографическом жанре. Эти последовательные, неизменные и неизбежные, а иногда внезапные и даже случайные смены настроений публики по отношению к своим кумирам бывают связаны с новооткрытыми фактами их либо окрестной жизни, порою — с изменением идеологической моды, а иногда — с простым желанием четко артикулировать противоположную точку зрения на вечного, но поднадоевшего своим монументализмом кумира. Памятник остается на своем пьедестале, но очередной биограф или историк приглашает читателей смотреть на него не в анфас, а обойти по периметру.

Ни один американский президент не порождал такое количество портретов, как Авраам Линкольн — одних книг о нем издано более семи тысяч (!), не говоря о прочих публикациях в периодике — имя им легион! Не человек, а символ! Благородный враг рабства, застреленный узколобым расистом и лицемером. Народное воплощение обыкновенного человека, наделенного здравым смыслом, с холодным расчетом — одни его хвалят за это, другие, наоборот, критикуют. Линкольн был подвергнут психоанализу за взаимоисключающие качества — как бабник и как голубой. Само собой, как депрессант. Он был обвинен за пассивность и нерешительность, хитрость и оппортунизм, богохульство и фанатизм. Короче, Линкольн был обоготворен и развенчан, демонизирован и разобран на составляющие, как пазл. Честный Эйб стал Эйбом с Тысячью Лицами.

Какое из них истинное? Как теперь собрать воедино эти части и воссоздать образ Линкольна заново?

Помогают это сделать очередные провокативные книги о Линкольне, а они продолжают выходить одна за другой, и никакая плотина остановить этот поток не может: каков спрос, таково и предложение. Остановимся хотя бы на одной — на нынешнюю, а не тогдашнюю злобу дня.

Коли Линкольн настолько мифотворен и метаморфен, так податлив на уговоры своих биографов, то — да, представьте себе! — поменял традиционную сексуальную ориентацию на гомосексуализм. Новомодная приписка Линкольна к голубому стану случилась, понятно, не в действительности, а в эпатажной книге историка С. Триппа «Интимный мир Авраама Линкольна», вызвавшей горячие дискуссии в прессе. Автор корпел над ней десять лет, отследив Линкольновы сексуальные признаки, проявления и предпочтения и сделав смелый вывод: Линкольн был геем.

Трипп называет по крайней мере трех постоянных любовников Линкольна, с которыми он годами спал в одной кровати. В те времена для мужчин спаньё вповалку — по бедности или в бивуачной тесноте — было привычным делом. И вовсе не означало, что однокроватники вовлечены в распутство или вообще гомосексуально наклонны. Линкольн-юрист в Спрингфилде обязан был, как и другие его коллеги, подолгу разъезжать и вести дела в дальних окружных судах. Кочевая жизнь без всяких удобств, и мужчины часто спали вдвоем, а то и втроем в одной постели. Что вряд ли стоит, по методу Триппа, подводить под свальный грех.

Тоскливо встретить в этой книге среди сексуальных партнеров Линкольна его лучшего и по сути единственного друга и конфидента Джошуа Спида. Уж очень помнится прибытие Линкольна в Спрингфилд — верхом на наемной лошади и без гроша в кармане — делать карьеру юриста. И как кстати пришлось дружеское предложение Спида разделить с ним комнату и кровать. В этой кровати они проспали вместе четыре года — пока Линкольн не заработал на отдельное жилье. Они сожительствовали на общем ложе беспечно, экономно и вряд ли сексуально, потому что Спид, не в пример Линкольну, был отменный женолюб.

Но Трипп сосредоточен на Линкольне. Побочные персонажи — даже в вопиющем противоречии с его секс-тенденцией — историка не волнуют. Представляя миру Линкольна-гея, автор понимал: это покушение на памятник, на президентский Мемориал, покушение дурными и скудными средствами. Гомосексуализмом Линкольна объясняется и его пожизненная депрессивность (полученная, на самом деле, по наследству от матери), и юношеский наклон к мужским тусовкам, и робость с девицами и дамами, его катаклитическая жизнь с супругой Мэри Тодд. Все загадки, парадоксы и тупики, которыми полна неординарная жизнь Линкольна и над которыми бились все его биографы, не находя единого ответа, в книге Триппа легко и просто объяснились.

Линкольн сам замутил, как мог, свою личную жизнь. Он был замкнутым и скрытным в интимных признаниях человеком. Он не умел до конца договаривать. Оставлял пропуски на полях своей жизни, сознательные умолчания, двусмысленности. Но только Трипп замотивировал всю частную жизнь Линкольна его предполагаемым (для Триппа — несомненным) гомосексуализмом.

За бортом жизни Линкольна-гея остались: юношеская влюбленность в девушку; неоднократные попытки (отвергнутые) женитьбы на феминах; двадцать два с половиной года семейной жизни с одной женой и четырьмя детьми; нормальный ад брачной жизни двух плохо подогнанных друг к другу супругов; ревность Мэри к женам офицеров — не к офицерам, о которых пишет Трипп; изумительная нежность и тревога в письмах разлученных на время супругов; радости и горести взаимного житья, о которых с умилением без конца вспоминает безутешная вдова. И много, много другого — гетеросексуального.

Это книга с тенденцией, с резким уклоном. Поступок, как говорил Розанов, по мотиву хочется. Триппу очень хотелось показать ошарашенной публике легендарного Линкольна — гомосексуалом. Смущал автора и слишком широкий разброс личности 16-го президента США. Широк человек. Как бы сузить? Вот и сузил. Непонятно только — президент снижен или, наоборот, возвышен с помощью голубой легенды? По диктату политкорректности гомосексуализм если не комплимент, то по крайней мере пикантная характеристика исторического персонажа.

Ничего, от Линкольна не убудет. К дню рождения — новая ипостась. И эта приписка президента к голубому полку по-своему понятна и даже трогательна. Очередная, пусть и неуклюжая попытка оживить легенду.

Супротив известного армянского анекдота о Чайковском, этот автор хочет, чтобы мы любили Линкольна именно за это. А мы все-таки будем любить его за исторические деяния, писательский талант, кроткую тяжбу с судьбой и за вольный, никем не ограниченный размет и полет его уникальной личности.

## Линкольн на злобу дня

Вроде бы хрестоматийная фигура — этот 16-й американский президент. Но странным или чудным образом Линкольн так и не стал исторической легендой, не затвердел мемориально и навсегда в давно прошедшем своем времени. Он как бы на службе передаточной связи между историей и современностью. И всегда на подхвате — как только нужда в нем у настоящего времени страны.

Для 44-го президента Барака Обамы Линкольн был иконой, идолищем, кумиром и — идеальным образцом для подражания. С первых шагов в Белом доме Обама заявляет о своей — прямой и вдохновенной — преемственности Линкольну.

Что ж — анахронизм? ретро? политическое эпигонство? Отнюдь. Линкольн оказался и в эти, обамовские, времена и актуальным, и даже отчасти злободневным!

Недаром Барак Обама выставил свою кандидатуру в Белый дом в 2007 году именно в Спрингфилде — родном городе Линкольна, где тот прожил 17 лет. Оказывается, у Обамы поразительно много общего со своим гениальным предшественником — от философских и литературных пристрастий до самообладания, даже хладнокровия в тяжелые, испытательные времена. Но, помимо личностного сходства, Обама прямо подражает Линкольну и славословит его.

В черновике своей речи на съезде Демократической партии, где его должны были избрать кандидатом в президенты, Обама шесть раз восторженно ссылался на легендарного земляка, пока его вовремя не остановили помощники. Он даже замышлял, как Линкольн в свой триумфальный вояж, отправиться в Вашингтон поездом из Спрингфилда. Кажется, это было изменено — нельзя до такой степени копировать чужую судьбу!

Как впервые, потрясая воображение сограждан, действовал Линкольн, введя в администрацию трех своих заклятых врагов, так и Обама внедрил в свой кабинет идеологических противников, пытаясь создать таким путем межпартийную коалицию, где были бы представлены и демократы, и республиканцы, хоть и не поровну, конечно.

А Трамп? Рано еще говорить, отметим только, что он однопартиец Линкольна, который стал первым президентом-республиканцем.

Самое время сейчас оглянуться назад, на прожитую жизнь Линкольна, на его чрезвычайную личность — до того, как он станет президентом США.

Законодатель штата Иллинойс, краткосрочный конгрессмен, он добился национальной известности своими выступлениями, по которым можно судить о редком — в наше время — ораторском искусстве. Хладнокровный и невозмутимый, спокойный и элегантный под нажимом (людей или обстоятельств) человек, так трудно постижимый, который любил шутки, анекдоты и байки, но в остальном был удивительно самодовлеющ.

Этот бывший юрист проповедует по жизни умеренный стоицизм, признает достоинства уравновешенности, умеренности и сдержанности; как пиарщик (все равно за кого), настаивает на разумном анализе вопросов, а не личностей. Его писательский дар, выросший из запойного, во всю жизнь, чтения, отшлифован свойственным юристу пристрастием к точности. Во время предвыборной кампании его будут резко критиковать за то, что он слишком неопытен для президента, и за провал в поддержке войск — потому что не поддержал американское вторжение в страну, которая, как он утверждал, «никак не досаждала, ни тем более угрожала Соединенным Штатам».

Его видение Америки — оптимистическое, примирительное — «чтобы чужаки, посторонние стали соседями», чтобы вызвать приязнь, симпатию между регионами и нациями и как следствие — между Севером и Югом.

# ЛИНКОЛЬНЫ: АВРААМ & МЭРИ

По традиции начнем свой сказ об этом бурном, многострадальном браке с воссоединения в 1842 году бывших возлюбленных — Авраама и Мэри — после долгой загадочной разлуки, затем настроим нарратив от их стремительной свадьбы 4 ноября 1842 года («Я хочу, чтобы меня впрягли, как лошадь, в женитьбу этим вечером», — сказал поутру будущий президент своему священнику) до убийства Линкольна 14 апреля 1865 года.

Вот краткая, до женитьбы, биография обоих фигурантов.

## Муж

Линкольн родился на диком, без всяких приманок культуры, пограничье между Индианой и Иллинойсом. Злосчастие преследовало его с нудной оголтелостью. Рождение — низкое и нищее, в девять лет сирота без матери, неотесанный деревенщина, неуч — всего лишь год в начальной школе, — батрак, юрист-самоучка, всегда в долгах. Отец хотел, чтобы сын рубил лес и работал батраком в поле, а не зачитывался книгами, хотя снова и снова Линкольн говорил своим соседям: «Мой лучший друг — тот, кто назовет мне книгу, которую я не прочел». Никогда не простит отцу, что тот всеми силами отваживал его от образования и культуры. Ни разу не пригласит отца в свой дом в Спрингфилде, не поехал к нему, когда тот умирал, и не явился на похороны.

Одна мечта — как можно скорее вырваться из лесной глуши Индианы. «Ну, ребята, — сказал он, придя на вечеринку вскоре после переезда в Спрингфилд, — какими чистыми выглядят эти девицы!» Линкольн был упадочный тип, надолго погружался в депрессию, не желая из нее выходить, что не помешало ему трижды за пять лет предложить руку и сердце и получить отказ от двух своих избранниц. Три возлюбленные, не считая женщины, на которой он наконец женился.

Но Линкольн испытал только одну настоящую, страстную и романтическую любовь, которая окончилась трагически и только усилила его врожденную меланхолию. Юная Анна Ратледж, за которой он долго и терпеливо ухаживал, наконец согласилась выйти за него. Разумеется, как и во всякой романтической истории, существовали непреодолимые препятствия. Девушка все больше влюблялась в своего грубоватого, но пылкого ухажера, однако подхватила жестокую лихорадку, звала в бреду Эйба, он пришел и в последний раз увидел живую Анну. Она умерла через несколько дней — 25 августа 1835 года. Эта история первой (и последней) настоящей влюбленности Линкольна обязательна в его биографии. Горе его было неописуемо. Он стал другим, более саркастичным и трезвым человеком. Что не помешало ему уже через год после смерти Анны приударить за другой женщиной, предложить ей стать его женой и быть, к крайнему его изумлению, отвергнутым.

# Жена

И здесь мы наконец, минуя еще одну неудачную попытку Линкольна жениться, приближаемся к его будущей жене Мэри Тодд. Она была почти на десять лет моложе и полной ему противоположностью — в физическом плане, в темпераменте, в происхождении, во вкусах и склонностях, да почти во всем. Дочь из богатой аристократической семьи в Кентукки слыла настоящей «южной красоткой», ее обслуживали рабы, она очень гордилась своей родословной. Всегда оживленная, остроумная, говорливая, Мэри была просто очаровательной, когда хотела, но также язвительной и резкой, когда ее обижали, а обижалась она легко, хотя и ненадолго. Получила прекрасное образование — намного выше, чем большинство девушек того времени и места. Как и ее жених, запойно читала. Как и он, была честолюбива. Еще девочкой Мэри привычно говорила своим друзьям, что собирается выйти замуж за человека, который станет Президентом Соединенных Штатов.

В Спрингфилде, где Мэри жила в просторном и благоустроенном доме своей сестры Элизабет, она вращалась в кругах куда более изысканных и культурных, чем те, в которые был вхож и к которым привык Линкольн. Хватало и богатых и знатных «подходящих» поклонников. Когда Мэри отнеслась поощрительно к грубоватым, неуклюжим ухаживаниям (скорее — приставаниям) Линкольна, ее сестра пыталась всячески воспрепятствовать этому ложному (как она считала) союзу. Она была уверена, что он Мэри не пара, что этот топорный, толстокожий мужлан, несмотря на всю его порядочность и прирожденные таланты, не в силах будет дать счастье и довольство беспечной, привередливой и легкоранимой Мэри. Элизабет всерьез считала «абсолютного плебея» Линкольна невеждой, выскочкой (он самостоятельно выучился на юриста) и самым непритязательным и простецким мужчиной в Спрингфилде.

Всё напрасно! Мэри сказала «yes», когда Линкольн, четвертый раз в жизни, предложил себя в мужья.

Их объединяли страсть к политике и безмерное честолюбие. Любопытно, что Мэри в период жениховства Линкольна не сомневалась, что он станет президентом. Казалось бы, откуда эта мистическая уверенность и сверхъестественная проницательность? Ведь он был тогда заурядным юристом, каких пруд пруди в Спрингфилде. В грубом, неотшлифованном камне, как говорили тогда, Мэри Тодд узрела чистый, без изъянов, сверкающий алмаз. И за эти могучие потенции она любила и ценила Линкольна и согласилась стать его женой.

## Одержимые политикой и будущей славой

Увлечение Мэри Линкольном было романтическим, честолюбивым и провидческим. Ее другие поклонники в Спрингфилде были политиками с большими амбициями, но в простоватом Линкольне она видела, чувствовала что-то особенное. То, что он беден, не останавливало ее. В письме к сестре она писала, что «выйдет замуж за доброго человека, способного добиться высокой должности, славы и власти; человека с надеждами и блистательными видами на будущее, а не за владельца всех дворцов и золота в мире».

В отличие от своих родственников и подруг, Мэри Тодд не была снобом. Ее не ущемляла, не задевала гордости нехватка у Линкольна денег, светских манер или формального образования.

Мэри могла быть на балах и вечеринках Спрингфилда кокеткой и болтушкой, но она никогда не была легкомысленной. Она выбирала себе жениха сознательно и целеустремленно. С Линкольном ее объединял страстный, неизбывный интерес к политике. Вместо того чтобы обсуждать на светских тусовках местные новости и пикантные сплетни, Мэри и Авраам уединялись, забывая об окружающем, и горячо спорили, кто выиграет на предстоящих, в 1842 году, выборах губернатора и легислатуры. Мэри чувствовала, что политика для Линкольна всегда была и надеждой, и любовью, и всей жизнью. Странно, но ее это не обескураживало (как многих, считающих Линкольна за его политическое талдыченье занудой и мертвяком). Наоборот, вдохновляло!

А теперь представьте, какой подарок 33-летний Линкольн на полном серьезе преподнес своей невесте незадолго до свадьбы. Длиннющий список выборных лиц за последние три законодательные гонки! Линкольн изучал результаты всех этих выборов, потому что сам надеялся добиться четвертого срока в штатной легислатуре. А как приняла 24-летняя Мэри это, мягко говоря, странное жениховское подношение? С восторгом, Читатель, с экстазом и упоением! Она внимательно прочла эти официальные списки, где был трижды упомянут Линкольн, перевязала страницы розовой ленточкой и сохранила для потомства.

## Злосчастная помолвка

Все перипетии романа Авраама и Мэри читаются с захватывающим интересом, но после их помолвки начинается уже детективное действие.

Они продолжали встречаться на балах и великосветских (в понятии Спрингфилда) тусовках. Оживленно беседовали о книгах и текущей политике. Линкольн как-то пригласил ее на котильон, добавив, что «хуже его нет танцора». «Он был абсолютно прав», — подтвердила позднее Мэри.

Но однажды Линкольн, обуреваемый сомнениями в необходимости ему, завзятому холостяку, обременять себя женой, признался Мэри, что не испытывает любви к ней. Она разрыдалась, он обнял и поцеловал ее. Так Линкольн скрепя сердце подтвердил их обручение. Они назначили дату свадьбы — 1 января 1841 года.

День настал. В особняке, где жила Мэри с сестрой, все готово к свадьбе. Жених опаздывал. Часы летели. Наконец Мэри ушла горевать в свою комнату, гости разошлись, свечи были погашены. Линкольн не удосужился появиться на собственной свадьбе!

Вполне возможно, что слухи о покинувшем невесту в день свадьбы женихе были несколько преувеличены. Но что-то очень серьезное случилось между Линкольном и Мэри. Он сам вскоре после этих событий писал в дневнике о «роковом 1 января 1841 года». И также признавался, что события этого дня погрузили его надолго в жуткую депрессию. Он медленно шел на поправку. Его угнетало и мучило чувство вины — но не оттого, что бросил невесту в день свадьбы.

Скорее всего, вот что случилось между ним и Мэри в тот роковой день: они разорвали свою помолвку, и инициатором разрыва был Линкольн. Отчего? Предполагается, что причиной был страх Линкольна, что он подцепил сифилис. Судя по письмам, он был не охоч возобновлять обручение и втравиться в брак. Не оттого, что совсем не любил Мэри, а боялся — и правильно боялся, — что не сумеет составить ей счастья.

## Семейство

Но, Читатель, они все-таки поженились. Внезапно и скоропостижно. И Линкольн, несомненно, выказал преданность своей невесте, когда подарил ей кольцо с гравировкой внутри: «Любовь навеки». Изнеженная и прихотливая Мэри Тодд превратилась в работящую домохозяйку со скудным домашним бюджетом. Ее снобистские сестры издевались над ней, а она подолгу — месяцами — оставалась одна с детьми в доме, когда Линкольн-юрист вел дела в дальних окружных судах. Долгие годы страдала от одиночества днем и от страхов — ночью. Она всегда говорила, что «если бы ее муж оставался дома, как ему было положено, она любила бы его сильнее».

Здесь очень важно помнить, какой была Мэри Тодд до того, как стала Мэри Линкольн: романтиком, идеалисткой, беззаветно преданной своему многообещающему жениху, будущему президенту (а в этом Мэри, единственная во всем Спрингфилде, никогда не сомневалась). Вот только срок до президентствования — 18 лет! — оказался для честолюбивой и романтически настроенной Мэри непомерно и мучительно долгим.

Да, эти 18 лет не были заполнены, как ожидала храбрая Мэри, разговорами и спорами о политике, неуклонным продвижением Линкольна, с ее помощью и ценными советами, к Белому дому, приемами важных для карьеры мужа людей, которые она затевала устраивать у себя дома.

Увы, в брачной жизни ее ожидала самая тяжелая и выматывающая все силы и забирающая все время домашняя поденщина. Без слуг и без рабов, как жили ее замужние сестры. Первый удар ее гордости и честолюбивым планам был нанесен сразу же после свадьбы. Из богатого особняка сестры Мэри Линкольн переехала в свой новый дом — в трактир «Глоуб», где также сдавали меблированные комнаты. Там Линкольны сняли небольшую комнату. За четыре доллара в неделю они могли позволить себе спальню и еду три раза в день в коммунальной столовой — вместе с остальными жильцами. Переезд в трактир, где общительная и жизнерадостная Мэри не могла даже принимать гостей, означал колоссальные перемены в стиле ее жизни. Она привыкла к роскоши. Она знала, что ее муж беден, но не до такой же степени!

# М-р Линкольн и Молли

Вдобавок к трактирному житью, Линкольн-юрист в Спрингфилде обязан был подолгу — по три месяца в год — объезжать и вести дела в дальних окружных судах.

Впервые в жизни она осталась дома одна. Не выносила, когда муж так надолго уезжал, но понимала, что разъезды Линкольна по штату Иллинойс были отличной подготовкой для его политических кампаний. Образ мужа был всегда как бы окутан для нее будущим президентским величием, и она неизменно называла его «м-р Линкольн», а он ее просто и ласково — «Молли». Тем не менее Мэри всегда давала понять, что ею пренебрегают, и требовала от мужа внимания, заботы и ласки, когда он был дома.

Вскоре после свадьбы Мэри забеременела, и начался долгий период ее заточения в доме. Беременные женщины класса Мэри Тодд-Линкольн не осмеливались выходить на люди, поскольку считалось невежливым для леди выставлять напоказ свою беременность. Так они и жили в домашнем заключении до тех пор, пока не отнимали от груди ребенка.

Это кромешное — в полтора года — одиночество в трактирной комнате чуть с ума не свело компанейскую Мэри. Ее и без того нелегкий характер стал портиться. Она привыкала срывать дурное настроение на своем «м-ре Линкольне». К счастью, он был дома и с ней, когда она родила сына, которого назвали Робертом в честь ее отца. После родов Линкольн снова уехал, а у Мэри не было ни сиделки, ни служанки, чтобы помочь ей ухаживать за беби. Эти тяжкие физически и нравственно годы закалили ее для будущих тягот и жертвоприношений на алтарь блистательной карьеры мужа.

При финансовой поддержке отца Мэри они купили наконец свой дом — приличный коттедж, уместившийся на одной восьмой акра, на углу Восьмой и Джексон улиц в Спрингфилде. Всего несколько кварталов отделяло новый дом от юридической конторы Линкольна. Супруги были счастливы. Но по-прежнему Мэри приходилось экономить каждый цент. И, единственная из благовоспитанных леди своего класса, она громко торговалась и бранилась с продавцами фруктов и овощей за снижение цен. И неизменно добивалась своего. Куда девалась гламурная и привередливая Мэри Тодд! Она уже и с мужем ругалась, дралась и скандалила, как «фурия», как «тигрица»!

# Впервые в Вашингтоне

В 1846 году Линкольна избрали в Конгресс Соединенных Штатов. Как и ожидала, без всякого сомнения, Мэри, его политическая карьера шла на подъем. Линкольн должен был переехать в Washington, D. C., где Конгресс заседал большую часть года. Возбужденная избранием мужа, Мэри решила, что она и мальчики, Роберт и новорожденный Эдди Линкольн, поедут вместе с ним.

Это было неслыханно, чтобы жены политиков сопровождали своих мужей в Вашингтон. Мэри Тодд-Линкольн была таким исключением. Она считала себя политическим партнером мужа и собиралась быть при нем, чтобы дать ему, когда нужно, совет и изучить на месте все ходы и выходы, все тайные вашингтонские интриги. Таковы были ее заносчивые планы. Но пока Линкольн заседал днем в Конгрессе, а вечером общался с нужными людьми на политических тусовках, Мэри с детьми жила в меблированных комнатах, почти всегда одна, занятая не большой политикой, как мечтала, а возней с детьми.

Не выдержав скучнейшей рутины столицы и в отвратительном самочувствии, Мэри отбыла с детьми к родственникам в Кентукки. В разлуке супруги писали друг другу длинные откровенные письма. Они обменивались взаимной нежностью и заботой, они, очевидно, скучали и тосковали в одиночестве. Но эти письма через шесть лет после свадьбы свидетельствуют о том, что уже тогда Мэри вела себя ненормально и что Линкольн-конгрессмен стыдился и краснел за нее. В Вашингтоне, не удовлетворив своего интереса к политике, Мэри впала в депрессию, страдала нервными спазмами, заперлась в своей комнате и выходила только за едой. С мужем она постоянно ссорилась и бранилась. После трех месяцев такой невыносимой жизни она и уехала с детьми в Кентукки, но вскоре захотела возвратиться. В ответном письме Линкольн спрашивает: «Обещаешь ли ты быть хорошей гёрлой во всем, если я соглашусь?»

## «Беспрерывный ад семейной жизни...»

Семейная жизнь Линкольнов продлилась двадцать два с половиной года. Несомненно, что в последние годы совместного житья Линкольн испытывал что-то вроде домашнего ада. Утратив всякое понятие о деньгах, Мэри предъявляла мужу чудовищные счета. Несмотря на общее мнение, что Мэри Линкольн была безумная мотовка, а ее муж — образец экономии, из письма Линкольна от

1848 года ясно, что супруги разделяли интерес к покупкам, желание принарядиться по средствам. «Как только ты уехала, — пишет Авраам своей Молли, — я прикупил, что показалось мне очень хорошеньким набором нагрудных запонок для рубашки — такие скромные и маленькие запонки из гагата, оправленного в золото, и стоят-то всего 50 центов за штуку, или $1.50 за комплект». В то время Линкольны оба придерживались бережливости, ибо средства на жизнь были скромны. А позднейшие Мэрины безумные и бессмысленные траты — например, на шали стоимостью в $1,000 каждая ( в те времена столько стоила дорожная коляска!) — говорят о гнетущем отчаянии, душевном надломе и бедствиях — всё, что с лихвой обрушилось на обоих Линкольнов во время президентствования, пришедшегося на Гражданскую войну.

Похоже, супружеская жизнь Авраама и Мэри в Спрингфилде была бурной и нервозной, с частыми вспышками скандалов со стороны Мэри. Соседи вспоминали, как Мэри истерически кричала на мужа, когда была не в духе. Линкольн стоически терпел приступы гнева и дурное настроение своей жены и частенько уламывал ее к миру. Но иногда и он не выдерживал. Тем более что Мэри в запальчивости не делала различия между домом и улицей. Ближайший сосед Линкольнов наблюдал, как миссис Линкольн с ножом в руке гонялась за мужем по улице (в 1856-м или 1857-м). Спасающийся бегством Линкольн заметил людей, идущих навстречу.

Сбитый таким образом с пути, он «вдруг круто развернулся, схватил жену за ее тяжелую задницу — за ее бедра, если хотите, — быстренько затолкал ее в заднюю дверь своего дома — и с силой давил на нее, запихивал внутрь, одновременно шлепая ее по толстому заду и приговаривая: „Вот так тебе, будь ты проклята! Будешь теперь сидеть дома и не позорить нас перед всем миром!"» До сих пор неизвестно, что сталось с ножом.

## Кто виноват?

Как видим, семейный покой и счастье не часто улыбались Линкольну. Но и он бывал нечуток, насмешлив и просто груб со своей женой — чувствительной, нервной, сумасшедшей и задавленной домом, воспитанием детей и активной помощью политической карьере мужа.

Другой сосед по Спрингфилду — он 19 лет жил поблизости от Линкольнов — рассказывал, что в общем-то они ладили неплохо, «пока дьявол не вселялся в миссис Линкольн», и тогда мистер Линкольн «брал за руку одного из сыновей и уходил из дома на улицу и потешался над ней, не обращая на нее ну никакого внимания, пока она пребывала в таком бредовом, яростном и неистовом состоянии». Этот же сосед очень жалел и сочувствовал Мэри Линкольн. Он знал, как тяжело ей одной подымать семью, как одиноко ей во время долгих отлучек мужа.

Я привожу эти фривольные эпизоды из личной жизни Линкольнов, чтобы муж и жена прошли перед читателями в более человечном, реальном освещении. Этих подробностей не найдешь в официальных биографиях Линкольна, где он обычно предстает слишком статуарно, хладнокровно и торжественно, будто овеянный грядущей трагедией и славой. Несомненно, если было что-то неладно в доме Линкольна, виновата была не одна Мэри.

И также несомненно, что семейная жизнь Линкольна ни в коем случае не была «сплошным адом», как воображал друг Линкольна и враг Мэри. Он также полагал, что «именно неблагополучие в доме погнало Линкольна искать удачи и успеха в адвокатуре и в политике». Все было как раз наоборот. Но ясно одно: на долю Линкольнов пришлось не слишком много и меньше, чем они заслуживали, семейного благополучия и счастья.

## Реабилитация их взаимной любви

Вот здесь я хочу встрять и опровергнуть общий у биографов взгляд на супружество Линкольнов как заведомо безлюбое, асексуальное, с прохладцей в чувствах и без чувственности — без Эроса и без Венеры.

Уже одно, более чуткое, а главное — сочувственное толкование документов и фактов из личной жизни Линкольнов позволяет глянуть на их брак с большей симпатией, теплотой и пониманием. Помедлим на их раннем увлечении друг другом, на многолетней интимной (а сейчас сказали бы — сексуальной) близости, на ласковых, нежных, даже игривых словечках в их взаимной переписке.

Какие бы беды ни бушевали над их головами позднее, Линкольн любил свою Молли достаточно горячо, чтобы жениться на ней, а вовсе не прохладно, как сплетничали их соседи и кумушки — и как позднее подхватили упертые линкольноведы. В конце концов, Мэри Тодд была тогда «сама радость и задор» и «в ее силах было заставить епископа позабыть свои молитвы». И Линкольн видел в молодой жене «пленительное создание», а не ведьмочку и старую каргу — в последние годы их супружества.

Внимательно вчитываясь в письма надолго разлученных супругов, различаешь в них осторожный, но отчетливый эротизм, с трудом подавляемое желание, виртуальный секс. Когда Мэри пишет в конце письма «С любовью», а затем зачеркивает, это не знак враждебности, это само разочарование и тоска, крик души, лишенной любви, откровенное, но неутоленное желание.

Президент и первая леди также очень заботились о собственном имидже, который складывается у народа. Вот фотография обоих супругов, но это жаба, составная фотка. Они всегда отказывались сниматься вместе, памятуя о большой разнице в росте. Президент шутливо отзывался о себе и жене как о «верзиле и коротышке».

Их любовная история возвращается на круги своя самым что ни на есть трагическим образом: после Гражданской войны, после гибели Линкольна Мэри Тодд блуждает по Европе, возвращается в Соединенные Штаты, на ее руках умирает от плеврита сын Тэд (двое других, и особенно душераздирающе — любимец семьи Вилли, умерли раньше), ее предают суду за безумие по настоянию теперь единственного сына, а когда-то — «мамочкина сыночка» Роберта, который мечтает упечь «маменьку» в сумасшедший дом.

В ужасе и страхе — за ней летят фурии, она едва избежала насильственной инкарцерации — бедная одинокая Мэри, тревожно озираясь по сторонам, подходит к родному дому в Спрингфилде, где она вышла замуж, где спит только на одной половине кровати, оставляя место для своего возлюбленного мужа, и умирает, надев на палец свадебное кольцо с надписью изнутри «Любовь навеки».

Но это — будущее. Скорей обратно — в их текущую жизнь, в самую гущу их быта и времени.

# МЭРИ, МЭРИ, МЫ ИЗБРАНЫ!

Времена, со стороны житейских благ, были суровые. Холодная вода, любимый напиток Линкольна, считалась деликатесом. Удивительно, как много — даже по тем завышенным меркам домашних тягот — Мэри брала на себя.

Линкольны уже могли себе позволить нанять служанку, но Мэри плохо с ними уживалась и в основном домохозяйничала в одиночку. А в это же время ее сестры продолжали держать в услужении рабов и слуг. Мэри сама вычищала до блеска свой дом, выпекала свой собственный хлеб и заботилась о детях.

Но, сгибаясь под грузом домашней поденщины, она «ни на минуту» (с ее слов) не забывала о политической карьере своего мужа. Ради него она устраивала многолюдные приемы у себя дома, угощала и развлекала важных и полезных для Линкольна гостей. Она также помогала «м-ру Линкольну», приучая его к тонкостям социального этикета: как вести беседу с гостями за обеденным столом, как правильно пользоваться ножами-вилками-ложками к каждому блюду.

К 1850-м годам успешная юридическая практика Линкольна позволила Мэри принимать гостей более щедро, а при политических устремлениях Линкольна было необходимо устраивать вечеринки часто. К счастью, Мэри преуспела в роли хозяйки своих «политических салонов».

Линкольн привык советоваться с нею, она писала письма видным политикам от имени мужа, рекомендовала его на политически престижные места. Она подписывала свои письма «А. Линкольн». Когда подвернулась вакансия на должность губернатора Орегонской Территории, Мэри отговорила Линкольна — слишком далеко от Вашингтона. Мэри принимала посильное участие во всех его выборных кампаниях и воспринимала его поражения как личные оскорбления.

В отличие от жен большинства других политиков, Мэри Линкольн была общительной и своевольной. Она не стеснялась прилюдно обсуждать политику. На самом деле Мэри энергично и трудоемко помогала своему мужу стать президентом.

6 ноября 1860 года 51-летний Авраам Линкольн был избран Президентом Соединенных Штатов. Эта новость пришла к нему по спрингфилдскому телеграфу, и он тут же побежал домой с криком: «Мэри, Мэри, мы избраны!»

## Как они добирались до Вашингтона

Не успели супруги Линкольны возрадоваться своему триумфу и народному признанию, как со всех сторон на них посыпались угрозы жизни президента. Рисунки с трупом Линкольна, свисающим с петли, прибывали вместе с домашней почтой. Письма с изображением черепа и костей адресовались Мэри Линкольн. Ее пугали: стоит ее мужу въехать в Белый дом, он будет немедленно убит. Эти угрозы исходили от южан, которые рвали и метали, что республиканец, страстный и последовательный противник рабства, стал президентом. Виргинская газета отражала настроения остальных южных штатов, назвав избрание Линкольна «величайшим злом, когда-либо выпадавшим на долю этой страны».

А пока что Линкольны в Спрингфилде, распродав домашнее имущество, отправились в свой триумфальный вояж в Вашингтон под усиленной охраной. Им был предоставлен специальный, из четырех вагонов, поезд, декорированный красно-бело-голубыми полотнищами.

Прознав, что ожидаются волнения в Балтиморе, советники Линкольна убедили его изменить маршрут и ехать в одиночку ночным поездом из Пенсильвании в Вашингтон. Мэри и мальчики ехали на другом поезде-манке, в котором якобы находился и Линкольн. Когда они остановились в Балтиморе, толпа и в самом деле была враждебной и угрожающей. На Мэри Линкольн издевательски кричали, требуя представить мужа, которого называли «черной обезьяной» и «проклятым республиканцем».

С этих пор и до рокового 9 апреля 1865 года Линкольн жил в ощущении постоянной опасности, доподлинно ему грозящей. Летом 1864 года, когда он ночью в полном одиночестве ехал верхом на лошади, в него стреляли из пистолета — пуля пробила верхушку его высокой шляпы-цилиндра. И хотя служба безопасности умоляла его не ходить и не ездить одному, Линкольн продолжал свой прежний — рисковый — образ жизни.

Линкольн был фаталистом. И ему, и его сверхчуткой жене часто снились кошмары о его убийстве, он видел во сне гроб и себя в гробу, он даже привык к предчувствиям насильственной смерти, но он также твердо верил: «Я буду жить, доколе не завершу свою работу, и никакая сила на земле не сможет помешать мне. А затем это (угроза убийства) уже не имеет значения, так как я готов, я всегда предчувствовал это».

## Что Мэри сотворила с Белым домом

Первым делом она взялась за Белый дом, который застала невероятно обшарпанным и неприглядным. Мэри намеревалась превратить это убогое жилище в место небывалой красоты, в воистину президентский особняк. Тот Белый дом, который мы сейчас знаем, был создан по вкусу и воображению Мэри Линкольн. Она заменила ветхую и поломанную мебель, рваные шторы, разномастную посуду и стертые до дыр ковры на всё новое, стильное, достойное украшать офис президента.

Поскольку Белый дом считался государственной собственностью, каждый, кто только мог, блуждал по комнатам нижнего этажа. Посетители иногда подворовывали что приглянется или смело кромсали занавеси на сувениры. Французский принц, навестивший Линкольнов, заметил, что люди с улицы входят прямо в Белый дом, «как в какую-нибудь кафешку». В результате Белый дом напоминал скорее уродливый старый отель, а не президентские апартаменты.

Каждому президенту полагались двадцать тысяч долларов на благоустройство Белого дома, и Мэри Линкольн моментально принялась за траты. Она закупала новые украшения для Белого дома в шикарных магазинах Нью-Йорка и Филадельфии. И очень скоро — за неполный год — превысила сумму, выделенную на четыре года президентского срока. По Вашингтону поползли слухи об экстравагантных замашках Первой леди. Многие полагали, что деньги, затраченные на модную отделку Белого дома, лучше бы пошли на нужды Гражданской войны, которая наступила как раз через месяц после инаугурации Линкольна.

## Война подошла к Вашингтону

Началась кровопролитная бойня. Семьи восстали друг против друга: одни сражаясь за Север, другие — за Юг. Кое-кто из родной семьи Мэри Линкольн присоединился к конфедератам, сражаясь против правительства, возглавляемого ее мужем.

Город Вашингтон стал военной стоянкой. Хотя союзные солдаты высадились лагерем на берегу реки Потомак для защиты столицы, флаги конфедератов развевались на виду у Белого дома. Сторонники южан в вашингтонском обществе порвали все отношения с Линкольнами. Город был поляризован. Напряженность росла. Затем поползли слухи, что конфедеративная армия вот-вот вторгнется в Вашингтон.

Жители повалили из города, Вашингтон опустел. Получив сообщение, что по крайней мере один полк конфедератов собирается оккупировать Белый дом и взять в заложники семью президента, генерал Скотт умолял Мэри Линкольн переехать с детьми в безопасное место. Но Первая леди наотрез отказалась покинуть столицу.

По традиции Белый дом устраивал приемы дважды в неделю зимой и весной — чтобы посетители смогли пообщаться с президентом. Мэри Тодд была неутомимой хозяйкой Белого дома. Развлекала и угощала гостей всю ночь напролет, а затем, когда вечеринка кончалась, отмачивала в холодной воде руку своего мужа, покрытую волдырями от пожатия такого множества рук! Многие находили ее гостеприимной и доброй. И она делала благое дело: смягчала и человечила образ Линкольна, печального, абсолютно несветского человека, с головой погруженного в эту злосчастную войну.

Помимо устройства приемов и вечеров, публичных выступлений и сбора денежных фондов, Мэри Линкольн была женой и матерью.

## Сенсация! Дети в Белом доме

Американцы никогда не видели детей, вроде Тэда и Вилли Линкольнов, в Белом доме. Пока их старший брат Роберт прилежно грыз гранит науки в Гарварде, восьмилетний Тэд и десятилетний Вилли терроризировали тамошних служащих. Вместе с двумя ровесниками, сыновьями друзей Линкольнов, мальчишки носились по всему Белому дому и переворачивали все вверх дном в комнатах, где играли в войну. Они устроили в Белом доме собственный цирк, где выступали в разных ролях, и брали 5 центов за вход с любой знаменитости любого ранга, заманивая их на свои представления.

Как-то они попытались выстрелить из пушки с крыши Белого дома — шла война, и мальчишки играли в войну. Им даже сшили союзную офицерскую униформу, в которой они ежедневно щеголяли, пока их обоих не свалила в 1862 году тифозная лихорадка. Тэд выжил, а вот Вилли так и не смог переборть эту страшную для детей, косившую их тысячами, болезнь. Мэри целый год носила траур по Вилли, и снова Авраам Линкольн, сам не свой от горя, чуть ли не силой заставил Первую леди продолжить свои обязанности — по отношению к Белому дому и двум оставшимся сыновьям.

## Помилование президентской индюшки

В 1863 году друг Линкольнов прислал живого индюка в Белый дом для семейного обеда на Рождество. Поскольку индюк прибыл за несколько недель до праздника, малолетний Тэд Линкольн успел приручить птицу и подружиться с индюком, которого назвал Джеком. Тэд старательно ухаживал за Джеком, который стал сопровождать своего хозяина вокруг Белого дома. За день до Рождества Тэд в слезах ворвался в президентский офис, прервав заседание Комитета. Заливаясь слезами, он пробормотал, что повар Белого дома намерен убить Джека и он умоляет отца спасти обреченного индюка. Линкольн напомнил Тэду, что Джека им дали, чтобы съесть его за рождественским обедом. Тэд продолжал рыдать. «Я ничего не могу поделать, — всхлипывал он. — Он очень хороший индюк, и я не хочу, чтобы его убивали». Тогда президент Линкольн написал помилование Джеку на одной из своих карточек и дал ее Тэду для вразумления повара. Жизнь Джека была спасена, и по сей день Белый дом продолжает даровать жизнь ежегодной президентской индюшке.

## Они умерли вместе

И вот война окончена. Миру шел пятый день, страна стала единой. Линкольн только что распечатал второй президентский срок.

Шла неделя сплошного развеселья, праздничных тусовок и ликований. Линкольны тоже решили повеселиться и пойти в театр. В день Страстной пятницы 14 апреля 1865 года.

До театра, но ближе к вечеру, Линкольн задумал прогулять в коляске свою многострадальную, с поехавшей крышей, жену. «Счастье просто обязано улыбнуться нам обоим очень скоро, — сказал он Мэри. — И война, и смерть нашего дорогого Билли, и много еще чего — мы так были оба несчастны!» И в прекрасном расположении духа они отправились в театр Форда.

По Вашингтону палили — праздно и празднично — пушки, ночами во всех домах горели огни, а купол Капитолия, залитый светом, сиял на многие мили.

Линкольна убил — выстрелом в упор в затылок — фанатик, маньяк и актер Джон Уилкс Бут. Он пролез в президентскую ложу в театре Форда, где Линкольн с женой сидели рука в руку и с упоением смотрели развеселую пьеску. Линкольн скончался наутро 15 апреля, и врач сказал его жене: «Все кончено. Президента больше нет».

Убиенный Линкольн превратился в легенду, в миф. А его жена осталась просто вдовой. За сутки она перестала быть Первой леди. Вся нация оплакивала убитого президента, но в это же время Мэри Тодд должна была упаковать свои вещи и уехать из Белого дома, освободив место для нового президента.

Многие считали, что Мэри Линкольн, непрерывно, без просветов горевавшая, сокрушавшаяся по своему мученику-мужу, на самом деле умерла одновременно с ним.

ВЛАДИМИР СОЛОВЬЕВ_
# АМЕРИКАНСКИЙ ДОРОЖНИК: ШТАТЫ — ОТ АЛЯСКИ ДО АРИЗОНЫ

# ALASKA: АЛЯСКА

*Лео Соловьеву*

А вот такой случай: представим человека, который, отвергнув прошлое, живет исключительно будущим. Несмотря на возраст — пусть еще не преклонный, но далеко не юношеский. Надежда же, как известно, хороша на завтрак, а не на ужин. Или, если перевести высокоумную апофегму Фрэнсиса Бэкона в нижний, упрощенный, поговорочный регистр: кто живет надеясь, умирает обосравшись. Что мне еще предстоит в недалеком будущем. А пока что о человеке, заблудившемся во времени. Мой поезд ушел, один на полустанке, ни живой души округ.

Дело происходит в Ситке, на Аляске, куда меня невесть какими ветрами занесло. То есть «весть», но причина моего пребывания на краю света не имеет к сказу никакого касательства. И без того растекаюсь по древу и путаюсь в отступлениях, которые потом вынужден вычеркивать, хотя в них, быть может, и заключен некий тайный смысл. Сын моего приятеля, очаровательный семилетний мальчуган, с рождения неизлечимо болен ADD: attention deficit disorder. Как по-русски? — дефицит внимания? рассеянность? несосредоточенность? аутизм? По Моэму, «отвлекающийся мозг». Его таскают по психиатрам и пичкают таблетками, после которых он становится пай-мальчиком и учится лучше всех в классе. Мне бы такую таблетку сейчас! Не то чтобы не сосредоточиться на сюжете, но сюжет — последнее, что люблю в литературе, хоть и сознаю, что без него могут обойтись только гении типа Пруста и Джойса, а негения ждет жестокое поражение: Роберт Музиль, «Человек без свойств».

Так вот, важно, что Аляска, а не Нью-Йорк, где проживаю уже сто лет, то есть отрыв от бытовой и социальной среды, выход за пределы строго очерченного круга обязанностей, включая супружеские. Супруга осталась в Нью-Йорке, а я поселился на две недели в Ситке, б. Новоархангельске, с единственным светофором, который ненавидят все жители. А я сам по себе, одинокий, скучающий и свободный. Живи в Нью-Йорке, ничего подобного со мной бы не стряслось. Не той я породы, что тянет на блядки. Да и не любовная это интрижка вовсе, если вдуматься.

Коротко о себе.

Меня травили хиной, надеясь избавиться: случайный продукт старческой похоти, хотя отцу не было и сорока, когда он меня зачал, а мать — на восемь лет моложе. Не исключено, впрочем, что был зачат сознательно — в надежде на мальчика, девочка уже была. Через два месяца после моего зачатия немец вероломно напал на мою будущую родину — нежеланный ребенок, будь хоть семи пядей во лбу, а аборты в ту пору запрещены. Такой вот расклад. Я оказался на редкость живучим фетусом — хина на меня не подействовала, зато мою мать оглушила. В буквальном смысле: стала глохнуть еще до моего рождения. С тех пор папа не разговаривал с мамой, а кричал. «Что ты кричишь на меня!» — обижалась мама, хотя вся вина папы была в том, что он не нашел золотой середины между голосом и криком.

Я рос доверчивым младенцем, пока однажды, в годовалом, наверное, возрасте, не дотронулся до цветка и заревел от боли и обиды — оса вонзила в мою ладонь свое безжалостное жало (прошу прощения за каламбур). Характер с тех пор испортился, стал врединой и даже говорить упрямо отказывался лет до трех — водили к врачу, подозревая, что глухонем. Зато писать начал рано — до того, как стал читать. «Мальчик хотел быть, как все» — первая фраза моей мемуарной повести, сочиненной в восьмилетнем возрасте. Теперь вот пишу урывками «Записки скорпиона» — роман с памятью, который, дай Бог, закончить. Каждую книгу пишу, как последнюю.

В целом родителям на меня все-таки повезло: когда умерла моя старшая сестра, которую я доводил своей зловредностью, остался единственный ребенок. Минуло еще полвека — давным-давно ушла молодость, куда — неизвестно, а сейчас уже и старость подваливает. Хоть и преотвратнейшая штуковина, но иного способа жить долго, увы, нет. Мне возразят, что пятьдесят пять, да еще при современной медицине и фармацевтике — не старость, лет через двадцать я буду ностальгировать по этим своим пятидесяти пяти. Позвольте остаться при своем мнении. Да и сомневаюсь, что доживу до семидесяти пяти: волю к жизни всю израсходовал в эмбриональном состоянии. Малочисленное мое поколение сходит со сцены, едва успеваю вычеркивать знакомых из телефонной книжки. «Как долго я живу»,— все чаще думаю, провожая дорогих покойников. Боюсь, долгожителей среди нас не будет.

Вот мой приятель, годом младше, кончается от метастаз. Смотреть на него страшно: натянутая на скелет кожа и громадный живот. А ведь как пекся о своем здоровье, с ничтожной болячкой мчался к врачу, мы посмеивались над его идефиксом. Уж он, казалось, точно обхитрит смерть и переживет всех нас. И вот как-то — во время проверки легких, уж не знаю, по какому поводу,— рентгеновский луч осветил случайно кусок печени, которая вся была в метастазах от рака прямой кишки, понятно, уже неоперабельного. Как в том анекдоте про человека, который, проведав, что Смерть явится за ним в полночь в бар, переодевается и бреет голову, чтобы не узнала. Без пяти двенадцать является в бар Смерть, осматривается и говорит:

— Ну, если этот тип не придет, заберу вон того лысого, у стойки.

Взять секс, который не приносит больше прежнего забвения. Помню, вырубаешься, забытье, малая смерть и все такое. А теперь никакой отключки, даже как снотворное не действует — мучаешься после всю ночь бессонницей, ходишь в гальюн, листаешь книгу или предаешься горестным раздумьям на понятно какую тему. Член вроде бы стоит как прежде и извергается не хуже Везувия, зато сама природа е*ли и оргазма изменилась катастрофически. Раньше весь выкладывался, а теперь член функционирует отдельно от меня, будто и не мой. Да и на женщин гляжу хоть и вожделенно, даже похотливо, но как-то безжеланно. Точнее: желание есть, а эрекция — когда есть, когда нет. Вот я и гадаю: в чем дело? В возрасте? Но выгляжу и чувствую себя лет на пятнадцать моложе, а проигрывая в своем писательском воображении разные возрасты, никогда — свой собственный, безнадежный, когда, по Казанове, Бог отворачивается от человека. Даже полуторагодовалого внука, чтобы не старить себя, называю сыном моего сына, но, скорее, в шутку. А дедом мог стать одиннадцать лет назад, если бы мой сын родил в том возрасте, в котором родил его я.

Или дело в стране, где крапива не жжется, черника не пачкает, комары все почти повыведены, кофе без крепости и аромата, помидоры без вкуса, клубника без запаха? И без вкуса тоже. А любовь отменена за ненадобностью, сведена к сексу либо размножению. Да и секс скорее по учебнику, чем по вдохновению: помешанные на гигиене американы ежедневным мытьем отбивают у себя секс-запах, а из пяти чувств именно обоняние самое либидоносное. В зверином мире самец чует носом самку за многие мили, а в человечьем — в упор не замечает. Вот и получается: Венера без Эроса, да и та — редкость. А тут еще гондоны в обязательном порядке из-за СПИДа. Какое уж тут либидо!

Мнимое благополучие этой страны — за счет отпадения от природы.

Расставим теперь декорации.

Вовсе не потому, что следую классическому уставу. Скорее, наоборот: проза у меня лысая, что здешние орлы. Но Аляска, где я оказался впервые, поражает даже бывалого путешественника, коим являюсь, хотя путешествую преимущественно на восток, а не на запад, в такую даль — впервые. Европу знаю лучше, чем Америку, натурализованным гражданином которой числюсь. Вот именно: числюсь. Это обо мне написал Генри Джеймс: «Он усердно занимался географией Европы, но географией своей родины полностью пренебрегал». Тихий океан увидел впервые, Аляска — только шестнадцатый штат, в котором я побывал. Человек тут живет внутри природы, озёра и го́ры по сю пору не все поименованы, а иные, наоборот, поименованы многократно: индейцами, русскими, испанцами, англичанами. Тропы забираются высоко в горы, теряются в болотах, лесах или на альпийских лугах, да и люди не всегда возвращаются из этой первородной природы и на месте их гибели либо исчезновения стоят кресты. Даже самолет — рухнул в прошлом году да так и лежит, застряв в деревьях на снежном склоне горы, с незахороненным летчиком.

Декорации ради декораций? Отчасти. Обычный мой трюк в путево́й прозе — если сюжет не достанет, позабавит дорожный маршрут, место действия окажется важнее самого действия. Соответственно — наоборот. То есть смешивая фон с действием, реал с художкой, досоздавая воображением то, что воспринял глаз,— так что не разобрать, где что. Ссылка на Стефана Цвейга не обязательна, тем более у Набокова лучше: знанием отверстые зеницы. Ведь я и сам, нацелься на любовное приключение и потерпи крах, не знал бы, что и делать. А так — киты, медведи, тотемы, индейцы племени тлинкитов, первородные леса, остывшие, спящие и действующие вулканы, голубеющие глетчеры, плывущая, летящая над водой, а то и посуху из мощного инстинкта жизни навстречу смерти семга и прочие диковины если и не утешили меня, то утишили мою печаль. Кто знает, может, природа и возбудила меня, послужила изначальным импульсом к тому, что случилось.

Стоял сентябрь, а с некоторых пор осень волнует меня как-то по-весеннему. По совпадению с собственным увяданием? Когда я поцеловал Хелен впервые, она сделала большие глаза, не ответила и не противилась, только как-то странно смотрела на меня. Я отлип от нее, и Хелен очень мягко сказала:

— Мне надо привыкнуть.

— К чему привыкнуть? — крикнул я, но молча.

Проклятый возраст!

То есть никак от меня не ожидала, а я-то был уверен, что к тому все идет, и поцелуй был естественным продолжением наших разговоров и прогулок в парке тотемов и по дороге к озеру Medvejie, а для нее — вот черт! — неожиданным. Как же так? Выходит, с ее точки зрения, я так же безнадежно стар, как с моей — мои ровесники? Ничем от них не отличаюсь, в этом качестве больше не котируюсь, и мое дело — труба?

Даже не отказ, хотя лучше бы отказ, которому я из инстинкта приискал бы уважительную и не обидную для себя причину. Ну, например, она предпочитает однополую любовь, и разбитная толстушка медсестра Айрис, с которой они на пару снимают крохотный домик на Монастырской улице, где время от времени дают приют изгнанным из дома одичавшим индейским ребятишкам, не просто подружка, но также сожительница. Или не хочет изменять

Брайену, жениху в Джуно, пусть даже это формальный брак — контракт на разведку аляскинской тайги у Хелен кончался, а возвращаться на родину ей не хотелось. Что, если ее предстоящий брак вовсе не по расчету? Или не только по расчету?

Мы сидели у нее на балконе, я испытывал некоторую неловкость, не зная, что делать дальше,— предпринять еще одну попытку или отложить до лучших времен, а пока вернуться к прежним отношениям? Над морем кружил орел, а на лужайке перед домом резвился Питер Пен, вечное дите, которого она всюду с собой таскает и которому не суждено повзрослеть: пяти месяцев от роду кот неосторожно поел отравленного моллюска, чудом спасли, но теперь у него искривленный позвоночник, он остановился в развитии — и в умственном, и в физическом. К примеру, стучит зубами на пролетающие самолеты, принимая за птиц.

И тут на наших глазах произошло нечто из ряда вон, хоть я уже успел привыкнуть к здешним орлам. Да и ходят они по земле довольно неуклюже, напоминая индюшек, особенно молодые, сплошь серые орлы, потому что свое национально-символические оперение приобретают только на четвертом году жизни. Кстати, Бенджамин Франклин предлагал в качестве национальной эмблемы именно индюшку, но победил орел. По справедливости: в полете эти геральдические птицы, нет слов как хороши и, набрав высоту, недвижно, без единого взмаха крылом, парят в воздухе, вертя белой головой и высматривая острым глазом добычу за многие мили. Так, должно быть, издали орел и высмотрел Питера Пена, камнем пав на него. Котенок был обречен, но инфантильность его спасла. Заметив пикирующего на него орла и приняв за птичку-невеличку, Питер Пен подпрыгнул высоко в воздух, чтобы ее/его схватить. Промахнулись оба, и орел тяжело, вразвалку, заковылял по лужайке, ничего не видя окрест. Питер Пен выгнул свою и без того кривую спину и зашипел, только сейчас поняв, что «птичка» несколько превышает воробья и даже голубя. Чем не вариация на тему «Давид и Голиаф»?

Я наблюдал за орлом, пока он не истаял в воздухе, а Хелен уже прижимала своего вечного котенка к груди. С ней случилось что-то вроде истерики, а давно проверено — ничто так не возбуждает, как женские слезы. О эти пригласительные слезы... Женские слезы, женские чары. Помню, как удивила меня своей неточностью, наоборотностью фраза в одном хорошем романе: «Его захлестнула жалость, напрочь смывая и страсть, и желание». Жалость — это и есть желание, утешать — значит любить. Как еще мужчина может утешить женщину? Думаю, что и женщины как-то расслабляются от собственных слез — вот и еще один путь от глаз до гениталий. Помню, однажды, в далекой молодости...

Столько лет прошло, а как вчера, о Господи!

— Здесь должны жить сплошь патриоты — ежедневно видеть живьем символ Америки! — сказал я, чтобы разрядить обстановку.

Я прилетел в Ситку, когда его девятитысячное население живо обсуждало местные новости. В православной церкви низложили попа за совращение несовершеннолетних прихожан, а основателю города Александру Баранову — сыну архангельского башмачника, который дослужился до первого губернатора Аляски, а потом утонул, возвращаясь на корабле в Россию,— подвыпившие тлинкиты, которых русские называли колошами, спилили ночью нос, хотя, скорее всего, это эвфемизм, как сбежавший нос коллежского асессора Ковалева, отрубленный палец отца Сергия или срезанная Далилой коса Самсона — понятно, не в длинных власах заключена была его нечеловечья сила, а в корне жизни. Тем более, у здешних аборигенов обрезание гениталий — полузабытая, ушедшая в подсознанку традиция, а поди обнаружь таковые под бронзовыми штанами у главного правителя русских поселений в Америке. А у самого Баранова и без того трагическая судьба: он застрял в Ситке, посланный за ним корабль «Нева» по пути затонул, следующего пришлось ждать четыре года, а о кончине самого Баранова я уже написал чуть выше. То-то было радости у индейцев, когда эта новость дошла до Ситки!

— Русско-индейские делишки! — махнул рукой женатый на филиппинке шотландец Камерон на том самом барбекю на берегу океана, где я впервые увидел Хелен. Как русского, меня коробило от такой уравниловки. Тем более я сталкивался с этим не впервые. Даже у них в музее Шелдона Джексона, с его первоклассной коллекцией индейских масок и тотемов, я почувствовал то же странное отождествление колонистов с туземцами. А что, если с протестантско-англо-шотландской точки зрения мы с индейцами одинаково дикари?

Раз в году, в День Аляски, на крепостном холме, устраивается торжественная церемония смены власти: спускается русский флаг, поднимается американский. Несколько часов Аляска формально принадлежит России, пока ее триколор не сменят на старс энд страйпс. Церемония забавная, но несколько для меня как русского унизительная: выходит, мы завоевывали Аляску для Америки? Тем более в Ситке столько русских рудиментов: от названий — гора Верстовия, озеро Медвежье, улица Монастырская и прочих — до основной достопримечательности православного собора Святого Михаила, который стоит поперек главной улицы, машины и люди с уважением обтекают его с двух сторон. Зато недорезанные русскими колоши зубоскалят: церемониальный этот холм — единственное, что принадлежало русским, а теперь американцам, а не вся Аляска, которая как была индейской, так и осталась.

Присланный из Джуно, чтобы утешить прихожан православной церкви, «индейский доктор» Ник — психиатр? гипнотизер? проповедник? знахарь? шаман? — объяснил мне:

— Борьба у них шла с переменным успехом. Сначала русские потеснили индейцев, потом индейцы вырезали всех русских вместе с завезенными из России алеутами и сожгли крепость, пока русские не взяли реванш. Индейцы ушли в леса и уплыли на другие острова, а возвратились только через двадцать лет и мирно зажили бок о бок с пришельцами. Русских давно уже нет, вот тлинкиты и мстят статуе, когда у них на почве алкоголизма пробуждается историческая память. Но после той истории случилась еще одна история с тем же Барановым — пронесся слух, что индейцы выкололи ему глаза. Смотрят, а у Баранова в самом деле пустые зеницы — две дыры заместо глаз. Позвонили в Анкоридж скульптору. Тот успокоил — он делал статую в античной манере с прорезанными глазницами. Это уже навет эстетически невежественных белых на туземцев. А пару дней тому назад своротили несколько могил на русском кладбище — это, несомненно, алкаши тлинкиты. Скорее всего, подростки.

Я успел побывать и в русской церкви, где проповедь по-английски, псалмопение по-церковнославянски, а среди прихожан ни одного русского, и в грязном индейском гетто с ярко размалеванными домами, пьяным населением и бродячими псами, и на этом кладбище, которое русским называется условно — не по этносу, а по вере здешних обитателей. Как евреи — не этнос, а религия в американском понимании.

Одно только русское имя и обнаружил на треснувшей плите, зато княжеское. Остальные — англичане и индейцы, принявшие православие. Следит за кладбищем (как и за двумя другими, неправославными) на добровольных началах Джо, тоже индеец, но из племени хайда, местный сказитель, storyteller, который нейтрален, спокоен, зауряден и ничтожен в обычной жизни, будто нет человека вовсе, пока не заводится и не впадает в транс во время публичных выступлений. Вот-вот: пока не требует поэта к священной жертве Аполлон. Может, потому и бросила Джо жена — что́ ей до его славы как рассказчика, когда он настолько отрешен в реальной жизни, что не снисходит до выполнения супружеских и семейных обязанностей?

Не знаю, как в действительности, но в здешнем фольклоре главное место принадлежит скотоложеству. Последняя история, которую рассказывал Джо, — про любвеобильного ворона, который клеит девушку, та ему не дает, и ворон, скопив свою неуемную сексуальную энергию на запретных желаниях, летит трахнуть собственную жену; та же, воспользовавшись отсутствием гуляки-мужа, сходится с бобром и, завидев летящего ворона, прячет бобра-любовника у себя во влагалище, куда и сует первым делом свой разгоряченный и нетерпеливый пенис ворон-муж — и кричит от боли. Это бобер от страха вцепился зубами в его детородный орган. Пересказываю вкратце, а Джо забавлял этой историей большую аудиторию часа полтора, наверное, и все покатывались со смеху. Думаю, Фрейд извлек бы из этой истории куда больше, чем я, да и Клод Леви-Стросс специально приезжал сюда, чтобы собирать местные байки, а Юнг их комментировал. Сам Джо вряд ли знает в нормальном состоянии, чем кончатся его импровизированные истории, а потому вместе с аудиторией удивляется их развязке. Его предки шаманствовали, а он сказительствует, и слушать его приезжают со всей Западной Америки и даже из Японии. Чем не пример для подражания? Беру за образец.

Вот и на барбекю он сидел отрешенно, равнодушно внимая нашим разговорам, и одному Богу известно, где витает его душа, пока ее хозяин (или раб) не впадает в шаманский транс рассказчика. Не встрял даже, когда зашла речь о его соплеменниках и неискоренимой традиции среди них: инцесте. Как в стародавние времена, отец трахает малолетнюю дочку. Ну, как у нас в частушке:

> По деревне дождь идет,
> Занавески дуются.
> Отец дочь свою е*ет,
> Мать на них любуется.

Не знаю, как у русских, но у индейцев веяние новых времен: жена заставляет мужа натянуть кондом, чтобы чадо не забеременело.

Тут мнения разделились: одни осуждают противозачаточное нововведение, другие приветствуют.

— И это несмотря на традиционное табу на внутриклановые женитьбы: «орел» должен жениться только на «вороне».

Эту справку выдал владелец картинной галереи Юджин, молодой человек родом из Нью-Йорка, с красивой, проглотившей язык женой-калифорнийкой и ангелоподобным беби, которому он время от времени совал в рот палец, предварительно обмакнув в вине, и дите чмокало от удовольствия. Так и не понял — то ли его жена совсем уж неартикуляционна, то ли стеснялась. А может, прерогатива слова у них в семье, пока еще не заговорил полуторалетний Лео, принадлежит Юджину? Среди прочего он поделился с нами идеей соединительного между Аляской и Россией туннеля по дну Берингова пролива, наподобие ла-маншского, а в ответ на скептические улыбки присутствующих горячо предсказал, что в следующем столетии туннель проведут даже через Атлантический океан, соединив Америку с Европой. Наш век был на последнем издыхании, а потому допускались любые домыслы насчет грядущего и неведомого. Формальной смене четырех циферь в календаре придавали почему-то сакральное значение.

— Орел и ворон — тотемы разных кланов,— пояснила для меня как cheechako, пришельца, самая молодая среди нас, не считая беби, которая и оказалась полькой Хелен.

— Обратная зависимость,— сказал Ник, который никогда не снимал с головы капитанскую фуражку, прикрывая раннюю лысину и обозначая свое греческое происхождение, хоть родом из Сицилии. — Потому и табу, чтобы искоренить инцест. Не говоря о том, что ворон, родовой эпоним тлинкитов — плут и трикстер, а уж в сексуальной жизни творит черт знает что. Время от времени меняет собственный пол. Нашел как-то на морском берегу гребенчатую раковину и женился на ней.

Сам Ник, который лечит индейцев от алкоголизма и самоубийств, за что и прозван «индейским доктором», взял в жены девушку из почти уничтоженного племени пронзенных носов, но в прошлом году, пока он странствовал вместе с Хелен и Брайеном по совсем диким местам Аляски, ее на улице Анкориджа лягнул насмерть забредший в город сохатый, и теперь у Ника чувство вины, хотя само это дикое путешествие было бегством от жены после того, как та ему изменила. А чего ради отправились с ним вместе Хелен и Брайен? Предсвадебное путешествие? Они были едва знакомы.

— Запреты на то и существуют, чтобы их нарушать,— примирительно сказал Камерон; у него самого четверо дочек, и все заглазно обсуждают, предпримут ли они с женой еще одну попытку. Зато в бизнесе ему везет, он самый богатый в Ситке человек — начал с рыбачьей лодки, а кончил (если только это конец) мощной фирмой для туристов с дюжиной катеров и яхт, с гостиницами и ресторанами. Он что-то мне говорил о пяти видах семги, называя индейские имена и их английские аналоги, но, увы — в деревянное ухо: я — не рыболов, а грибник и к тому времени уже увлекся разговором с Хелен, а скорее — ею самой. Запомнил я только оба названия королевской семги: чинук и кинг. Они не из тех, кто плывет к себе на родину, чтобы, сбросив молоку и икру, умереть, а выпрыгивают из воды, чтобы растрясти и легче выметать родильный материал. Да я и сам видел эти королевские особи, которые пробивают скопление самоубийц и на дикой скорости устремляются обратно в океан. Лично мне интересно другое: способ самовоспроизведения, не касаясь друг друга. Какая уж там любовь...

На том барбекю нас вместе с беби было девять человек, я — старше остальных лет на десять — двадцать, а Хелен, за которой сразу же приударил, сочиняя в уме рассказ под названием «Тебе ничего здесь не светит, дружок» и полагая, что дальше названия и легкого флирта на фоне природы дело в обоих случаях не пойдет,— на целых двадцать восемь. Не знаю, как кого, меня эта разница не колышет. Наоборот. Все больше и больше тянет к молодым. Как вурдалака — к живым. С каждым годом все сильнее чувствую себя чужим среди своих и тайно мечтаю быть своим среди чужих. Говорю не о сверстниках в розницу, но в целом, оптом — о поколениях. Мне мое — во где! И дело тут не в возрасте. Как себя помню, мне всегда было чуждо мое поколение. Главная неудача моей жизни — не в то время родился, разминулся во времени со следующими поколениями. Любым из них. Нынешними двадцатилетними, тридцатилетними, сорокалетними. С такими вот, как на этом барбекю. С моим поколением мне давно не по пути, к тому же конечный пункт этого пути все более ясен. Вот я и задумал дезертировать. Точнее, катапультироваться в другое поколение.

Понятно, я сознаю физические пределы, которые ставит мне возраст. К примеру, не смог бы, наверное, составить компанию Нику, Хелен и ее будущему жениху Брайену в их 250-мильном странствии по незаселенному, дикому побережью Аляски — на обтянутом кожей каяке вокруг Адмиралтейского острова, а потом через горы Брук Ранже до арктических деревень, где они жили в ледяных иглу и ели сырьем китовье мясо, включая muktuk, кожу и ворвань, которые эскимосы почитают за деликатес. Такие вот бездорожные, малодоступные места называются на аляскинском жаргоне bush. Я видел возбуждающий снимок, где они втроем — на фоне глетчера, с тяжелыми рюкзаками за плечами и абсолютно голые: в центре прекрасная Хелен, а по бокам обладатели обрезанных пипирок. С особым интересом рассматривал Брайена — не только эффектные гениталии, но весь его нордический облик. Высокий, красивый, напоминает викинга, хотя мое представление о последних не из первых, понятно, рук. Как они ее, интересно, распределяли между собой? Групповуха? По очереди? Только с будущим женихом? Или им за дорожными тяготами было не до того? Еще не поздно поинтересоваться у нее самой.

Что говорить, Хелен ужасно привлекательна, но вычленил ее из компании я по иному признаку — славянскому. Призна́юсь в моей слабости. Хоть в этих делах я — космополит, и в женской моей коллекции — представители разных племен, но славянки обладают для меня каким-то особым магнетизмом. Не уверен, что сексуальным, хотя в конце концов сводится к сексу. Особенно здесь, в Америке, где славянок — днем с огнем. А не переехать ли мне в Чикаго? Нашлись общие темы, нам обоим более близкие, чем алкоголизм и инцест среди аборигенов,— Пушкин и Мицкевич, генерал Ярузельский и маршал Пилсудский, Окуджава, Достоевский, Папа Римский, запрещать или не запрещать аборты. Вплоть до либерума вето, национального вклада Польши в развитие мировой демократии, хотя так далеко за ней никто и не последовал. Разве что Совет безопасности ООН — там каждый член обладает правом вето. Хелен мне нравилась все больше, и я не нашел иного способа это выразить, как поднять тост «Еще Польска не сгинела!», хотя имел в виду лично ее. По-видимому, мы были в одинаковой степени подпития и возбуждения — Хелен тост-эвфемизм нисколько не смутил, нас это как-то даже сблизило.

Взяв по банке пива, спустились с ней к воде, от которой подванивало рыбной мертвечиной. Не помню, кто первым пожаловался на одиночество среди американцев, а другой с ходу поддержал. Зато знаю точно, кто процитировал Анну Каминскую: «бред невозможных возможностей»,— я об этом польском поэте и слыхом не слыхивал. И относились эти слова не к политике и не к литературе, а каким-то образом нас лично касались. В самом деле, почему нет? Если обнаруживаешь вдруг такое редкое в нынешние времена крутого одиночества родство душ, то почему не тел? Пусть даже род инцеста — как между братом и сестрой? Кто еще может оценить юные прелести, как не старик, а я еще не старик. Чего ей стоит, а для меня — дар судьбы.

К тому времени я уже поехал, мозги набекрень. От вечернего холода, от обильных возлияний или от нервного возбуждения меня стало трясти, Хелен взяла меня под руку, она тоже дрожала. Или мне показалось? Мы продолжали, перебивая друг друга, говорить на чужом нам обоим языке и не сразу расслышали, что нас зовут, — барбекю закончился.

Сговорились встретиться завтра в галерее Юджина на Линкольн-стрит и отправиться вдвоем к Медвежьему озеру: стояла такая шикарная осень, грех не воспользоваться. Потому что в сентябре здесь положено идти сплошным дождям, на эту тему много шуток, типа «Зато над тучами и туманами всегда солнце» либо «За один солнечный день мы платим месяцем непогоды», а резиновую обувь так и зовут — Sitka slippers, ситкинские шлепанцы, и раздражение от невозможности выйти наружу поздней осенью и зимой называют не клаустрофобией, а cabin fever, комнатная лихорадка.

А зима уже катит в глаза. На память об этой поездке, помимо индейской маски с зубным оскалом и вытекшим глазом, сувенирного тотема и юлу, эскимосского ножа, я увезу в Нью-Йорк приобретенную в галерее Юджина большую гуашь «Зима на Аляске», на которой, хоть и декоративно, но с натуральными подробностями изображена е*ля — а что еще делать долгой, бесконечной, в полгода, зимней ночью на Аляске? Впасть в зимнюю спячку подобно медведю? Взвыть белугой? Есть анекдот про местного индейца, который обвиняется в убийстве, и судья его спрашивает: «Что вы делали в ночь с 1 октября на 31 марта?»

Проснулся ни свет ни заря и все никак не мог вспомнить — какого цвета у нее глаза, какой формы нос, какая прическа. Бред какой-то! Помню только груди под свитером — маленькие, округлые, девичьи. Да еще общий невзрослый, мальчуковый какой-то вид. И ни одной конкретности, кроме груди, до которой так хотелось дотронуться — все время ловил себя на этом естественном и беззаконном желании. Эмоция заслонила объект, на который направлена. Шел на свидание с незнакомкой с девичьей грудью и мальчишеской внешностью.

Явился немного раньше, покупателей ни одного, туристский сезон на исходе. Многоэтажные круизные пароходы — белоснежная краса этой и без того красивейшей, на швейцарский манер, бухты с поросшими хвоей островками и узким, невидимым выходом в океан — возвращались на юг, минуя Ситку, а туристы с паромов как потенциальные покупатели — полная безнадега. От нечего делать Юджин развлекал меня, демонстрируя статуэтки из oosik, моржового х*я, которыми его снабжал искусник-эскимос. Моржово-х*евые (или х*ево-моржовые, как ни двусмысленно прозвучит) скульптуры шли нарасхват, особенно у женщин —

стоило только намекнуть, из чего сделаны. По тысяче долларов и больше. Единственное животное, член которого держится на кости, да еще таких солидных размеров — больше 25 инчей. Сами по себе либо с вставленной внутрь лампочкой oosiks тоже продаются, но это уже как sex toy. Что ни говори, экстраваганза.

За этим занятием нас и застала Хелен: глаза серо-зеленые, нос короткий, волосы светлые, среднего роста, грудь, как я уже говорил, небольшая, девичья. Какое это имеет отношение к нашему с ней сюжету! Не описываю же я самого себя, и читателю все равно, какого я роста и какого цвета у меня глаза.

— Сколько же надо убить моржей ради туристских капризов,— поморщилась Хелен.

— Думаете, не говорил ему? — стал оправдываться за автора Юджин.— А он в ответ, что моржей его родня на берегу Берингова пролива все равно традиционно истребляет несмотря на запреты,— ради мяса, кожи, бивней, ворвани. Моржовые х*и — побочный продукт этой древней, как мир, охоты. Он заверил меня, что ни один морж не был убит ради пениса.

Со вчерашнего барбекю воздух Ситки пропитан тонким ароматом эротики, но чувствовал ли это еще кто? Это мне и предстояло выяснить в походе к Медвежьему озеру, но мои скорее смутные, чем блудные планы были неожиданно нарушены: воспользовавшись отсутствием покупателей, Юджин перепоручил лавку своему работнику и увязался с нами. Прогулка вдвоем была превращена в экскурсию. И может, мне показалось, но Хелен тоже предпочла бы остаться со мной вдвоем, хотя и дружила с Юджином. Кто ничего не почувствовал, так это Юджин.

Я один был безоружный — Хелен и Юджин взяли с собой по ружью на случай встречи с хозяином здешних лесов. «Стрелять лучше в землю, чем в воздух — звук громче»,— сказал Юджин. Попутно сообщил также, что бить по оленю надо, когда он тебя не видит,— иначе олень напрягает мускулы, и мясо становится жестким.

Повезло или не повезло, но ни один зверь нам на пути не попался. Единственный привет от топтыгина мы нашли на тропе в виде большой кучи смолистого говна, от него еще шел пар. Да на отмели Индейской реки все еще вздымающая жабры семга с глубокими надкусами на спине, но это мог быть и вспугнутый нами орел. Вокруг умирающей рыбы весь песок был истоптан, но я не стал вглядываться в следы. Возвращаться или идти вперед? Шанс на встречу с хозяином здешних лесов был одинаков, мы пошли дальше. Меня всегда поражает, сколько лесного зверья нас видит, оставаясь невидимыми, как только что просравшийся медведь и вспугнутый нами во время завтрака незнамо кто.

— Была бы у тебя менструация, мигом бы притопал,— сказал Юджин Хелен, а смутил меня.

Оказывается, медведь, с его великолепным обонянием, чует менструальную женщину за много миль и возбуждается, а потому не рекомендуется отправляться в лес в период течки. То есть когда месячные.

Пошли медвежьи истории, и конца им не было.

— Вот здесь,— говорит Юджин, и мы останавливаемся на время его рассказа,— медведь задрал защитника природы, который специально прибыл из Калифорнии защищать его племя от охотников, а заодно помял спутницу, доставшую его истошным криком.

Через пару минут мы останавливаемся перед узким, но сильным водопадом, который стекает в мирный ручей.

— А тут один бритон слез с велосипеда, чтобы пощелкать терпеливо позировавшего ему медведя на противоположном берегу, пока тому не надоела вся эта фотободяга; зверюга перешел ручей, намял бритону бока (четыре сломанных ребра) и занялся сексом с медведицей, которая давно уже поджидала его позади горе-фотографа, но тот был так увлечен съёмкой, что ее-то и не приметил.

Привет дедушке Крылову, молча комментирую я, а Юджин уже пересказывает одну из медвежьих историй Джо — про некую бабу, которая постоянно вляпывалась в медвежье говно и каждый раз почем зря ругала топтыгина, что тот срет не в лесу, а на людских тропах. Мишке это так надоело, что он изловил бабу, схватил в охапку, снес в лес, взял ее в жены и пошли у них полудети-полумедвежата. Мужики терпели-терпели, а потом устроили засаду; медведя пристрелили, а безутешная медвежья вдова так больше ни с кем сойтись не пожелала и с безутешного горя и хронического недое*а убежала обратно в лес. Схожая история в «Тысяче и одной ночи», но там убивают и зверя, и женщину, которую после него, а он «падал» на нее по десять раз кряду, не мог больше устествить ни один человек. Каковы, однако, мужские комплексы у мусульман, за которые приходится расплачиваться бабе! Убить женщину там не грех. Курица — не птица, женщина — не человек. Наверняка у арабов есть аналогичная поговорка — и не одна! Индейский фольклор не так безжалостен. Медвежьих детей берут в деревню, где они растворяются среди прочей уличной детворы и бездомных собак, а индейские дети бесхозны, растут как трава, родаки на них никакого внимания, не отличают своих от чужих.

Тут вдруг открылся классических очертаний кратер — не потухшего, а именно уснувшего вулкана, но весь смак от его внезапного появления пришлось отложить из-за очередной занятной истории Юджина. В прошлом году, ближе к зиме, когда туристов уже не было, один шутник на потеху набросал в кратер дымовых шашек, а потом поджег их с вертолета и стал ждать реакции своих земляков на проснувшийся вулкан. Да только напрасно — в упор не видели, пока он сам не обратил их внимание, что вулкан заработал. Эффект был замечательный, началась паника, половина Ситки в срочном порядке эвакуировалась из города кто куда.

Собственно, от его извержения — не в тот раз, а давнымдавно — и возник вулканический остров Св. Лазарий с его фантастической флорой: морские звезды всех цветов и размеров, красноклювые паффины, на соседних — морские львы, тюлени, выдры, а по пути пускают мощные фонтаны киты. Чистая экзотика. И хоть меня раскачало на морских волнах, которые ударяли о дно катера, как здоровенные камни, а один узкий проход так и называется «между Сциллой и Харибдой», но от этого выхода в океан с опытным капитаном Дэви получил, может быть, даже больше удовольствия, чем от ножной прогулки с Хелен и Юджином по Rein Forest.

Всю дорогу Юджин говорил непрерывно. Настоящий рог изобилия — от индейских мифов до местных сплетен. Было бы неблагодарностью с моей стороны пенять ему за эту информационную атаку, гид и рассказчик он отменный, но я бы предпочел услышать все это в иной обстановке. Скажем, за вечерним столом с туземным закусоном — гигантскими крабами, семгой, палтусом, которые как-то привычней стало называть салмон и халибут (рыболовы вывозят их, переложенных сухим льдом, в огромных ящиках — сам видел в аэропорту). Помимо того, что рассказы Юджина отвлекли меня от Хелен, я не успевал оглядеться, а было на что и помимо подглядывающего за нами невидимого медведя. Здешний лес — сам по себе экзотика. Огромный, в пять обхватов, hemlock (по-русски — тсуга), свисающие с него лохмы мха, исполинский лопух с колючими и ядовитыми листьями, который зовется «копыто дьявола», серебристые ленты горных водопадов, косяки плывущей против течения к месту рождения себе на погибель семги — кишмя кишит, воды не видно. Видел бы этот круговорот природы Гераклит с его сияющей, сухой душой — придумал бы еще парочку афоризмов навсегда. Наконец, сами тропы, проложенные тлинкитами и заботливо укрепленные лесниками и экологами. К последним принадлежала по профессии Хелен, почему и оказалась в такой дали от родины. Иногда ей удавалось вставить словечко-другое про здешний лес. Я тоже разок пробился сквозь Юджина и, сославшись на Важу Пшавелу, назвал лежащие на вершинах тучи «мыслями гор».

— В таком случае аляскинские горы — сплошь философы,— мгновенно отреагировал Юджин.— Думают непрерывно, тучи с них не слазят.

Тропа иногда круто забирала в гору, и мои спутники вынуждены были приноравливаться к моему замедленному на подъемах шагу — не хватало дыхания. В конце концов я счел за благо под разными предлогами поотстать и, окруженный первозданной, как в мифе, природой, предался возвышенным и горестным размышлениям.

Не пора ли признать, что не только молодость, но жизнь прошла, потому что какая же это жизнь — старость, которая катит в глаза, хоть и нет иного способа жить долго, но зачем, спрашивается, жить долго? И почему ей надо к мысли обо мне как любовном партнере привыкнуть, когда нам ладно во всех других отношениях? Почему не в этом? Почему не попробовать? Разве это справедливо, что меня волнует ее юная плоть, а ей даже не представить такой тип отношений со мной? Почему я у нее только для души, а для тела ей нужен ебур-викинг, к которому она, изголодавшись, отправляется завтра в Джуно и зовет меня с собой? В качестве кого? Соглядатая их любовных игр? «В Джуно есть что поглядеть». Еще бы! Все, что мне остается, — это подглядывать. Свое я оттрубил. Черт, мы разминулись с ней во времени.

За отрыв от спутников и черные мысли я был вознагражден: прислонившись к стволу аляскинской сосны, стоял громадный белый, который я с превеликими трудами выковырял из земли — так он сопротивлялся, не желая покидать насиженное место. Немного перед ним было стыдно. Деревья — кедр, сосна, даже хемлок-тсуга — здесь огромные, высоченные, в несколько обхватов, а вершины теряются в облаках. Под стать им и найденный грибище. Мелькнуло — червивый, оказался — белоснежный, только в самом низу ножки, на стыке с землей, крошечные черные змейки, которых я аккуратно вытащил из гриба, лишив кормовой базы. Для справки: вкусовые качества у моего гаргантюа оказались похуже, чем у полевых белых, а тем более — боровиков, и суп вышел не такой ароматный. Как с рыбой: рыба-переросток теряет во вкусе. Но факт остается фактом: самый большой белый из когда-либо мною найденных. Это меня слегка утешило и смирило с реальностью.

Временно.

Вернувшись с этой четырехчасовой прогулки, Юджин отправился в галерею, а мы с Хелен заглянули в тотемный парк, где она, со ссылкой на Фрейда, Юнга и Леви-Стросса, объясняла мне магическую символику звериных образов на этих кедровых истуканах. В иное время внимал бы ей с бо́льшим интересом, особенно когда дело касалось либидоносного шельмы во́рона, а тот глядел на меня чуть ли не с каждого фаллического столба, но я так ухайдакался по дороге к Медвежьему озеру и обратно, что слушал вполуха и, придя домой, вырубился на целый час. К вечеру, отдохнув, пошел к Хелен (хохотунья-ирландка Айрис, как специально, была на ночном дежурстве в больнице), где и наблюдал несостоявшееся орлиное покушение на ее инфантильного кота, а потом утешал его плачущую хозяйку и с трудом сдерживал желание. А почему, черт побери, я должен сдерживаться?

Слегка поддатый, я отправился в тотем-парк, чтобы добрать то, что упустил днем, когда еле живой от усталости слушал мифологемные объяснения Хелен. Вместо этого испытал мстительную против русских злобу индейцев, но скорее, правда, мистического, чем материального порядка, хотя поди разбери. Не знаю, что бы произошло, если бы внял не страху, а зову приключений, который у меня в крови, но тут одержал верх инстинкт самосохранения.

Было уже поздно, дождило, ветрило, и прямо передо мной по тропе, заманивая, медленно, словно и не касаясь земли, двигался дюжий кот ярко-рыжего замеса. Ситка — городок небольшой, всех здешних котов я уже знал лично. А этот был чужак. Стоило мне остановиться, кот тоже останавливался и смотрел на меня странным, совсем не кошачьим взглядом. Ветер уже дул изо всей силы, сгибая деревья, дождь хлестал в лицо, а кот всё манил и манил меня дальше, глубже, в таинственную непоправимую тьму. И вдруг я почувствовал, что это враждебные мне как русскому духи околдовали сейчас тотемный парк, и в неизвестно откуда взявшегося рыжего кота вселился индейский трикстер, — я повернул обратно и бросился наутек.

Час спустя я уже жалел, что, струсив, драпанул, вспоминал почему-то Садко, Одиссея, Синдбада-морехода и прочих любителей приключений, которые пускались во все тяжкие, только бы расшевелить свою заскорузлую душу. Потом я узнал, что котяру взяли в соседний с парком дом — доброе, умное, внятное животное, хозяева в нем души не чают, трикстер его той же ночью покинул раз и навсегда. Но откуда этот кот взялся в Ситке, где все коты наперечет?

Рано утром на следующий день мы сели на паром с золотым колокольчиком на носу и отправились по внутреннему пассажу в Джуно, наблюдая на 10-часовом пути дикую природу. Мы вклинивались внутрь ландшафта, он расступался перед нами, как половинки театрального занавеса. Хвойные острова с медведями на песчанистом берегу, резвящиеся киты, трогательные выдры, лежащие в воде на спине сложив на груди лапки, плывущая лосиха с лосенком. Диковинный, ни на что не похожий мир, я воспринимал его глазом, ухом, носом, но в моем мозгу не оказалось для него соответствующей полочки. Я мучился, не зная, к чему его отнести и с чем сопоставить. В конце концов притомился от наплыва новых впечатлений и — последняя попытка, до Джуно осталось часа три — предложил Хелен спуститься вниз в каюту. Хелен ничего не ответила и осталась на палубе.

Послеполуденный отдых — вовсе не возрастное, а вечное мое свойство: натуральный позыв организма с юных лет. Как себя помню: есть возможность, сосну часок днем. Вместо одного два дня получается. А тем более здесь, на Аляске, где я умаялся физически и душевно. И вот, стоило только голове коснуться подушки, я как провалился, и те диковины, которые видел и слышал наяву, явились теперь во сне. Мне снилась реальность, невозможная, как сон. Виденное проносилось в спящем мозгу как причудливые, фантастические, небывалые видения. Вот многотонная туша кита повисла в воздухе, как Магометов гроб, между небом и землей, точнее — между небом и водой. Метрах в двухстах от нас стоял на песчаном берегу на задних лапах гризли и, задрав голову и широко раскрыв пасть, беседовал со своим медвежьим богом, но потом оказалось, что это никакой не медведь, а голый викинг с торчащей пипкой. Скривив морду от боли, морж вырезал из собственного члена oosik. Из воды высовывались х*еподобные тотемы, на каждом сидел ворон-трикстер и, широко расставив крылья, сушил их. Вдали плыла к берегу лосиха с лосенком, а позади качался на волне труп забитой ее копытами девушки-индианки. Совсем рядом с пароходом лежала на спине, трогательно сложив на груди лапки, выдра, но я вгляделся и узнал в ней Хелен, которая прижимала к груди беби с бутылочкой, а в ней вместо молока было красное вино, беби был кошачий, и над ним делал хищные круги орел. Присмотрелся внимательней — в кошачьей морде стали проступать человечьи черты, и я опознал ангеличного Лео, повидать которого приехал в Ситку.

Появились первые айсберги как предвестники того ледяного массива, от которого они откололись, а потом словно персонаж из алеутского мифа — голубой глетчер по имени Менденхолл, природный бульдозер. И тут к моей реальности примешалась чужая: прямо на меня плыл «Титаник», я был среди его пассажиров и с верхней палубы наблюдал все то, что видел с парома.

Мы проплывали покрытые мощным слоем льда гористые острова, самоубийцами стремглав летели вниз водопады, над нами кружили лысые орлы, закормленные природой чайки выклевывали из живой семги самое лакомое — глаза. Мир был как в первый день творения. Весь этот сюр отражал как-то реальность. Преображенная, она проносилась повторно на задней стенке глазной сетчатки, и я бы так и не понял, во сне или наяву, если бы вместо парома по имени «Титаник» не оказался вдруг в своей древней «Тойоте Камри», которая мчала меня в Россию через Берингов пролив по подземному туннелю, сработанному-таки стараниями аляскинских прожектеров и сибирских умельцев.

Тут вдруг раздался грохот раскалываемого глетчера, хотя это был, как я догадался, всего лишь стук в дверь, каюта осветилась синим пламенем, и в мой дикий сон плавно, как лебедь, вплыла Хелен.

Через два часа мы стояли с рюкзаками на верхней палубе и глядели вниз на приближающийся берег. Я первым обнаружил на пристани, к которой пришвартовывался наш многоэтажный паром, фигуру викинга, узнал его по фотографии и глазам не поверил:

— Вон смотри! — схватил я Хелен за руку.— Твой жених. Голый!

Хелен глянула вниз, а потом обернулась ко мне.

— С чего ты взял? Это такой юмор?

— Разве это не твой жених?

— Да, это Брайен. Но только он не голый.

Аберрация зрения? Мозговое смещение? Так странно было видеть его одетым, а бежевый цвет куртки я сослепу или со сна принял за цвет его тела.

Неожиданно для себя принял решение не сходить на берег, а двинуться по водному хайвею дальше на север. Что мне Джуно? Торопливое прощание, неловкий поцелуй — Хелен как-то неудачно повернула голову, вот я и чмокнул воздух. Через пару минут я увидел, как она встретилась с женихом. Их объятие не показалось мне таким уж страстным, и, стыдно сказать, меня это обрадовало. Они направились к стоянке, Хелен обернулась, ища меня глазами, но рукой на прощание так и не махнула. Скорей всего не отыскала меня среди других пассажиров, которые стояли на палубе. Забыл сказать: ростом я невелик.

Я отправился в бар и в полном одиночестве отменно надрался. Сидя за стойкой, водил пьяным пальцем по карте. Что там впереди? Хунах? Густавус? Скагвей? Где бросить якорь? В отличие от гераклитовой, душа у меня влажная, слезоточивая, а теперь еще пьяная, и ведет меня по жизни ребенок, каким был я сам, передвигая фишки. Как дикарь, не отличаю сон от яви, витаю в эмпиреях, грежу наяву. Что у нас с ней произошло во сне и что — наяву? Родство душ, сплетение тел, одиночество вдвоем. И как отучить моего великовозрастного сына от этой опасной привычки — совать в рот милому, смышленому Лео обмакнутый в вино палец? Что ни говори, а в родовой амальгаме моего внука две крепко пьющие нации — русские и ирландцы.

Дурная наследственность.

# ARIZONA — NEVADA — UTAH — COLORADO — NEW MEXICO — TEXAS: ОКАРИНА

*Потускнел на небе синий лак,*
*И слышнее песня окарины.*
*Это только дудочка из глины,*
*Не на что ей жаловаться так.*

Анна Ахматова

*Flying buttresses, pinnacles, chimneys rise and fall,*
*playful, orange-reddish shapes whitewashed by snow.*
*A simple note from an Anasazi flute echoes across*
*the canyon walls. Cold, pure January light, my ears frozen.*
*Sunset: my shadow lengthens, begs to stay.*
*I'd never guess, we could be so moved by rocks alone.*
*A coyote, amused, laughs, howls at us both.*

Eugene Solovyov. Antelope Canyon

— Кот Вова, у тебя есть пенис? — спрашивает меня двухлетний сын моей невестки, как я предпочитаю конспиративно называть Лео, а еще чаще — «сыном моего сына». Соответственно, и он меня зовет не дедом, а «котом Вовой».

— Что он сказал? — переспрашиваю я невестку, делая вид, что не понял детский воляпюк, да и в самом деле не очень веря в то, что услышал. Хотя в нашем совместном путешествии по юго-западу Америки я уже попривык к выходкам этого продвинутого беби, с которого, как загар, сошел прошлогодний, когда я его увидел впервые в Ситке, Аляска, ангельский шарм и наступил самый трудный период — от двух до трех, когда от мамки рвутся в тьму мелодий и не признают ничьих авторитетов. Плюс, конечно, ирландский гонор, хотя в его кровяной амальгаме ирландских пара капель всего, а вот дают о себе знать. «Leo is bigger», — показывает он на пацана вдвое его выше и толще. Когда чем-то недоволен, пускает в ход кулаки либо кричит своим попутчикам «Go away», включая того, кто за рулем. «Ты — плохой шофер», — добавляет он лично для него. То есть для меня. А потом как ни в чем не бывало расплывается в райской улыбке.

Кабы только с людьми! Вот дневное светило слепит ему глаза, и рассерженный Лео орет: «Sun, go away!» Тоже мне Иисус Навин, хотя тот вроде бы, наоборот, заставил солнце светить ночью. Зато обожает луну и всегда первым проницает ее на еще дневной тверди. Когда солнце заходит, а луна прячется в тучи, может и зареветь. Среди русских слов, которые я вбиваю ему в голову, — луна. Он объединяет луну с moon и нежно шепчет, едва завидев ее бледный серп:

— Муна...

Все же «пенис» мне, видно, послышался.

— Он спросил, есть ли у тебя пенис, — подтверждает невестка, чей восьмимесячный живот с не известно какого пола начинкой держит меня в постоянном напряге: как бы не разродилась по пути. На всякий случай высматриваю дорожные знаки с буквой «Н», но мы мчим часами по безлюдной местности, пока не попадается забытая богом индейская резервация. Как-то не рассчитали, кончился бензин — с час ждали другую машину, чтобы отсосать.

Живот ей здорово мешает, не знает, куда деть. Не вмещается в спальник, и она использует тот как одеяло, а спит на самонадувном матрасе, который я подарил ей пару дней назад на годовщину свадьбы с моим сыном — празднуем без него. Попеременно садимся за руль, то и дело меняем положение водительского сиденья — я придвигаюсь вплотную к рулю, она отодвигается чуть ли не за пределы машины, и все равно руль впивается в моего следующего внука (-чку). Лично я бы не выдержал и узнал, но они ждут сюрприза. Как и в первый раз. Как и в первый раз, они хотят дочку: «Если мальчик, отошлем в Китай». Даже Лео орет: «Нет — брату!»

С присущим мне гендерным шовинизмом я надеюсь на очередного мальца. Кстати, предсказать со стопроцентной уверенностью можно только мальчика. В девочке врачи иногда ошибаются — пенис, который занимает воображение сына моего сына, так мал у эмбриона, что ультразвуковой луч не всегда нащупает.

— Так есть у тебя пенис или нет? — хихикает невестка.

Моя невестка для меня загадка. Поначалу думал, что дело в разноязычии: мой английский мертв, как латынь, ее английский — калифорнийского разлива, тогда как я привык к нью-йоркскому. По-русски она ни гу-гу. По-английски — тоже не могу сказать, что очень уж артикуляционна. Или это мой сын такой говорун, что забивает ее? Застенчива? А может, и вовсе телка? Красивая телка. С хорошим бытовым вкусом и несильной тягой к декоративному искусству — любит Матисса, увлекается индейскими петроглифами, не пропускаем ни одного по пути. Оставаться с ней наедине боюсь, и когда моя жена в последний момент отказывается лететь в Феникс, штат Аризона, откуда начинается наш маршрут, а мой сын сбегает от нас через неделю из Большого Каньона, сославшись на срочный вызов с работы (кто знает, может, и так, и у меня просто разгулялось воображение), начинается мука этого путешествия, уравновешенная, правда, природными феноменами с индейскими вкраплениями. О тех и других знаю понаслышке. Был уверен, что ничто на этом свете меня уже не удивит, отпутешествовал, отудивлялся, nil admirari. И вот надо же — дивлюсь на все эти каньоны, пустыни и пещеры с их обитателями: летучими мышами, гремучими змеями, скорпионами, тарантулами и индейцами навахо, хопи, пуэбло и прочих колен индейских. С одним из этих обитателей мне случилось столкнуться нос к носу — встреча не из приятных.

В Коралловых песках, что на юге Юты, в моей палатке сломалась молния — боялся, что заползут лютые здешние термиты или налетят свирепые москиты и искусают меня всласть. Если бы! Проснулся глубокой ночью и никак не мог вспомнить, где я — дома? в палатке? в мотеле? в могиле? Что меня разбудило? И вдруг почувствовал, что не один. Высунул голову из спальника — ночи здесь стоят холоднющие при девяностоградусной, по Фаренгейту, жаре днем, когда некуда деться от палящего солнца, пальцы в цыпках, губы в кровавых трещинах,— и учуял легкий шорох слева от головы. Змея!

О них здесь предупреждают надписи на каждом шагу. С тропы не сворачивать, по тропе ходить, громко хлопая в ладоши. Змеи тоже предупреждают о себе — погремушкой на хвосте: потому, собственно, и гремучие. Все — опасны, а опаснее всех, смертельно опасен — коралловый аспид, которому сам Бог велел водиться в этой коралловой пустыне, названной по окраске песков и по их генезису: когда-то здесь было дно моря.

От страха залез с головой обратно в спальник. Любопытство взяло верх: нащупал фонариком угол палатки, откуда доносился слабый шелест. То, что увидел, привело меня в еще больший ужас, чем змея. Передернуло от страха и отвращения. Огромный мохнатый мясистый коричневый паук. Тарантул! Паук-волк. Вспомнил его поэтическое прозвище — мизгирь (фонетически нечто среднее между снегирем и миннезингером) и эпиграф к «Золотому жуку»:

Глядите! Хо! Он пляшет, как безумный.

Тарантул укусил его...

Сам не помню, как оказался вдруг снаружи, наедине со студеным, в крупных ярких звездах небом.

Невестка говорила, чтобы не оставлял на ночь обувь вне палатки — туда залазят скорпионы: сунешь ногу, а он тебя — цап. Живьем скорпиона не видел, а только его бегущий след в других песках, на юге Аризоны, где растут 10-метровые кактусы saguaro, птицы вьют в них гнезда, как в деревьях, да они и есть деревья. В качестве сувенира купил засушенного скорпиона под стеклянным колпаком, бегло сочувствуя несчастным, пусть и смертельно ядовитым насекомым: гибнут на потеху туристам. Если не знать о его смертельной славе, выглядит безобидно.

Тарантул страховидней.

Спросонок — плюс Эдгар По — увидел в нем смертельного врага и не сразу вспомнил, что хоть укус ядовит и болезнен, человеку не опасен. А застенчив тарантул, как девушка. В чем лично убедился, когда полез обратно в палатку прогнать и никак не мог найти. Обнаружил в рюкзаке, забился в самый угол. Что, если он меня боялся больше, чем я его? Выгнал непрошеного татарина и забаррикадировал дыру тряпками.

— Знаешь, с кем я спал эту ночь? — говорю наутро невестке.

— Я — не твоя жена. Меня не колышет.

— Мою жену тоже вряд ли бы всколыхнуло. Я спал с тарантулом.

— Хорошее название для рассказа.

— По-английски, где tarantula как бы женского рода. А не по-русски, где наоборот.

— Странный этот твой русский — тарантулу превращает в тарантула. Не говоря уж об алфавите. У всех буквы как буквы, у вас — черт ногу сломит.

— Это надо спросить с Кирилла и Мефодия,— устало говорю я, заранее догадываясь, что моей невестке понадобится подробная сноска. В самом деле, почему в святых у нас ходят эти братишки, зашифровавшие славянские языки от других народов? Алфавитный раскол полагаю более серьезным, чем церковная схизма.

Привет Чаадаеву и Пушкину.

Взамен тарантула меня в тот день ужалила оса. И где! В картинной галерее. Устроилась на медной ручке, приняв за цветок. Как античные воробьи, слетевшиеся на картину иллюзиониста Зевксиса склевывать изображенный на ней виноград.

В чем дополнительная сложность моего общения с невесткой — разность ассоциативных рядов, в которых мы существуем. Мой, понятно, богаче, ибо принадлежу к книжному племени, которое постепенно вымирает. Как и мое поколение. Увы, обречен жить — точнее доживать — вместе с этим исчезающим кланом. К ее образным координатам — с калифорнийского детства, со школы и колледжа, из голливудских и телевизионных клипов — абсолютно глух, они мне невнятны. Вдобавок возраст — мы росли, теряли девство, прощались с детством, взрослели, набирались знаний и опыта в несходные эпохи. Вот и живем теперь в разных временах, мнимые современники.

Эмигрировав, я утратил — почти утратил — мир ассоциаций и аналогий, а что не сравнивается — не существует. Из мира, где мне было тесно, попал в мир, где меня нет. Выпал из родного гнезда. Падение довольно болезненное, чтобы не сказать роковое, учитывая мою старомодную профессию. Знал бы наперед, соломки подложил.

Или, случись моя англо-ирландско-уэльская невестка более, что ли, литературной, удар был бы самортизирован? С ее матерью легче найти общий язык, чем с нею. Познакомились в Большом Каньоне (она путешествует с мужем и великовозрастным сыном в трейлере) — большая любительница американской классики, начиная с Хоторна, Ирвинга, Мелвилла и По. Привить моей невестке любовь к слову, судя по всему, не удалось. Одна надежда на Лео, который уже сейчас знает весь алфавит и чутко внимает, заглядывая тебе в глаза, когда читаешь ему. Еще больше любит, когда ему поют, но мне медведь на ухо наступил, не могу запомнить ни одной мелодии. Что не мешает мне страстно любить музыку. Жена завидует: даже «Волшебную флейту» я слушаю, как в первый раз. А я мечтал бы таким вот образом забыть любимые книги и прочесть их наново.

Честно говоря, я бы вообще предпочел другую невестку. О которой мечтал, пока мой сын не женился. Не только более внятную, но и более сексапильную. А то мой эрос никак почему-то не реагирует на ее красоту. Когда она не беременна — то же самое. Беременна — тем более. Табу здесь ни при чем — его можно наложить на действие, но не на хотение, а запрет, наоборот, возбуждает. Желание есть самая адекватная форма связи с женщиной, пусть даже обречено остаться желанием навсегда. Не секс в прямом смысле, а попытка вступить с женщиной в более тесный контакт. Что может быть теснее? Новая связь — это память о всех прежних, не обязательно твоих. Начиная с первородного греха.

А в чем, собственно, грех?

Совесть моя чиста поневоле: мое либидо дремлет в присутствии моей невестки.

Воспринимаю ее не самолично, а как жену моего сына и мать моих внуков. Но и на внука смотрю отчужденно, со стороны — год назад на Аляске я подпал под его ангельские чары, а теперь с любопытством и опаской гляжу на эту вполне цельную личность с нелегким характером и поражаюсь, что он все еще ходит под себя и сосет соску. Но это вина его родителей — им все некогда приучить его к горшку: летом у них по горло работы в Ситке, зимой они путешествуют с Лео в рюкзаке за спиной. Наша нынешняя поездка — пустяк по сравнению с их прошлогодней в Австралию и Новую Зеландию, от которой всячески их отговаривал.

А соску, без которой и пяти минут не может прожить, он сам швырнул, когда мы со скалы глядели в проем природной арки. Слов нет, зрелище захватывающее. И Лео, единственный, нашел соответствующий жест и слова: «Бай-бай, соска!» — выкрикнул он и метнул ее в пропасть. А потом канючил новую, выводя нас из себя.

Самое трудное — удержаться на высоте собственного поступка. Знаю по себе.

Все родственные функции по отношению к невестке и внуку я выполняю отменно, учитывая расстояние между Аляской и Нью-Йорком: от регулярных писем-звонков и слишком, может быть, страстных поцелуев при встрече до объемных посылок дважды в год, что избавляет семью моего сына от затрат на детские шмотки, да и им с невесткой тоже перепадает. В Нью-Йорке на распродажах можно купить все вдвое-втрое дешевле, чем в Ситке, где на весь город один светофор и ни одного универмага. Вот почему моя невестка делает стойку у каждого торгового молла, а я терпеть их не могу: безликая американа, задержка на час-два. Пока она рыщет по магазинам, я наедине с умным, трудным, невозможным Лео.

— Каждый из вас несет по человечку, — шутит встречный парень, имея в виду Лео у меня в рюкзаке за спиной и неизвестно кого в животе моей невестки.

— Что делать, когда он проснется? — кричу ей вдогонку.

— Дай ему грудь.

Едва продрав глаза, Лео начинает качать права, чувствуя мою слабину. Формально я восполняю отсутствие горячей родственной любви к невестке и даже внуку. А если я вообще безлюбый?

Когда-то, в начале жизни, я обвально влюбился, и хоть были, понятно, у меня потом увлечения, но все какие-то однобокие, без особых волнений. Именно поэтому, наверное, жена ни к кому из моих пассий, зная об их существовании (с моих же слов), не ревнует. Впрочем, им самим нужно от меня только то, что мне нужно от них, ни о какой любви и речи нет. «Какая там любовь, когда есть секс!» — циничная, но точная формула. Было, правда, одно исключение — переживаю до сих пор. Так мне тогда и сказала: «Ты — урод. Твоя любовь к жене выела все чувства, оставив остальным одно только любопытство. И даже твоя похоть на самом деле — любопытство».

Мой сын, перед тем как смотался от нас обратно в Ситку, успел поведать, что у индейцев уж не помню какого племени есть понятие vagina dentata, зубастой вагины: секс как истощение мужской силы. В моем случае верно вдвойне. На единственную любовь я истощил весь мой эмоциональный потенциал. Каждому человеку положена квота любви, свою я истратил до конца, а писательство и есть любопытство.

Куда меня занесло!

Легче было бы путешествовать, доверь мне невестка руль на всю поездку, но после аварии в Квебеке, о которой я имел глупость рассказать сыну, а он — ей, она допускает меня до руля, только когда мы едем по пустыне и столкнуться можно разве что с кактусом saguaro, если бы тому вздумалось выбежать на дорогу. Не говоря уже о городках типа Таоса или Санта-Фе в Нью-Мехико, куда она въезжает сама. Мои ссылки на Нью-Йорк, который не чета Санта-Фе и где я гоняю по всем пяти боро, на нее не действуют. Вот почему она так устает. К тому же беременность дает какие-то перебои в организме, о чем узнаю впервые. Так, скажем, каждые два-три часа нам требуется остановка с комфортным сортиром.

— Твоя будущая внучка давит на мочевой пузырь,— объясняет моя застенчивая невестка.

Решаю не вступать в спор по поводу пола моего желательно внука и, подстраиваясь под нее и выравнивая наше положение, наговариваю на себя:

— То же самое делает моя возрастная простата.

— Я бы не сравнивала внучку с простатой, — отвергает невестка мою галантную ложь.

С сыном было бы проще. Взял да и соснул бы спокойненько полчаса, когда тянет в сон. Как себя помню, всегда устраивал себе послеполуденный отдых Фавна.

— Пожалуй, я ненадолго закрою глаза, — говорю я невестке, когда она за рулем, а Лео дрыхнет сзади.

— О чем речь! — кивает она и добавляет: — И я последую твоему примеру.

Сна как не бывало.

— Что же ты не спишь? — удивляется невестка.

Всерьез или шутя — черт знает.

Юмор у нее еще тот — не знаю, смеяться или обижаться. С детства самым лакомым в курице считаю попку, а моя жена уверена, что та несъедобна. Понятно, на эту тему у нас в семье шутки-прибаутки, к которым мой сын подключает свою жену.

— Ты любишь куриный зад? — дивится она.— А ты знаешь, что человек есть то, что он ест.

Уж коли мотануло в гастрономию, то едовые вкусы у нас с ней тоже разные. Она любит стейки, бургеры, сэндвичи, пепси и прочую американу плюс обжигающе острые мексиканские блюда. Я же, за неимением в этой пустыне европейской кухни, выискиваю китайские рестораны. Да и с курицей разнобой: она, конечно, предпочитает сухое белое мясо сочной ножке и нежному крылышку. Не говоря уже про упомянутую попку. А Лео тот и вовсе признает курицу только в виде «наггет», как в придорожных забегаловках типа «Макдоналдс» или «Бургер Кинг». Правда, пришлись по душе два шедевра русского кондитерского искусства: ему — польская «коровка», ей — «птичье молоко» с Брайтона. И на том спасибо.

Мы ночуем в кемпграундах, но в Санта-Фе, где моя невестка родилась двадцать семь лет назад и где теперь настоящий художественный ренессанс, галерей и художников больше и разновидней, чем у нас в Сохо, гостим у ее детсадовской подружки, а та как раз справляет день рождения. Приятно удивлен: компания состоит из двух дюжин девиц той возрастной категории, которая мне подходит — от двадцати до бесконечности. Конкурентов — один Лео. Других мужчин на парти нет. Происходит это через пару дней после дикого разговора о пенисе. Вот теперь я и смогу ответить — скорее моей въедливой невестке, чем внуку.

Произвожу строгий отбор и задерживаюсь на вдумчивой такой девушке возраста моей невестки, но иного, похоже, душевного замеса. Да и внешность не взрослой женщины, а нечто девичье, такое ломко подростковое. Вот бы такую невестку вместо моей!

Фамилия, правда, странная — Вайагра. Уже одно это должно было насторожить, но я как-то расслабился, выпив пару рюмок и усыпив инстинкт. Называю свое имя и, дабы облегчить усвоение, упоминаю знаменитых тезок: Ленин, Набоков. Не внемлет, зато выдает мне еще одного соименника: Владимир Горовиц.

Работает в галерее и сама что-то лепит из глины. Сюда перебралась из Бостона: почти соседи. Я рассказываю о впечатлениях от здешних музеев, где Лео, едва завидев рождественское креше или Nuestra Señora, нежно шепчет: «Baby Jesus», а я побалдел от индейско-испанской картины, где Христос говорит Смерти:

— Смерть, я твоя смерть.

Болтаем, будто век знакомы, есть шанс на успех, хоть меня и смущают насмешливые взгляды невестки. Клею незнакомку ей назло. Если бы сказала заранее!

К нам подваливает мужеподобная девица, которой я по плечо, и вклинивается в разговор, прерывая его сексуальный подтекст. Я пытаюсь избавиться от третьего лишнего, пока до меня не доходит, что третий лишний здесь я и обоеполая гигантша — трахаль приглянувшейся мне красотки. Разом протрезвев, оглядываюсь: вечеринка лесбочек. Хоть бы одну универсалочку! Злюсь на невестку, что не предупредила, а она дивится, как же я сам не разобрался в гей-компании.

Очередной, полагаю, розыгрыш.

— Ты так и не ответил Лео, есть ли у тебя пенис, — ехидно напоминает она, когда я уже успел позабыть про его вопрос.

— У него нездоровый интерес к этой теме.

— Наоборот, здоровый. Он знает названия всех частей тела, включая гениталии.

— Но спрашивает про пенис, а не про живот.

— А что про живот спрашивать — он и так у тебя торчит.

— Но не так, как у тебя! — помалкиваю я.

Живот у нее растет не по дням, а по часам. Ничего не могу с собой поделать: будучи женолюбом, беременность считаю неэстетичной, живот — уродством. Она и так не мелкой породы — высокая, широкостная, но с животом производит впечатление колоссальное, будто не человек, а инопланетянин неизвестно какого роду-племени. Особенно в Белой пустыне — огромная женщина, устрашающе выпятив восьмимесячное пузо, уходит в слепящие, как снег на солнце, пески и вот исчезает за холмом. Поругалась с Лео, а заодно со мной — что взял его сторону в их разборке. Точнее — драке: он пихнул ее ногой в живот, она ему сдачи и требует, чтобы просил прощения. «Maybe not», — выдает Лео свою вежливую формулу отказа наотрез. То есть ни в какую. Рев уж не знаю чей. Обоюдный. «Мама осталась в Ситке», — выпаливает Лео самое для нее обидное. Я — ей: в принципе ты права, но ребенок устал в дороге, ему всего два с небольшим. Она — мне: не суйся, а сколько ему, помню и без тебя. И канула в этих проклятых белых песках с натуральной примесью гипса, оставив нас в рамаде — крыша на четырех столбах, единственное здесь укрытие от невыносимого солнца. «Ты любишь быть один, я — тоже», — ее последняя фраза. Извелся в волнениях, учитывая, что потеряться здесь, в сплошной слепящей белизне холмов, запросто и небеременной твари. Возвращаясь из снежного пекла, приметили в окружении копов сидящего на корточках щуплого мексиканца в наручниках — их вылавливают в песках, где они прячутся, перейдя нелегально границу.

Еще одно приключение на искусственном озере Пауэлл, дикая краса которого — синий металл воды на фоне краснофигурного Каньона Антилопы — соблазнила нас пересечь его на пароходе в непогоду.

— Туда — не обещаю, обратно — постараюсь,— пошутил капитан, а оказалось не шутка.

Пристать к открытой пристани на том берегу так и не смогли. На обратном пути ветер окреп, волны дыбились, нас мотало из стороны в сторону. Туда мы плыли, так и не доплыв, часа полтора, обратно — конца путешествию не видно. Как и уютной бухточки на нашем берегу. Палуба в воде по колено, пассажиры забрались на боковые скамейки, а кто и повыше — на выступы в стенках. Когда нам выдали спасательные жилеты — оранжевая униформа сквозь серую сетку дождя — понял: дело серьезно. Глянул на мою спутницу — на ней лица нет. От качки? От страха? Началось, охнул я про себя и помчался по уходящей из-под ног палубе к капитану «Летучего голландца». Мою громадную невестку уложили на крошечный диванчик у него в каюте. Когда часа через четыре мы наконец пришвартовались, капитан отдал помощнику двадцатник. У них был спор — доберемся или нет.

Скорей бы уж посадить ее на самолет аляскинской авиалинии, а самому — на нью-йоркский рейс!

Мой страх, что родит в пути — в том числе страх остаться наедине с этим неукротимым, каверзным, трудным ребенком ирландского норова, который даже из угла, куда был поставлен в яслях за очередную шутовскую проделку, гордо заявил: «Я просто так стою, мне здесь нравится». Моя невестка, однако, считает, что он пошел в нашу породу, и ссылается на ямочку на подбородке и фиглярство.

— В Ситке его зовут трикстером, — говорит она, когда мы мчимся из Большого Каньона в Аризоне в каньон по имени Сион в Юте (так прозвал его мормон, побывавший здесь первым из белых). — Ты хоть знаешь, кто такой трикстер?

— Некто из индейского фольклора.

— Не фольклора, а мифологии, — уточняет невестка.

Лично я бы остерегся приравнивать клановые байки и анекдоты к египетским, греческим или иудейским мифам. Записаны они на исходе первобытной жизни, когда доисторизм здешних племен состыкнулся с американской модерностью. Не говоря уже о христианизации. Пусть архаика, но сильно подпорченная. Не мифология, а копрология, то есть фольклор ниже пояса, с сильным уклоном в скатологию и секс. Чего стоят проказы ворона, главного героя их побасенок, с фекалиями и гениталиями! Или тотем с медвежьей вульвой — только чрезмерно упростив, его можно свести к символу плодородия. Стараюсь, однако, избегать острых углов и в теоретический спор не вступаю, зная, что мой сын и невестка увлекаются всем индейским.

У них в Ситке — гетто тлинкитов, сейчас мы разъезжаем среди пуэбло, команчей, навахо, апачей, хопи и юте. По пути заглядываем в глинобитные (или саманные? — по-здешнему adobe) деревушки, где индейцы до сих пор живут как и тысячу лет назад, чему свидетельством открытые археологами в скальных расколах и выемках поселения канувших неизвестно куда и с чего бы это вдруг трибов. Побывал в двух, Монтезуме и Меса Верде. Тут же вспомнил древний Акротири на вулканическом острове Тира (Сантони), где буквально валишься в дыру времени, бродя по улочкам, огибая углы и заглядывая в дома-мертвецы с 4500-летним стажем. Обморочное погружение, без никакой надежды вынырнуть на поверхность современности.

Второй раз за этот вояж вспоминаю эгейский остров. Со всей остротой и силой первого переживания. Может быть, еще сильнее. По-прустовски.

Первый раз — в Большом Каньоне, когда шел вниз по тропе и, по навозным катышам, перенесся на Тиру, где ослиным серпантином спускался когда-то к морю. Пусть здесь не ослы, а мулы, и каждый вынослив как (сообща) осел плюс кобыла. Но катыши-то те же самые!

Может быть, нет в этой моей поездке иной цели и смысла, кроме как воскресить и пережить заново предыдущие?

Тем временем я уже достаточно поднаторел и стилистически различаю артефакты аляскинских тлинкитов и здешних навахо, пришедших на землю со дна Большого Каньона, а теперь туда спускаются духи их мертвецов. Само слово «индейцы» теряет для меня всякую живую конкретность — как этимологически возникшее из-за колумбовой ошибки и как слишком общее, нейтрализующее различия между трибами. Как и слово «евреи» — что у меня общего с эфиопским, йеменским или бухарским евреем?

После Долины монументов — она напоминает мне голливудский макет, так часто я видел ее в вестернах — невестка ведет нас с Лео на концерт под названием «Spirit», где покупает кассеты с туземной музыкой. И вот мы катим среди всех этих природных диковин под жалостную мелодию, в которую вмешивается вдруг барабан — колыбельная для Лео: мгновенно отключается и засыпает. Меня тоже клонит ко сну, но я держусь, помня ее угрозу последовать моему примеру.

У меня тоже есть индейское приобретение: терракотовая черепашка из Перу с геометрическим узором и дырочками на спине. Давным-давно узнал о ней из Ахматовой, и вот, оказывается, окарина — также национальный инструмент индейцев. Как, впрочем, и других доисторических народов: окарина, гусенок, итальянская флейта, а здесь Anasazi flute. Что еврейская скрипка, окарина, которую я теперь различаю в индейском ансамбле, цепляет своим кручинным голоском, достает меня своей тоскливой мелодией. Я и думать не мог, покупая инструмент-игрушку, что через пару дней услышу эту жалостную дудочку при исполнении прямых, то есть ритуальных обязанностей. А музыка индейцев насквозь функциональна, шаманская, обрядовая, магическая, вызывает ли она гром, интерпретирует сны или имитирует танец богов. Музыка как священнодействие.

Чтобы были понятны дальнейшие виражи моего виртуального сюжета, уточню, что сын и невестка фанаты не только туземной мифологии, философии, музыки и петроглифов, но и медицины, а та все болезни объясняет едино: побег души из тела. Вылечить больного можно только возвратив беглянку с помощью магической музыки, ритуальных танцев и шаманских заклинаний.

Не под влиянием ли аборигенов решено было на этот раз рожать дома? Или в результате отрицательного предыдущего опыта, когда мою невестку в больнице накачали обезболивающими средствами, заглушили схватки, а спустя три дня сделали кесарево сечение?

Мысленно слышу возражение моего сына: слово «абориген» применимо только к индейцам Австралии, и мысленно же ссылаюсь на словари, которые толкуют его расширительно.

И еще, по мнению моего сына, — а он паломник по всем культурам, прошлым и нынешним — язык аризонских индейцев хопи содержит все понятия современной физики, квантовой механики и теории относительности. Например, они даже не сочли нужным придумывать слово для обозначения времени. Любое действие для них зыбко, неопределенно, неоднозначно, и смысл его меняется в зависимости от того, кто смотрит на происходящее.

Сын спорит со мной так же горячо, как и моя жена, — по любому поводу и без. Из чего я делаю вывод, что пусть мой еврейский ген в нем чисто внешне и перетянул ее славянский, но внутренне он, то есть ген, а значит и я — в нокауте. Скажем, моя жена, остро реагируя на любые лакуны в моей эрудиции, на месте невестки непременно бы переспросила: «Ты не знаешь, кто такой трикстер?» На что я бы непременно ответил: «Это что, преступление — не знать, кто такой трикстер?» И пошло-поехало. Что, если норов Лео вовсе не ирландский, а русский?

Среди прочего, мой сын пытается доказать мне, что философия индейцев близка индийской, то есть буддизму, особенно в отношении природы. Я говорю, что он совершает ту же ошибку, что Колумб, но отец моего внука (тьфу!) на юмор не реагирует.

Это еще до того, как сын отвалил, — мы катим по пустыням Юты, он за рулем.

— Как насчет космологии племени pawnee, которое обитает где-то поблизости?

— Ты о триумфе Утренней Звезды над Вечерней?

— Вот именно.

— Когда это было!

— Последней девушке, одетой Вечерней Звездой, прострелили из лука сердце в 1878 году. А тайные человеческие жертвоприношения в XX веке? До сих пор они свято хранят скальпы и используют как самый могучий талисман.

— Англичане, которые извели многие племена под корень, по-твоему, лучше?

— Евреи предпочитали краеобрезания, — отшучиваюсь я. — Это лучше, чем скальпы.

Сына, слава Богу, отзывают в Ситку, и я остаюсь, с одной стороны, наедине с сыном моего сына, а с другой — наедине с его женой. И видит Бог, не знаю, что легче.

— Чем же знаменит твой трикстер?

— Он такой же мой, как и твой, — спокойно парирует невестка. — Твой даже скорее, чем мой.

— Это еще почему? Об индейцах я знаю по вестернам да по Куперу с Майн Ридом и Лонгфелло. Последний из могикан — Оцеола, вождь семинолов. Он же Гайавата.

Так я ее поддразниваю. Еще недавно насчет индейцев у меня в голове была каша, но постепенно я набираюсь знаний. Про трикстера мне кое-что уже известно — нечто среднее между Ходжой Насреддином и Рейнеке-Лисом. Но я не прочь расширить и закрепить свое знание с помощью невестки. Тем более, так и не подыскав фрейдистскую подоплеку вопросу о пенисе, решаю, что скорее это под влиянием скабрезных индейских историй о трикстере и его пенисе, которыми увлекается мой сын и рассказывает Лео заместо детских сказок.

— Похож на Гермеса и Приапа, если поместить на шкалу греческой мифологии, — слушаю я невестку. — Существо неконченное, промежуточное — недочеловек-сверхчеловек, немного черт — немного бог, немного человек — немного зверь. Чаще всего ворон или койот — как связь между жизнью и смертью: оба питаются мертвечиной. Возмутитель спокойствия, нарушитель табу, надругатель святынь, кощунник, естество, восставшее против установленного миропорядка.

— Причина?

— Голод и похоть. В том и в другом — ненасытен. Гиперсексуален. Совокупляется с людьми независимо от пола, а также с животными и растениями. Кого на Олимпе звали «бог с торчащим членом»? У индейцев это трикстер. Они идут еще дальше греков. Фалл у трикстера на посылках, он носит его в коробе за спиной и зовет «младшим братишкой». Что не может или на что не решается он сам, исполняет его пенис, а тот и вовсе без тормозов.

Я вступаюсь за греков и напоминаю, как Зевс превращался в быка, в лебедя, в золотой дождь или даже в мужа возжеланной им женщины ради земного соития. Отсюда: что можно Зевсу, нельзя быку и остальным его воплощениям.

— У индейцев наоборот: пенису трикстера можно больше, чем его хозяину.

— Неизвестно еще, кто чей хозяин, — говорю я, вспоминая скандальный роман Альберто Моравиа «Я и он», а по памяти цитирую Платона:

— Природа срамных частей мужа строптива и своевольна — словно зверь, неподвластный рассудку; под стрекалом непереносимого вожделения человек способен на все.

— Не то! Трикстер и его пенис взаимосвязаны и взаимозаменяемы. Есть деревянные персоны, где на месте гениталий у него человеческое лицо. Игра эквивалентами. Пенис — его двойник и альтер эго.

— Трикстеру нравится девушка, и он посылает к ней вместо себя свой пенис, — раздается сзади сонный голос сына моего сына. Или это мне показалось? — А сам подсматривает, что между ними происходит.

— Это в мифе у виннебаго, — поясняет невестка.

— Как нос коллежского асессора Ковалева! — радуюсь я и рассказываю невестке и внуку про Гоголя, про Ковалева и про Нос, что гуляет сам по себе, собственной персоной.

С обидой за нашего классика думаю, что индейское племя виннебаго решилось на то, на что не хватило писательской смелости у Николая Васильевича.

— Хитрый, но перехитряет самого себя, попадает в собственные ловушки, — продолжает невестка, переходя от любовных штук трикстера к общей его характеристике. Лео позади то ли спит, то ли подслушивает. — Правая рука у него дерется с левой, а он следит со стороны как зритель. Шут гороховый. Озорник. Надоеда. Трюкач. Плут, но божественный. Божество, но с чертинкой. Пародия бога на самого себя. Simia dei.

— Чего, чего?

— Обезьяна Бога. Так средневековые схоласты называли дьявола. Созидатель и разрушитель, бог и черт в одном лице. Бог-игрок, бог-весельчак, бог-затейник. Бог, преодолевающий самого себя. Бог-экспериментатор, бог-разрушитель, бог-убийца. Как у индусов Шива. Каким в архаические времена был твой бог.

— Мой бог?

— Ну да. Гневливый, вспыльчивый еврейский бог, уничтожающий собственное творение, сочтя его несовершенным: потоп, Содом и Гоморра, постоянные угрозы им же избранному народу. Бог-самоубийца. А динозавры, его фавориты, так долго жившие на земле, — и тех стер с ее лица. А ведь это было детище еще молодого бога. Нынешняя флора-фауна, включая человека, — создание бога ветхого, больного и уставшего от собственных опытов.

— Последний день творения — человека сотворил утомленный бог. Рильке бы сказал, изношенный бог.

— Кто такой Рильке?

Мы квиты. Я шапочно знаком с трикстером, она слыхом не слыхала про Рильке. Мы с ней живем в разных мирах, но общий язык с грехом пополам все-таки находим. Может, этот общий язык и есть форма любви к ней безлюбого человека?

Дав справку о Рильке, спрашиваю:

— Так почему Лео зовут трикстером?

— Я — трикстер! Я — трикстер! — орет с заднего сиденья окончательно проснувшийся Лео.

До меня наконец доходит, о чем мне долбит невестка. Лео — это я. Это я — трикстер: шут, паяц, буффон, ерник, возмутитель спокойствия, получеловек-полузверь. Двойник самого себя. Левая рука не ведает, что творит правая. Отличаясь от меня внешне, Лео схож со мной в сути. Вглядываюсь в него и узнаю себя, каким себя, естественно, не помню, как не запомнит себя Лео в этом возрасте. Узнавание на подсознательном уровне, но я выманиваю его из своих глубин наружу. Вот почему я побаиваюсь этого продвинутого и невыносимого ребенка — он и в самом деле похож на меня. Себя же я боюсь больше всего на свете.

Есть чего бояться.

— До тебя дошло, почему я хочу девочку? — говорит мне невестка. — С меня довольно двух трикстеров.

— Двух?

— Не считая тебя. Твой сын и твой внук.

— Они тебе не нравятся?

— Обожаю обоих, но хочу девочку.

— А девочка не может быть трикстером?

— Трикстер без своего дружка? Это уже не трикстер. Нонсенс!

Рано, конечно, судить, пусть сначала наше с невесткой и Лео путешествие закончится, с неделю буду ходить оглушенный и оглашенный, пока не приду в себя, все путевые эффекты, очистившись от физических тягот, выпадут в осадок памяти, откуда будут всплывать, если возникнут аналогии. Но уже сейчас мне как-то странно, что эту поездку, для меня самую изнурительную — и одновременно восхитительную, Лео, скорее всего, никогда не вспомнит. Не вспомнит и кота Вову, если больше меня не увидит. Или где-нибудь в подвале, либо, наоборот, на чердаке подсознанки, не доходя до его английской речи, сохранится образ отца его отца? Известно: память, не контролируемая сознанием, куда сильней осознанной.

А, собственно, зачем мне это? Зачем мне остаться в его памяти, осознанной или бессознательной? Генетическое бессмертие, благодаря Лео и его брату (пусть даже, с оговорками, сестре), мне, надеюсь, обеспечено, а фамильным тщеславием, слава Богу, не страдаю.

— Учти, это последний. Отдам долг природе — и баста, — говорит невестка, догадываясь, похоже, что для меня она только гарант вечной жизни в беспамятных генах.

— Испугала! — держу, как всегда, язык за зубами.

Само понятие «природа» теряет здесь прежнее значение. Под этим словом я разумел Подмосковье и Карельский перешеек, Тоскану и Умбрию, Новую Англию и Квебек, изъездив их вдоль и поперек. Пусть даже Кавказ, Сицилию, Крит, Турцию — южнее пока что не забирался. Там природа соразмерна человеку, здесь постоянно чувствуешь равнодушие Бога к тем, кого Он сам же создал в Свой последний рабочий день, мелкоту человеческого времени — перед грандиозностью времени геологического, главного архитектора природных чудес света. А солнце, вода, ветер, коррозия — Его подмастерья, прорабы вечности. In aeternis temporalia, как выразился средневековый богослов Ириней Лионский, — вот я и говорю, что путешествую во времени вечности при полном отпаде от цивилизации.

Одни каньоны чего стоят — провал в земной коре глубиной в километр-полтора. При виде любого каньона — а здесь их больше, чем фьордов в Норвегии, — Лео кричит: «Grand Canyon!» Для него это одно слово, по сути он прав: каждый каньон — великий.

Ястребы, вороны и орлы подчеркивают глубину: они кружат на огромной высоте, а ты глядишь на них сверху. В Большом Каньоне река провалилась, по собственной инициативе, почти на два километра. Глаз устает, пока с края каньона схватит где-то у самого центра земли дымно-зеленую полоску реки Колорадо. Я так и не дошел до нее, узнав, что подъем займет в три раза больше времени, чем спуск, а сил понадобится, сколько у меня уже, боюсь, нет. Даже если есть, приберегу для иных свершений. В отличие от Тиры, здесь нет фуникулера. Нашелся и внешний повод для моего возврата с полпути. Шедший передо мной парень поскользнулся, ища ракурс для фотоснимка, и я тут же вспомнил, как сто лет назад на моих глазах сорвался с километровой Ай-Петри в Крыму такой же вот незадачливый фотограф — я до сих пор отсчитываю мгновения, пока он летит вниз, а восход солнца, ради которого мы забрались туда в такую рань, выпал из моей памяти начисто. Навидался я этих восходов-заходов до и после! А прыжок в собственную смерть — еще только раз: на крышке саркофага в Пестуме. Там голый человек, вытянув руку, ныряет вниз головой в пустоту — более сильного образа смерти в искусстве не знаю. Так и называется: «Саркофаг ныряльщика», 480 г. до нашей эры.

Не с тех ли самых крымских пор моя фотофобия? Тем более в эпоху цветных фотографий, окрас на которых лет через двадцать потускнеет, сойдет на нет. Предпочитаю сетчатку глаза. Точность гарантирована, никакой ретуши. А каньоны, те вообще не фотогеничны. Особенно мой любимый — Сион. С час я карабкаюсь там на скалу по имени Вершина для приземления ангелов, но вместо обещанных ангелов застаю группу дымящих туристов:

— Единственное место в Америке, где не запрещено курить,— говорит один, затягиваясь.

Как оказалось, австриец.

— Только не спрашивайте про кенгуру, — смеется он.— Стоит сказать, что из Австрии, американы обязательно спрашивают про кенгуру.

— Здесь меня хвалят за неплохой английский, — говорит парень, действительно, из Австралии. — Однажды попросили сказать несколько фраз на родном языке, чтобы узнать, как звучит.

— А меня, когда сказала, что из Рима, спросили, какой это штат.

Парню в Большом Каньоне еще повезло. В отличие от айпетринского, который все еще летит в свою смерть, — жив остался. Только ногу сломал. Вот я и тащусь назад — за подмогой. По пути читаю наскальное объявление: вызов вертолета в случае несчастного случая обойдется пострадавшему в $2000.

Природа здесь — мир без параллелей и аналогий. Разве что молоко слегка горчит от той же полыни, которая кругом, напоминая коктебельское. А так — будто в ботаническом саду или зоопарке. Слово beautiful я бы выбросил из лексикона природных эпитетов — ничего не выражает, не отражает, не обнажает. Ширма перед живым природным чудом.

Вот они — коралловые и снежно-белые пески с гремучими змеями, скорпионами и кактусами, ростом в шестиэтажный дом, в котором живу в Нью-Йорке. Кактус для меня — в глиняном горшке на подоконнике, а тут он — высоченное дерево, совы вьют в нем гнезда.

Или мачтовая сосна пондероза с темно-зелеными иглами длиной в полметра!

Под теми же именами фигурируют иные существа. Рябая, как форель, белка так и скачет голодной среди туристов из-за грозной надписи: штраф $5000 за кормежку. Черный заяц по имени Джек. И еще один заяц, точнее, кролик — джекалоп. Тот и вовсе невидаль, игра природы: кролик с оленьими рожками. Помесь дикого кролика и вымершей карликовой антилопы. Место ему в «Бестиарии» Борхеса — среди гарпий, химер, сфинксов, кентавров, драконов, единорогов, минотавров, валькирий и прочих вымышленных существ. А он живьем таится в здешних пустынях, умудряясь почти не попадаться на глаза человеку.

Даже road-kill, убитое зверье на дорогах, здесь иных пород — не скунсы и еноты, как у нас в Новой Англии, и не дикобразы, как в Квебеке и Новой Шотландии, а рыже-грязные собаки, как я подумал, увидев первый труп. Оказалось — койот, луговой волк.

И наконец, часть здешней природы, плоть от плоти — индейцы, с их дикарскими песнями и плясками, которые достают тебя, как и их хохмы-мифы. Земля для них живое существо: праженщина. Небо — прамужчина. От их соития — все остальное. Горы — средоточие духовной мощи. Индейцы забираются в горы общаться с духами, коснуться Универсума. Как Моисей на Синай на свидание с Богом. «Земля не принадлежит нам, мы принадлежим земле», — цитирует мой сын здешнего вождя, доказывая сходство индейской философии с буддистской.

Самые свои дивы дивные природа хранит глубоко под землей и приберегает под конец пути. Переваливаем через горный массив. В индейской деревушке пьем сидр с примесью меда и удивляемся снегу на моховых кочках и еловых ветках. Считай задаром приобретаю в лавке, обвешанной по стенам коровьими черепами, деревянного Кокопелли — вертлявый горбун с дудочкой, индейский Казанова, один из вариантов трикстера. Вот, наконец, и каньон Гремучей Змеи на границе Нью-Мехико и Техаса. Невестка с внуком остаются на земной поверхности, хоть он и обожает туннели, зато у нее, слава богу, клаустрофобия.

Увы, не мастак живописать декорации, тем более подземные, будучи адептом лысой прозы и предпочитая прилагательному глагол, но пару-другую описательных фраз все-таки выдам.

Спускаюсь в преисподнюю, но мой вожатый — не Вергилий, а профессионал-спелеолог. Головою вниз свисают с пещерных сводов самые оклеветанные человеком животные — летучие мыши. Но вот и они исчезают по мере нашего спуска в глубь земли. Перевожу футы в метры — все равно как если пирамиду Хеопса опрокинуть на острую вершину и проткнуть ею землю. Тьму прорезывают лучи шахтерских фонарей у нас на лбу — мы в царстве Аида, владыки подземного мира и царства мертвых. А вот и подземная река — Стикс? Лета? Ахеронт? — имена остальных не помню, всего, кажется, девять. Зато вспоминаю тех немногих смертных, кому боги дозволили спуститься в преисподнюю: Орфею — увести любимую Эвридику, Гераклу — вынести связанного Цербера, Одиссею и Энею — повидаться с близкими. По пещерным стенам мечутся тени умерших, я узнаю их. А как бы поступил я на месте античных героев? Вывести отсюда не хотел бы никого — какой смысл? Продлить их земную жизнь? Чтобы умерли дважды? Их жизненный цикл завершен — даже у тех, кто ушел из жизни преждевременно, как Эфрос, Бродский или моя сестра: ей было 15, мне 5, когда она умерла. Тем более мои родители — что беспокоить их вечный сон. Вглядываюсь в громадные тени и не нахожу одной, хвостатой, — вот кому, будь моя воля, единственному подарил бы вторую жизнь: коту Вилли. Пусть кой для кого прозвучит кощунственно.

Наваждение проходит — не тени близких, а наши собственные.

Тысячи лет проходят, пока (и если) сталактиты встретятся со сталагмитами. Кратковременный человек именует их по наземным аналогиям: крест, тотем, айсберг. Туннели, гротто, подземные дворцы, пагоды и храмы. У одного имя-парадокс: храм солнца. Вспоминаю черное солнце подземного царства в русском фольклоре.

Провал времени, но не исторического, как на Тире-Санторини или на Крите, а геологического, то есть настоящего. Весьма некстати вспоминаю теорию Юза Алешковского: тысячи лет солнце е\*ет камень — вот и получается куриный бог. Десятки миль глубоко под землей — репетиция смерти. Разделяю клаустрофобию невестки. Страх глубины то же, что страх высоты. Чувствую себя заживо погребенным.

Какое все-таки облегчение на скоростном лифте вынырнуть на поверхность земли. На невестку и внука впервые гляжу как на родных. Оба, вижу, удивлены моей радостью, а моего английского не хватает объяснить им. Да я бы и по-русски не смог.

Над каньоном Гремучей Змеи, прямо в пески, садится раскаленный шар, вылазят из нор змеи, скорпионы и монструозная ящерица Гила, готовятся к ночным полетам летучие мыши. Невестка меня торопит, обратно в кемпграунд ехать три часа. Врубаем окарину, флейту и барабан. Лео мгновенно затихает. Я, наоборот, возбужден.

Фары то и дело высвечивают зверя на ночной гулянке. По узкому серпантину забираемся все выше в гору. Вместо песчаных пустынь — хвойные леса: в другое время остановился бы поискать белые. В машине тишина, Лео спит, невестка помалкивает — тоже, наверное, дремлет. Ловлю себя на симпатии и жалости к ней — ей предстоит то, что ни один мужик не испытал на своей шкуре. А если я несправедлив не только к ней, но и к себе, и вовсе не безлюб? Или нас поездка сблизила? Или окарина травит душу?

Торможу в самый последний момент, непрерывно гудя и резко руля в сторону. Чудом удается избежать столкновения и при этом не рухнуть с горы. Слава богу, и мы живы, и лань с ланенком спасены, а шли прямиком под колеса, в свою смерть.

Лео спит как ни в чем не бывало.

— Зверь тебе дороже человека, — говорит невестка с укором и вдруг негромко охает.

— С тобой все о'кей?

— Все о'кей. Но, кажется, началось. Да ты не беспокойся. Я знаю как. Не первый раз. В любом случае, в больницу не пойду. Буду руководить, и ты примешь внучку.

— Внука, — застревает у меня горле.

Ночь, тьма, горы, зверье, ни души. Я в панике.

— Помнишь по пути резервацию, где ты Кокопелли купил?

— Кокопелли?

— Да не волнуйся так. Звери, те без никакой помощи рожают. Ой...

Я торможу.

— Не на ту педаль нажал. Жми на газ. Надеюсь, успеем.

— Но там ни врача, ни акушерки.

— А рожают как ни в чем не бывало.

— И вырождаются, — молчу я.

— Ой...

Жму на газ, плюнув на здешнее зверье и давлю какую-то мелюзгу. Чертов серпантин! Особенно не разгонишься.

— Да выключи ты эту проклятую музыку! — не выдерживаю я жалоб окарины и барабанных призывов к духам, чтобы те явились к нам незнамо зачем.

— С музыкой легче, — защищает невестка окарину с барабаном. — Ой...

Приехали. Как ни странно, деревушка не спит. С дюжину адобных домов, которые расступаются, образуя нечто вроде площади. Посередке — шатрового типа сооружение, которое охраняет медведь. Не медведь, а огромная медведица изображена на фасаде, а входом служит медвежья вульва, скрытая двухстворчатой дверью.

Самое удивительное: нас ждут. Бьют барабаны, попискивает окарина. Вокруг нашей машины, высоко вскидывая ноги, пляшут дикари. Такие пляски, вспоминаю, могут длиться неделями. Вглядываюсь — не дикари, а дикарки. По пояс обнаженные, с татуировкой, в масках и с кукурузными початками в руках. Протираю глаза — не снится ли? Успеваю отметить девичьи груди. Меня с Лео уводят в сторону — по туземным обычаям, мужам присутствовать не полагается. Последнее, что вижу — моя невестка исчезает в медвежьем влагалище. Окарина изнывает от тоски, барабаны бьют все громче. И вдруг музыка разом обрывается.

Тишина.

Пробуждаюсь, как от гипноза. Машина стоит на месте. Невестка сидит за рулем и вздыхает.

— Что случилось? — спрашиваю я.

— Переехала кого-то, — плаксиво говорит невестка.

Извлекает из-под руля свой громадный живот, которому расти больше некуда, и вылазит из машины.

На обочине лежит, распластав лапки, мой любимец — полосатый бурундучок. Целый и невредимый. Не переехала, а сбила, откинув в сторону. Достаточно, чтобы душа рассталась с телом. Бурундучок мертв.

У страхов есть одно ужасное свойство — они сбываются.

— Вроде бы началось, — спокойно говорит невестка и слабо охает.

Уже не во сне, а наяву.

# Evgene Solovyov__THE SOUTHWEST

The Southwest: red fairy tale castles dot the landscape here.
Grand Canyon's glorious size, the play of light and shadows
through the day, the Colorado River, the relentless knife,
still cutting up the mountains, like tissue paper, into new
exotic shapes. Zion is all grandeur, the sheer, polished
shock of the immortal cliffs. Bryce is a trickster, with its
playful maze of ancient avenues, mansions and cathedrals,
an ancient civilization reduced to ruins and to dust.
In Canyon de Chelly, mists and spirits hang in the heavy air,
sweet flute melodies and coyotes' laughter break the silence.
In Antelope Canyon, I walk into the Venus Flytrap, willingly
relinquishing my freedom to this beautiful seductress,
who smothers me, her victim, entranced, immediately in love,
between her lovely thighs, squeezes me dry, and spits me back,
mesmerized, heartbroken, into the endless Arizona sunshine,
already awaiting her fresh lover, new sacrificial lamb to be
admitted to her secret chamber, enslaved into the service of
the goddess, the beating, cruel heart of all these eternal rocks.

# Аноним Пилигримов NEW HAMPSHIRE —
# MAINE: ЛАБИРИНТ МОЕЙ ЖИЗНИ

*Елене КЛЕПИКОВОЙ*

## Поцелуй черепахи

За свою жизнь, толкая перед собой бочку памяти и воображения, я объездил, облетал и обходил полсвета в поисках красот и чудес как рукодельных, так и нерукотворных, будучи скорее пилигрим, паломник, путник, калика перехожий, очарованный странник, но никак не турист! Очарованный странник в зачарованной, заповедной, заветной, святой, обетованной земле.

Очарованная душа.

Летучий голландец.

Вечный жид.

*Аноним Пилигримов.*

Мой псевдоним в «Королевском журнале», было такое шикарное издание в Нью-Йорке на исходе прошлого века, для путево́й моей прозы, а спустя издали ее в Москве под моим настоящим именем в форме субъективного травелога-дорожника под загадочным названием «Как я умер», преждевременный некролог себе заживо, хотя все еще отсвечиваю на белом свете, что странно самому себе: так не бывает — я ли это? К этому сюжетному драйву — собственной смерти, которую то ли я не заметил, то ли она меня, то ли мы попросту разминулись в пути — я возвращаюсь в каждой книге, а следующей, будущей, подумываю дать имя «Автопортрет в траурной рамке». Если успею, конечно, потому как название это звучит и значит, покуда жив, а не посмертно, когда

# ТРАМП-ЛЭНД: ИСКУШЕНИЕ АМЕРИКАНСКОЙ ДЕМОКРАТИИ

Коллаж: Аркадий Богатырев

Демократия – как живое существо: далека от совершенства, испытывает риски, вызовы, угрозы и искушения. Пока что она последнее испытание выдержала: президентские выборы. Мы проснулись в незнакомой стране: Трамп-лэнд. Пусть первые месяцы президентства Трампа сопровождают скандал за скандалом. Пусть даже встает вопрос: не станет ли триумф Трампа его пирровой победой? Судить – рядить преждевременно.

Как говорил Алексис де Токвиль: «Кто ищет в свободе что-либо, кроме самой свободы, создан для рабства».

# NEW YORK

Photo: Alex AG

Photo: Alex AG

Photo: Alex AG

Владимир Соловьев
Фото: Елена Клепикова

# С ДОВЛАТОВЫМ — ПРИ ЖИЗНИ И ПОСЛЕ СМЕРТИ

Сергей Довлатов
и Владимир Соловьев
Фото: Архив В. Соловьева

Владимир Соловьев показывает
свой фильм «Мой сосед Сережа Довлатов»
Фото: Изя Шапиро

Обложки книг и фильма Владимира Соловьева
и Елены Клепиковой о Довлатове на фоне дома, где он жил.
Коллаж: Сергей Винник

# РУССКИЕ В НЬЮ-ЙОРКЕ

Сергей Довлатов на 108-ой стрит
Фото: Изя Шапиро

Евгений Евтушенко с женой Машей
Фото: Архив Владимира Соловьева

Михаил Шемякин с Еленой Клепиковой и Владимиром Соловьевым
Фото: Аркадий Львов

Михаил Барышников на дне рождения Иосифа Бродского
Фото: Наташа Шарымова

Владимир Соловьев на берегу Гудзона, куда его впервые привел Иосиф Бродский. Мортон-стрит, где он жил, упирается в набережную

Владимир Соловьев среди своих публикаций о Бродском
Коллаж: Аркадий Богатырев

Владимир Соловьев и Елена Клепикова на праздновании Дня благодарения в редакции газеты «Русский базар»
Фото: Архив Владимира Соловьева и Елены Клепиковой

Творческие вечера Владимира Соловьева и Елены Клепиковой в Силиконовой долине
Коллаж: Сергей Винник

Saguaro Cactus Joshua Tree, Arizona
10-метровые кактусы saguaro, птицы
вьют в них гнезда, как в деревьях
Photo: Eugene Solovyov

Тотем тлинкитов в Ситке, б. Ново-
Архангельске, столице б. Русской
Аляски, где встречаются потомки
русских поселенцев, но единственный
новый русский - наш сын Юджин
Соловьев, поэт и галерист
Photo: Eugene Solovyov

Владимир Соловьев, Атлантический океан
Фото: Елена Клепикова

# АВТОРЫ: ЕЛЕНА КЛЕПИКОВА & ВЛАДИМИР СОЛОВЬЕВ

ЕЛЕНА КЛЕПИКОВА

ВЛАДИМИР СОЛОВЬЕВ

становится тавтологией в театре абсурда. А пока что отрекаюсь от своего авторства этой сомнамбулической прозы и возвращаюсь к тому моему псевдониму: Аноним Пилигримов с его игровыми, с безуминкой, эссе «На голубом глазу». Все на него и спишем путем остранения. К примеру, мой Аноним дико ревнуч, а я принципиально не ревнив. См., скажем, мой рассказ «Сон бабочки», герой которого удивляет даже свою жену, спокойно восприняв ее рассказ об измене. Что бы там Аноним ни сочинил, я всегда могу сдать назад, сославшись на его болезные фантазии. С него и спрос. А с меня взятки гладки.

Другое предупреждение о лже- все-таки, увы, сомнамбулизме предлагаемых текстов. То есть когда как. Это мне так изначально хотелось-мечталось расслабиться, дать себе волю, пуститься в отрыв по полной, сломать стереотип и предпочесть сумбур (привет, Юнна!), но как удержаться в сомнамбулическом коде и не скатиться в профессионализм, будучи писателем профи до мозга костей? Не то чтобы кокетство, но игра, типа той, которую вел мой рыжий кот Вилли, когда мы с Фазилем спорили о моральной сверхфункции литературы. Было это у нас дома в Розовом гетто у «Аэропорта», где я жил с ним окно в окно: писательский кооператив на Красноармейской улице располагался буквой П — наша квартира в одной ее «ножке» на седьмом этаже (д. 27, кв. 63), Фазилева — в противоположной на шестом (д. 23, кв. 104). Вуайор поневоле, я наблюдал, как он мечется по своей трехкомнатке, что лев в клетке, а тому природой положено пройти энное число километров, и он их, несомненно, проходил: говорю про обоих. Об этой истории я уже писал в словесном портрете моего друга-соседа в своих аналитических мемуарах, ну и что? Здесь ставлю ту давнюю историю в иной контекст.

Помимо стилевых уроков, Искандер брал у графа Толстого, своего несомненного литературного гуру, еще и уроки морали, что приводило его иногда к ригоризму, и его поздние сочинения были похожи на средневековые моралите. Понятно, я пенял ему за это, ссылался на два авторитета: на Пушкина и на Вилли. «Господи Суси! какое дело поэту до добродетели и порока? разве их одна поэтическая сторона, — писал Пушкин на полях статьи Вяземского. — Поэзия выше нравственности — или по крайней мере совсем иное дело». Что касается Вилли, то он, пока мы с Фазилем спорили, гонялся, за неимением ничего более достойного, за собственным хвостом — занятие, которому мог предаваться бесконечно. Устав от Фазилевой риторики о нравственной сверхзадаче литературы, я привел моего кота в качестве адепта чистого искусства: творчество — игра, цель — поймать себя за хвост. К тому времени мы были уже слегка поддатые, Фазиль был шокирован моим сравнением, но потом рассмеялся и стал сочувственно следить за тщетными попытками Вилли цапнуть себя за хвост.

Это к тому, что сюжет у меня мнимо бессюжетен, пусть моя цель и удаляется по мере моего к ней приближения. У меня так сплошь и рядом. Моя проза есть треп, но треп с самим собой, а с кем еще? Больше не с кем.

Как-то, плывя в Длинном понде, в мейнском заповеднике Акадия, я поставил себе пределом полосатый буек, но тот вдруг стал стремительно от меня удаляться, пока до меня дошло, что это женщина в полосатом купальнике уходит от погони, уж незнамо за кого меня приняв. То есть знамо — за сексуального маньяка. В другой раз, парой миль восточнее, на Эко Лейк я разделся догола, а вещи сложил на видном валуне, но когда приплыл обратно, моей одёжи на камне не обнаружил — это меня отнесло течением, и я вышел совсем к другому камню. По пути к моему валуну встретил на лесной тропе половозрелую и собой вполне девицу, которая деликатно отвернулась, пока я закрывал руками восставший на нее срам.

Кто это со мной такие шутки шуткует — моя близорукость или мое, без тормозов, ложное воображение, когда в Медвежьем понде в Нью-Гэмпшире, в тысяче миль от Акадии, где у нас транзитная остановка на пути обратно в Нью-Йорк, в страхе плыву к берегу, а за мной гонится, покачиваясь на волне, то ли мина, заброшенная сюда немцем, который никогда не бывал в Америке, а тем более в этом штате, чей девиз «Live free or die», либо змея — ее головка то исчезает под водой, то всплывает на поверхности все ближе, ближе. Этого еще не хватало! Именно в этом озере три года тому меня цапнула под водой змея-невидимка, поначалу решил, что судорога, но когда вылез на берег, сыпь уже ползла по всему телу, подскочила температура, а ногу с укусом свело. «Еще хорошо, что яд не пошел внутрь, ты и так ядовитый дальше некуда», — успокаивала меня моя спутница.

Ну не уникум ли? Ядовитых змей в Новой Англии отродясь и в помине не было, хотя некоторые в самое последнее время перерождаются в ядовитые, спасибо еще, что не в смертельно ядовитые, вот мне и попалась такая превращенка. Надо, оказывается, срочно сообщать о подобных встречах в специальные центры по контролю над змеями — не ради ужаленных (я единственный!), но ради изучения этих перерожденок и перерожденцев. Вот я и говорю, что любовь к природе иногда за счет любви к человеку, который тоже является частью ее фауны, а женщины — флоры, такие иногда попадаются среди них цветочки. Пусть мы здесь гости, а хозяева — звери.

Короче, я из последних сил плыву к берегу от догоняющего меня того самого змея, который ужалил меня тогда, а он то исчезает надолго под водой, то выныривает совсем рядом, желая, видимо, свести со мной более близкое знакомство. И кто знает, вдруг за три эти года произошло его дальнейшее эволюционное перерождение: коли он ухитрился превратиться из неядовитого в ядовитого, почему ему теперь не стать смертельно ядовитым? Как у Грибоеда: «Есть на земле такие превращенья. Правлений, климатов, и нравов, и умов». Почему не змей? До берега оставалось всего ничего, но этот змей горыныч перерезал мне путь и вынырнул прямо передо мной, лицом к лицу. Оказался мой старый приятель loon. Как я мог о нем позабыть? А познакомились мы с ним две недели назад, когда стояли на этом Медвежьем понде по пути из Нью-Йорка в Акадию. Как его кличут по-русски, где я никогда его не встречал, а потому не знаю или не помню имени? Хотя что-то проклевывается в моей буйной черепушке, но скорее по литературной аналогии, коими у меня напрочь забита память по самое больше некуда. Нет, в жизнь не вспомнить.

Ископаемая такая водоплавающая птица, типа утки, но размером с гуся, с щегольскими шашечными клетками на оперении —

его отличительный, но и товарный знак. Чудо, как хорош! Даром что ли его теперь помещают взамен вареного лобстера на номерных знаках Мейна, а не Мэна, как ошибочно транскрибируют русские, будто он мачо какой, а не штат! Да и не одного только Мейна — лун официальный символ в Миннесоте.

За ним охотятся туристы — чтобы его увидеть и умереть. В смысле — сфоткать на телефон. Ну, почти как за китами, такая он редкость и диковина. Дикарь, нелюдим и анахорет, в местах обитания его наблюдают издали в бинокль, как китов, да и то, кому повезет, потому как лун отменный ныряльщик, уходит враз метров на двадцать в глубину, и большой любитель подводного плавания, исчезает минуты на полторы и появляется далеко от места, где исчез, а кажется, что утонул, так надолго. Я бы мог пропеть ему песню, как Горький буревестнику.

Эврика! Даром что ли я вспомнил буревестника: где буревестник, там и мой лун. «И гагары тоже стонут, — им, гагарам, недоступно наслажденье битвой жизни: гром ударов их пугает. Глупый пингвин робко прячет тело жирное в утесах...» Гагара и есть! Неуправляемая, подсознательная моя память, у которой я на поводке, всегда выведет меня туда, где мое рацио пасует. С пингвинами тоже верный подсказ: гагары с ними в каком-то дальнем родстве. Но при чем здесь утесы, когда наш Медвежий понд расположен вдали от океана среди сосновых холмов? Зато насчет стонов — верно. И громкие стоны, и неистовые вопли, и даже воронье карканье, вплоть до визгов и смеха — очень разнообразная вокальня амплитуда. Не отсюда ли поговорка «Полоумный, как гагара»? Понятно, у меня, как у Рабиновича из того анекдота, о чем он думает, глядя на кирпич, даром что я тоже «Рабинович» по маме, а «Соловьев» — фамилия моих отцовских предков, тоже сексуальные аналогии сплошь и рядом, вот и стоны моих лунов я зачислил по е*альному ведомству, причем стонут, вопят и визжат у этой крикливой породы как самцы, так и самки. Само собой, все эти пикантные приколы сообщаю не я, а мой соавтор то ли герой Аноним Пилигримов. Его спутница, которая видала лунов только издали, зато слышит их еженочно:

— Опять твой приятель разбудил меня ночью и целый час, наверное, не давал заснуть. Тебе хорошо с твоим слабеющим слухом, весь кемпинг проснулся. Хулиган! И голос не скажу, что приятный.

— Разбудил или возбудил? Могла бы ко мне в спальник нырнуть.

— Дурак!

Хоть она и редко отказывается от такого рода предложений Анонима. А как с другими? Вот что сверлит голову моего героя, мешая его мысли и чувства, бедняжка!

Делаю поправку на ее хроническую бессонницу, но, может, моим лунам тоже не спится? Зато днем я слышу их отлично, включив слуховой аппарат.

Лун это или Луна — не знаю: самцы и самки не отличаются ни размером, ни оперением. Я видел всех троих, потому что, когда мой лун/луна, представившись, нырнул в свое подводное царство, через пару минут метрах в двухстах показалась царственная пара, а промеж них сновал луненок подросткового возраста, крупный, почти с них размером, но без их характерного оперения с шашечными клетками, типа гусенка, то ли лебеденка, я знаю? Не орнитолог, скорее энтомолог, да и то поневоле, с тех пор как мы с Жекой истребляли (эвфемизм «ловили») дневных и ночных бабочек на обоих континентах и коллекционные их трупики поглядывают на нас с укором из кляссеров со стен нашего дома. Впрочем, великий истребитель бабочек Набоков тоже не испытывал никаких уколов совести за устроенный им холокост чешуекрылых.

*Воткну́та в бабочку игла,*
*Висок почти приставлен к дулу —*
*Сверхгениальная игра*
*В бессмертную литературу.*

Потом, нырнув, исчезли все трое и появлялись по поверхности вод в разных концах нашего Медвежьего понда. И луненок стремглав, с крейсерской скоростью, устремлялся к одному из родаков, и при встрече они обменивались поцелуями. Ну чем не святое семейство лунатиков, а луны моногамны и семейственны! И эта любовная процедура повторялась несколько раз передо мной, как на театре, пока, присмотревшись, я не увидел, что лун/

луна передает своему луненку пойманную рыбешку. А еще производит очень сильное впечатление, когда встает во весь рост на поверхности вод и размахивает огромными крыльями, стряхивая воду.

Язык у меня не поворачивается назвать моих лунов гагарами, а особенно после приставшей к ним вышеупомянутой уничижительной характеристики. Не знаю, доступно или не доступно им наслажденье битвой жизни, но лично меня вполне устраивает их мещанский, семейный уклад жизни. Не говоря уж о том, что Бюффон безнадежно устарел со своим антропоморфизмом, прикладывая к изучаемым им животным человеческие характеристики и даже характеры. Тем более, как перерождаются змеи из неядовитых в ядовитые, так меняется характер лунов и, в частности, эта лунатическая троица превратилась из мизантропов в человеколюбов, одомашнившись на нашем домашнем Медвежьем понде.

И не только мои френды луны. Звери на этот раз проявляли ко мне редкостное дружелюбие, одним их попрошайничеством необъяснимое. Особенно в Акадии, где повсюду были развешаны грозные предупреждения, что накормленный ракун — это мертвый ракун с пояснением, что попрошайки опасны и их приходится истреблять. Относилось это, понятно, не к одним ракунам, хотя попробуй ему откажи, когда он трогает тебя лапой за руку. А как не подкормить худосочную здешнюю белку, которая забирается по твоим голым ногам, слегка их царапая, к тебе на стол во время утренней трапезы: «Чем богаты...» Даже пугливый бурундучок с радугой на спине (он же суслик, да?), преодолевая свой страх и трепет, терпеливо ждет подачки в полуметре от тебя. Хорошо хоть красный лис — редкий гость, да и то только по ночам.

Два раза живые звери врывались в мои сны. Один раз, когда, притомившись от многомильных походов, прикорнул на каменном мостике через ручей, и снилось мне что-то такое сладкое, возбуждающее, я проснулся скорее от эрекции, чем от странных, ласковых, скользких прикосновений к моим ногам, а когда открыл глаза, увидел, что на мои колени вползает легко узнаваемый красивый и безобидный уж. Уж он-то вряд ли переродится в ядовитую змею! Другой раз набрел в лесу на заброшенное старое семейное кладбище в несколько надтреснутых вросших в землю памятников и прилег рядышком, отключившись, а вскочил, когда почувствовал, как кто-то лижет длинным шершавым языком мне голову. Ужа не испугался, зато невинная лань нагнала на меня страх. «Это потому что ты был потный — вот лань и слизывала с тебя соль, которой ей не хватает в организме», — объяснила моя всезнайка спутница, когда я рассказывал ей об очередном своем любовном с природой приключении. Потом, в сумерках, я набрел на океанском берегу на стадо ланей: взрослые поднимались на задние лапы и ели листья с деревьев, а трое лапят носились окрест как угорелые — поначалу я их принял за резвящихся гончих.

У жены Анонима Пилигримова тем временем были приключения с мелочовкой, в которые он был вовлечен поневоле. Преисполненная любовью и жалостью ко всему живому, она имеет опасную привычку подкармливать диких ос, которые налетают во время наших трапез под открытым небом. Опасная — имею в виду для нас, людей, но оказалось не совсем безопасная и для наших непрошеных гостей. На этот раз мы пили чай с лакомым земляничным вареньем, и несколько нахалок приземлялись на розетки, на ножи и ложки, на хлеб, намазанный этим вареньем, рискуя угодить нам в рот, стоит только зазеваться. Вкусы у нас с этими осами-дикарками сошлись, и ужин из кайфа превратился в нервотрепку. Да еще Лена со своими замечаниями: «Перестань размахивать руками — это их раздражает!» Скорее всего ос ради, чем меня, выложила им этой вкуснятины поодаль на пенек. Я приходил постепенно в норму, упиваясь тишиной, вечерними думами, ночными запахами и чаем с вареньем, пока не раздался крик моей спутницы:

— Скорее! На помощь! Они умирают!

В самом деле, жадность сгубила фраеров: две осы утопли в варенье, и все их жалкие попытки выбраться были обречены.

— Спасение утопающих — дело рук самих утопающих, — выдал злоехидно муж моей жены, но что не сделаешь любимой женщины ради, очередной подвиг любви: мало того, что вытащил их из варенья, рискуя быть укушенным, так еще промыл водой и высушил, утопленницы взлетели без слов благодарности, чтобы завтра явиться снова. Или это были другие?

Хуже всего, однако, с черепахой. Еще хорошо, что эта история приключилась не со мной, а с соседом по кемпингу, который не учел, что черепахи в Акадии — пусть не ядовитые, но кусачие. Одна такая слегка меня цапнула за ногу — превентивно, из самозащиты, наверное, испугавшись, что я на нее наступлю, не заметив. С тех пор смотрю себе под ноги — не ради них, а ради себя: чтобы снова не быть укушенным. А мой неискушенный сосед, юноша из Квебека, на которого Лена заглядывалась: «Ну, чистый Аполлон!» Как будто она когда встречалась с Аполлонами! Разве что с бабочками, в его честь названными, нет, к Аполлонам у Анонима Пилигримова ни толики ревности! — влюбившись, что ли, решил поцеловать эту панцирную интровертку-анахоретку, и та ответствовала, кусив его за нижнюю губу: скорая помощь, шесть швов, все лицо в бинте, как у человека-невидимки. Хуже некуда, хорошо хоть не ядовитая — в отличие от ужалившей меня змеи. Хотя могло быть еще хуже, как с тем принцем, который целовал, целовал, целовал лягушку, пока сам не превратился в лягушку. А каково этому незадачливому квебекуа, если бы он превратился в черепаху? Боюсь, сопутствующая ему девица его бы бросила.

*А на х\*я мне без х\*я,*
*Если с х\*ем до х\*я!*

Уф, устал буквы заменять астерисками!

Если гоголевский нос или палец отца Сергия — пенис (оскопление), то что есть губа квебекуа? Или губы и есть губы, даже если они срамные? Фу, что за пошлая гендерная подмена у примазавшегося ко мне Анонима Пилигримова? Я о другом: трубка есть трубка есть трубка есть трубка?

*Пересменка.*

# Прижизненный рай. Déjà vu?

*...Вновь я посетил...*

Пушкин

*Все было встарь, все повторится снова,*
*И сладок нам лишь узнаванья миг.*

Мандельштам

*— Почему ты выбросил часы из окна?*
*— Хотел посмотреть, как летит время.*

Анекдот

*Еще вчера сегодня было завтра.*
Наталья Резник

Начать с того, что на этот раз я окончательно «обаркадился», с головы до ног, включая исподнее: бейсболки, тишотки, шорты, кофты, куртки, плащи, сумки, рюкзаки, брелки, рюмки, кружки, фляжки, даже носки, трусы и плавки — все с фирменными знаками и символами этого самого чудного места на земле, а мне есть, с чем сравнивать! Если есть на земле рай, то я знаю его имя, координаты, местонахождение. Даром что Акадия, то есть Аркадия — идиллическая страна безмятежного счастья, по представлениям древних греков. Французы потому так и назвали эту открытую великим мореходом Самюэлем де Шампленом территорию американского материка (среди многих других открытых им земель), потом ее отвоевали англичане, а теперь она — Acadia National Park в штате Мейн.

Сказать, что я одинок в своих пристрастиях к этому прижизненному раю на земле, ну никак не могу. Хоть и не люблю толпу — в том числе в самом себе, но я один из двух миллионов, кто наезжает в этот парадиз ежегодно и отовсюду: номера на машинах со всех американских штатов и канадских провинций. Да, туристский бум и китч, но потому и становятся китчем Ниагара, Большой Каньон, Парфенон, Анкгор-Ват, Джоконда, Шекспир, Эйнштейн, Пруст — да мало ли! — что изначально являются высшими проявлениями человечьего духа либо божьего замысла. Ставлю в этот почетный ряд мою возлюбленную Акадию. Пусть читатель сам решит, возлюбленная — прилагательное или существительное, а я отпираться не стану, что в моем чувстве к ней есть эротический оттенок. Если на Большом канале перед палаццо Пегги Гуггенхайм у эквестриана пенис задран на Венецию, то у меня член стоит на Акадию. Вот только дрочить — не дрочу. Потому как Владимир Соловьев, а не Аноним Пилигримов с его похабелью!

Отправляюсь сюда ежегодно, спасаясь от душной, липкой, невыносимой нью-йоркской жары (три «h» — hot, hazy, humid), либо заезжаю на обратном пути, откуда бы ни ехал — с Адирондакских гор или из Квебека. И ни разу Акадия меня не подвела! А я — ее? В отличие от других визитеров, которые проводят здесь несколько дней, кайфую недели две, а то и три — хоть зверски устаю от активного, энергичного, интенсивного и не по возрасту молодого отдыха и к вечеру рушусь на надувной матрац в палатке. Пусть физически напряг, но по той же причине — молодит: сбрасываю не только килограммы (точнее, фунты), но и годы и легко воспаляюсь и воспаряюсь при виде молодух и юниц, а их здесь — несметно, и все по-летнему полуголые, а то и вовсе без ничего, нудисточки мои прелестные, хоть и не мои. Только одна вечная юница принадлежит мне безраздельно, а скорее я — ей: *бет меня здесь безостановочно, и возвращаюсь в Нью-Йорк беременный замыслами и вымыслами, которые, увы, не все удается родить в чрево моего компа. Ну да, Муза, а кто еще!

Пока я читаю, пишу, странствую и возбуждаюсь, не все еще потеряно.

Это к слову, а езжу сюда не только ради вдохновения, да и не ради юных прелестниц, — увы, не про меня, разве что попадется какая геронтофилочка (случается), а из-за других соблазнов: многомильные походы по лесным, горным и прибрежным тропам, обалденные виды и волшебные ведуты, плавание в океане, озерах и пондах, прогулки по сказочным городкам-харборам, где, собственно, и обаркадился, или «прибархарбился» — по Бар-Харбору, столице Акадии: исходил вдоль и поперек, скупая в его шопах все вышеназванные вещи.

Короче, отоварился, прибарахлился, а будь моя воля, засувенирил бы все, на что положил свой алчущий глаз василиска. Женщин включая. Хотя один женский сувенир, самый любимый, всегда при мне, что никогда не мешало мне быть сексуально озабоченным и всеядным.

Ну и само собой ежедневные ресторанные вылазки — не только за лобстером, хотя омар по-американски, как назвал его помянутый Пруст, в здешних разблюдниках на первом месте, далеко обогнав любую другую вкуснятину: фирменное блюдо Акадии. Конечно, в самом Бар-Харборе цены кусаются, но вот уже несколько лет, как я пристрастился к ресторанчику на паромной пристани вблизи маяка, с чудным видом на океан и Лебединый остров — куда дешевле, плюс шикарно готовят, с морской водой, которую я высасываю из всех омаровых сочленений, а закусываю не только клешнями и хвостом, но и сладкими зелеными внутренностями, «tomalley» — печенка, почки, легкие, самый цимес, которым профаны брезгуют и выбрасывают вместе с панцирем. А в этом году открыл церковь в Сомсвилле, где по средам продают пироги, и нам с моей сувенирной любимой достался как-то обжигающе горячий лобстерный пирог, киш, quinche, блюдо французской кухни, лакомство и объедение, а по четвергам здесь — лобстерный обед с горячей кукурузой, кукурузным хлебом и черничными бисквитами на десерт. Ах, зачем я не пиит? Сочинил бы тогда гимн, оду, кудос, дифирамб во славу лобстера! Увы, увы мне, да и проза у меня лысая, остраненная и отнюдь не описательная, а потому пошлю читателя куда подальше, то есть в Интернет, хотя еще вопрос, кто эрудированнее — навикипеденный чтец или нагугленный-обугленный автор?

Лобстеры — это по вечерам: ужин, который по-американски обед, а по утрам, когда еще все в мире спит, мою спутницу включая, я запал на поповеры, благо рядом кафешка, где готовят эти похожие по форме скорее на ром-бабу, чем на эклер, горячие, сочащиеся, поджаристые пустышки из блинного теста (типа): отрываешь шляпку от ножки и заправляешь кленовым маслом с фисташками либо клубничным/черничным вареньем — пальчики оближешь в буквальном смысле, что я и делаю взамен салфетки. Это изящный выбор в кафешке в Саус-Уэст-Харбор, а в принципе депозит может быть любой — творог, крем, сливки, салат, да хоть красная икра, как в блины, оладьи, крепсы и круассаны. Пончики на Московском проспекте, пышки на Невском? Донаты в Нью-

Йорке и по всей Америке? Бенье в Новом Орлеане? Зепполе в Италии? Всё не то — сравнения ни к черту! Слишком вольные аналогии, Лена бы все повычеркивала — и правильно сделала. То, что ни с чем не сравнивается, не существует, да, Поль Валери? Но сравнение может уничтожить объект сравнения, уподобив его тому, с чем сравнивает. Эту мысль можно выразить афористичнее и короче, но мне сейчас недосуг. Даже гениальный Пруст попался на многостраничном описании боярышника — единственное место у него, которое я не в силах прочесть ввиду незнакомства с объектом описания. Потом Лена мне показала боярышник, но уже не помнил его описание у Пруста, которое так и не удосужился прочесть — мимо! Что, если читатель поступит так же с моим описанием поповера? Поповер есть поповер есть поповер есть поповер, а есть его — в кайф, запивая обжигающим колумбийским кофе. Зашибись!

Что я и делал, одновременно следя за столиком с подносом, куда вываливали только что испеченные поповеры, чтобы вовремя подскочить и выбрать не правильной, а наоборот замысловатой, вычурной формы — как поц-модерн-эстет я предпочитал уродцев красавцам. Ну да, я вкус в них нахожу: эстетический. Поэтому я не сразу врубился, когда надо мной склонился старенький — впрочем, моих, наверное, лет — и весь такой, в отличие от меня, сгорбленный, согбенный, артритно скрюченный, как мои поповеры-уродцы, но с аристократическими манерами энтузиаст Ларри Стетнер, зачинатель этого поповерного дела и здешнего общепита для бедных и неимущих, местная знаменитость — особенно после того, как неделю назад «Портленд пресс геральд», центральная мейнская газета, тиснула о нем огромную, с фотками, статью, начиная с Front Page.

Это он пару дней назад говорил мне, что хотя желательный взнос за поповерный завтрак — $5, но он рад любому приношению, да хоть даром, если какой бомж пожалует — что с него взять? В этом вся фишка. Таких поповерных ресторанов еще только два — на лужайке перед Jordan Pond и в Asticou Hotel, но там полакомиться этой диковинной вкуснятиной — цены чересчурные, да еще очередь отстоять, а здесь, как в Метроплитен-музее — плати, сколько хошь: вопрос совести и совестливости. В прозрачной копилке — от квотеров до долларовых банкнот с разными президентами, вплоть до чеков от доноров: кто во что горазд. Ну, не халявный ли рай! Я уж не говорю, что фирменные поповеры у Ларри Стетнера — самые вкусные, сочные, сочащиеся — лучшие. Рай и есть.

Когда до меня дошло наконец, что от меня хочет Ларри, я обалдел. Вот уж, воистину, вертиго от успехов, хотя успех его благородного дела — заслуженный, кто спорит. Бывало, сам тому свидетель, у Ларри просили автограф. Ну тут было нечто противоположное, небывалое, беспрецедентное: селебрити Ларри Стетнер обходил столики и сам предлагал посетителям свои автографы. Наоборотное какое-то действо. Во-первых, автограф просят, а не предлагают, во-вторых, я сам обычно — на пальцах мозоли, как в детстве при мастурбации — обалдевал от этих инскриптов на моих собственных книгах, которые я не дарю, а продаю на авторских вечерах — автограф бесплатно, в-третьих, у меня даже мелькнул замысел «Романа с автографами» взамен или в продолжение моего «Романа с эпиграфами», который и так предприимчивый издатель переименовал в «Трех евреев», а изначальное название пустил в подзаголовок.

Я взял у Ларри автограф и опустил в копилку купюру с Александром Гамильтоном. Потому и расщедрился так, что растрогался на этого изумительного старичка с поехавшей крышей.

От ландшафтов, от бутиков, от лобстеров, от поповеров, от пресно-соленых заплывов голова идет кругом, испытываешь восторг, упоение, экстаз, гурманствуя и дегустируя впечатления глазом, ухом, носом, языком, телом и чем-то еще сверх означенных пяти чувств, чему названия нет: третий глаз? шестое чувство? Товарный знак этого края: ели на скалах и океанские волны. Да, все сопряжено с океаном, главной здешней достопримечательностью. Свез как-то на океан помянутого уже черноморца Фазиля Искандера, который с ходу стал патриотически отрицать это живое, огромное, прекрасное и монструозное существо, доказывая мне, что отличие океана от моря чисто количественное — больше воды. И чтобы убедить меня и убедиться самому, бросился в коварные волны — и чуть не самоубился, еле выплыл, признав на собственном опыте, что количество в данном случае переходит в совсем иное качество.

А мой вечный спутник Лена Клепикова, моя прекрасная спорщица с духом противоречия по любому поводу и без оного, пресытилась на этот раз, хнычет, что déjà vu, даже океан ей осточертел — один и тот же! Тогда как для меня всякий раз другой, ни одного повтора, прилив и отлив, буря и штиль, ясный солнечный день и стелющийся с утра туман, не видно ни зги. Клод Моне написал тридцать Руанских соборов — тридцать разных пейзажей, хотя формально натура — одна и та же, но разнота света в разное время дня и года, изменчивые атмосферные явления и проч. По Спинозе: natura naturans & natura naturata. По противоположности. Для наглядности два русских примера: Левитан и Шишкин. Понятно, я приверженец первого принципа, у меня не арийское объективистское, а иудейское субъективное восприятие натуры — не сотворенная, а творящая природа. В том числе через меня, с моей помощью в качестве реципиента.

Тем более — океан: заворожен, загипнотизирован его изменчивостью и несхожестью с самим собой. В моем восприятии субъективное преобладало над объективным — я предпочитал погоде непогоду. В противоположность Гончарову, которого капитан фрегата «Паллада» вытащил чуть ли не силком на палубу, чтобы писатель понаблюдал разъяренный океан в шторм, но автор «Обломова» с отвращением глянул на разгул стихии, сказал одно слово: «Непорядок!» — и тут же нырнул обратно к себе в каюту. А мою спутницу раздражает туман, а также отливы и много чего еще. Она, вообще, становится все более раздражительной и ругачей. Я — противоположно: все более восторженным. Ее что-то грызет, гнетет и угнетает, сожаления отравляют жизнь, а меня, мое сердце — веселит. Парочка еще та: Счастливцев и Несчастливцева.

— Не мешай мне быть счастливым!

— Не мешай мне быть несчастной!

Вот в чем моя вина — что отказываюсь быть соучастником ее горестей и печалей.

Конфликтная зона с центром повсюду и поверхностью нигде увеличивается до бесконечности. Мне грустно потому, что весело тебе, но в обратном порядке, путем инверсии. По мне — наоборот: как Электре к лицу траур, так океану идут дождь, туман, буря, а тем более отливы — хотя бы потому, что после них наступают приливы. Я могу часами сидеть на прибрежном камне и следить, слушать, вдыхать и нюхать, как отступает, а потом наступает живой, как человек, океан. А одетую в траур Электру помянул не по Юджину О'Нилу и не по Софоклу, а по недавно слушанной в Метрополитен опере Рихарда Штрауса, где главное даже не музыка, а либретто, предположительно, по слухам, гениального Гуго фон Гофмансталя по его же знаменитой трагедии «Электра», где он углуби́л и углу́бил древнего грека, отталкиваясь скорее от мифа, чем от его пьесы. Ради одного этого океана, который поднадоел Лене Клепиковой, как мне ее Сады Семирамиды (здешние — the Asticou Terraces & the Thuya Garden), езжу я в Акадию каждый год набираться впечатлений и вдохновенья, хотя сам живу на том же самом Атлантическом океане, но наш, лонг-айлендский, без отливов и приливов, без скал и бурь, без драмы, напряга и смертельной опасности — ни в какое сравнение: для бедных. Зато здесь:

*Все, все, что гибелью грозит,*
*Для сердца смертного таит*
*Неизъяснимы наслажденья —*
*Бессмертья, может быть, залог!*
*И счастлив тот, кто средь волненья*
*Их обретать и ведать мог.*

Как раз то, что предстояло Анониму Пилигримову в этом путешествии, когда оно было прервано раньше времени форс-мажором. Но это — с перескоком через пару глав.

## Истории, не ставшие рассказами

Никогда я не говорю столько по-английски, сколько в путешествиях. Это — не исключение. Даже на свадьбе побывал. Минут двадцать, наверное, сидел на хвосте черепашьей машины с роуд-айлендским номером, а на заднем стекле «Just married» в окружении амурчиков и пронзенных стрелами сердечек. Пока молодожены не съехали с дороги и знаками показали мне следовать за ними. Завтрак на траве, хотя время скорее ланча или бранча — накрыли поляну на поляне на скалистом берегу Сомса, единственного фьорда в Северной Америке, не надо ездить в Норвегию. Две бутылки на выбор — кьянти или кедем? Оказывается, он — еврей, она — итальянка, хотя по виду — наоборот: поди разберись в этих средиземноморцах. Меня здесь принимают за француза, даром что Квебек рядом, а за еврея или русского — никогда. Из двух зол я выбрал кьянти, хотя предпочел бы что-нибудь покрепче. У итальянки рука в гипсе — сломала, скача с камня на камень по береговой тропе. В ответ на мое сочувствие:

— Могло быть хуже, если бы сломала ногу, не могла бы ходить.

— Я бы носил тебя на руках.

— Тогда мы бы оба сломались, — смеется девушка. — В любом случае, хоть и не повезло, но я счастлива. (По-английски игра слов: not lucky but happy.) — И жена-девочка целует мужа-мальчика.

Импровизированная свадьба на фоне драматического пейзажа с фьордом. Для этой парочки Акадия уж точно рай, если только они не сорвутся со скалы в океан, фьорд или понд.

В беседке над океаном я вчитываюсь в мемориальные надписи. Какое кромешное одиночество у человека, коли он оставил всем и никому свой телефон: 802-498-4828. А некто Bill поставил год латинскими цифрами, которые мало кому внятны — а ну-ка, читатель, отгадай: MCMXCVII. Среди латиницы вдруг кириллица: «Максим — 2009». И еще одна: «Здесь был Дима» — без года, привет из вечности. А вот смесь латиницы с кириллицей: «Глеб Moscow». Перевожу стоящему рядом америкаму. Тот:

— Это ты написал? — И не дожидаясь ответа, с осуждением: — Мог бы по-английски.

Оправдываться бесполезно.

На Sand Beach, где ледяная вода ошпаривает смельчаков — вбежать и выбежать! — у девушки вываливается все из рюкзака, когда она достает полотенце, и поневоле я обращаю внимание на презики.

— Совсем не для того, что ты думаешь, — говорит она. — Не для случайного секса, а на случай изнасилования.

— Случайней секса не бывает! Я слышал, сами насильники предусмотрительно носят с собой кондомы, чтобы не подхватить какой заразы. Тем более, как считают психологи, насильники действуют не по страсти, а ради самоутверждения.

— Даже если так, где гарантия? Вот мы и таскаем с собой на всякий случай.

Чтобы согреться после ледяной купели, я брожу по этому пляжу для отважных и легкомысленных и останавливаюсь около молодой женщины, которая уговаривает своего пацана войти в воду, но тот ни в какую, а чуть поодаль два молодых мужика нянчатся с голеньким беби женского пола. Гомики с удочеренным ребенком, решаю я, пока, к превеликому своему удивлению, не обнаруживаю связь между всеми пятью, не находя объяснения: кто кому кем приходится? Выяснилось, что все они — одна семья, а у девочки и мальчика одна мама и два папы. Зачатие от трех родителей? Представьте себе. Вот их предыстория.

Два друга были влюблены в одну девушку, а ей были милы оба, не говоря уж о том, что выбрать одного — обидеть другого. Нет, не классический треугольник, а любовь втроем, без никакой ревности, коей я большой спец как по жизни, так и в моей прозе, включая эту (см. главу Аноима Пилигримова про Анонима Пилигримова). По крайней мере, так они говорят. Припоминаю случаи из русской литературы: Некрасов и Панаевы, Маяковский и Брики, а заодно и стильный фильм Абрама Роома «Любовь втроем» (1927), который кончается рождением ребенка, отец которого неизвестен. Новые времена — новые песни. Мои случайные знакомцы из Орегона пошли на искусственное осеменение, предварительно смешав сперму и генетически ее модифицировав, а потом уже имплантировав в матку. А как же все-таки ДНК? — вертится у меня на языке вопрос, который так и не успеваю задать, потому что мне объясняют, чем митохондриальная ДНК, типа батарейки, которая заряжает клетку энергией, отличается от обычной, естественной. Такой вот казус тройного родительства. Игры с Богом? Не судите да не судимы будете.

Конечно, будучи писателем-профи, я бы мог развернуть каждую историю в рассказ, но пусть лучше этим займется читатель — полагаюсь на его воображение.

Вот еще одна, так и не ставшая рассказом. Я не был бы фанатом-кошатником, если бы не упомянул этот ненаписанный рассказ о моих четвероногих любимцах.

В супермаркете недалеко от нашего океанского кемпинга, в котором мы с Леной Клепиковой всякий раз останавливаемся, висело объявление «LOST CAT» с фотографией черно-белого кота-дворняги. Хозяин предлагал вознаграждение тому, кто его найдет — сумма не указана, один только долларовый символ: $. Скорее мысленно, чем эмоционально, посочувствовал хозяину, но по дороге в кемпинг, в миле от супермаркета, заметил пришпиленное на дереве объявление противоположного содержания: «FOUND CAT». Потерявший и нашедший кота разминулись — надо их соединить, дать знать друг о друге. С этой мыслью я и въехал в кемпинг, но там висело еще одно объявление «LOST CAT» с ярко-рыжим котом по имени «Цыган», которого последний раз видели аккурат на Sand Beach. Честно, я растерялся: кому звонить? Какого из двух котов нашли и кому именно дали временное пристанище люди из углового дома на перекрестке двух дорог? Ладно, завтра заеду в тот дом, где находится кот-найденыш, и дам хозяину/хозяйке оба списанных мной объявления о потерянных котах. Пусть сами разбираются.

Сказано — сделано? Не факт. На следующий день, проезжая означенный поворот, не обнаружил на дереве объявления о найденном коте. Странно. Может быть, хозяин одного из потерянных котов сам заметил это объявление, и в моем сводничестве нужды больше нет? Остановился и решил зайти в дом около дерева, с которого исчезло объявление. Постучался, вышла пожилая, но моложе меня женщина, я спросил о коте.

— Это твой кот? — вопросом на вопрос.

— Нет, не мой, — и рассказал про два объявления о пропащих котах.

— Так его зовут Цыган... — задумчиво сказала женщина, и я понял, что она нашла рыжего.

— Да, да! — обрадовался я.

— Как можно было назвать его Цыганом? Не в пользу хозяина. Да он и не похож на цыгана. Потому и сбежал — из-за имени.

Я рассмеялся.

— Поздно. Мы оба были так одиноки, пока не встретились.

Я смотрел на нее очумело.

— Мы с ним три дня ждали. Никто не пришел. За это время мы полюбили друг друга.

— Мы? — переспросил я.

— Мы с котом. Теперь кот — мой.

— Но у Цыгана есть настоящий хозяин. Наконец право собственности...

В деревянное ухо.

— Разве он бы ушел, если бы ему было хорошо? От меня он не уйдет.

— Коли Цыган, он кочевого племени, — пошутил я. — На месте не сидится. Он знает дорогу домой и уйдет от тебя. Плюс комплекс Каштанки? — Я вкратце пересказал ей чеховский рассказ.

— Это у собак. Верные, но глупые. По моей знаю — она теперь не отходит от Цыгана. Спелись. Кот — хозяин, а пес — слуга. И никого к нему не подпускает. Даже меня. Явись его прежний хозяин, она бы его искусала. У меня был кот — умер: рак легких. Я была верна его памяти два года. А этот сам пришел. Судьба. Подарок небес. Так и назвала: Кадо. По-французски «подарок». Видишь ли, я французских корней, из Квебека.

— Полагается награда... — Это был мой последний аргумент.

— Плевала я на награду! Да я сама готова заплатить за такого кота. Думаешь, я не видела это объявление? Сама звонить не стала, а звонка ждала со страхом. Бог миловал. А потом мое объявление с дерева сорвала и включила ответчик.

И она захлопнула дверь перед моим носом.

Добрый самаритянин из меня не вышел, и я поплелся к машине, вспоминая собственного рыжего кота-найденыша, которого мы с Леной подобрали в квебекском лесу и вывезли в Нью-Йорк, где он каждый раз ждет не дождется нашего возвращения. Соответственно и назвали Бонжуром. Однако наш сын убежден, что мы вовсе не нашли бесхозного кота, а похитили и присвоили, и его первоначальные хозяева до сих пор тоскуют по своему любимцу. Так или не так, не мне осуждать новую хозяйку Цыгана, тем более она уже дала ему новое имя. Да и собака никого к нему не подпустит...

# На голубом глазу.
# Моя родина там, где грибы,
# женщины и книги

*Si non e vero, e ben trovato.*

Моя спутница поздно засыпает и плохо спит, а я сплю как убитый — со снотворным, которое на нее уже не действует, и рано
встаю — сова и жаворонок. До ее просыпа обычно брожу по ска-
лам и наблюдаю океанскую жизнь в Акадии — приливы и отливы,
галдящих чаек, флотилию уток, ныряющих кармаранов (они же —
бакланы). А тут взял и отправился на старую заброшенную, за-
росшую травой дорогу, которая тянется мили на три и на карте
с двух сторон обозначена шлагбаумами — машинам ездить по ней
запрещено. Около первого шлагбаума меня нагнала юная велоси-
педистка и спросила, куда ведет дорога. Я вынул из кармана мя-
тую карту и показал эту загадочно трехбуквенно обозначенную
полузапретную трассу — от нашего кемпинга на океанском берегу
до большака, пересекающего остров с юга на север. Покалякали
минут пятнадцать ни о чем. А под конец разговора девушка вдруг
спросила:

— Do you speak English?

Оседлала своего рогатого коня и умчалась, растворившись
в миллиарде мелких-мелких дождинок — утреннем тумане, который здесь чуть ли не ежедневно: океан. «Ранняя птичка», — подумал я, глядя с сожалением вперед, хотя ее и след простыл. Как ис-
таяла.

Не то чтобы телка была хоть куда, но в моем возрасте чуть ли
не любая встречная волнует. Тем более после иссечения моей аденомы. Аденома — красивое имя, правда? — это возрастное явление, какой-то доброкачественный узелок в простате, типа суже-
ния, вот Анониму Пилигримову его и расширили с помощью бал-
лончика то ли стента, хрен его знает. В Вике сказано, что не
выявлено достоверной связи между аденомой и половой активностью, но могу сказать со всей определенностью на собственном
опыте, что последние год-полтора перед визитом к урологу (впер-

вые) у меня было ее некоторое снижение и по-настоящему член каменел только во влагалище, а после операции — здесь ее эвфемистически зовут процедурой — ощущаю бурный прилив сексуальной энергии. На молодых женщин засматриваюсь и боюсь подзалететь, когда за рулем — отвлекают и возбуждают. Увы, они на меня не глядят: улица с односторонним движением.

Глядел вдаль и представлял с исчезнувшей девицей интим: седина в голову, а бес известно куда. В ребро? Почему в ребро, когда ниже? Вспомнил почему-то загадочную надпись на здешних общественных уборных: «Unisex», пока до меня не дошло, что ничего такого-разэтакого в этой надписи нет и значит она, что эти индивидуальные кабинки не поделены на «мужские» и «женские», а предназначены для обоих полов. Так и шел, обуреваемый своим бесом, покуда боковым зрением не заметил на обочине белый гриб. Клин клином вышибают.

А грибник я страстный. Без швейцарского армейского ножа и пластикового мешка в лес ни ногой — на всякий случай. У меня множество разного рода грибных привычек, примет, теорий и предрассудков. К примеру, срезав гриб, тут же складываю нож и прячу в карман — уверен, что грибы, завидев мое орудие убийства, попрячутся от страха. С другой стороны, я почти никогда не сворачиваю с тропы, уверенный, что грибы сами бросаются мне под ноги и дают знать о своих ближайших родичах поблизости — грибница-то у них одна, тогда как моя спутница рыщет по лесу сквозь бурелом. При таких разных приемах мы возвращаемся обычно с одинаковой добычей. По-моему, чтó на тропе, чтó в сторону от нее — без разницы: грибы или есть, или их нет, без вариантов. Почти как в том анекдоте про два необитаемых острова, помнишь? На одном — три мужика, на другом три девки. Самый молодой бросается в воду, чтобы добраться до них вплавь. Тот, что постарше, мастерит плот. «Сами приплывут», — говорит пожилой, вроде меня. Вот я и убежден касаемо грибов: на ловца и гриб бежит.

Судя по тяжести полиэтиленового мешка, улов неплохой — нести надо осторожно, чтобы грибы не смялись, — и разнообразный: пара-тройка белых и красных, сопливый подберезовик, лисички, маслята и некий сорт моховичков, которые после варки напоминают маслят, но покрепче, их червь не берет, и чуть вкуснее.

С сожалением пропускаю солонухи — шикарные грузди, нежные волнушки с бахромой, даже плебейские горькуши: у нас с собой никаких приспособлений для соления — ни кадушки, ни укропа, ни смородинного листа. А когда-то в России у нас было целое производство по солению, да еще мариновали, закатывали в поллитровые банки и дарили друзьям — бродским, кушнерам, окуджавам, искандерам и прочим евтушенкам. А, что вспоминать — моя спутница до сих пор ностальгирует. Зато я — нет: моя родина там, где растут грибы. Так и назвал мой рассказ, который потом, дополнив, переименовал в «Лечение ностальгии грибами». И — вылечился. К тому же здесь, в Америке, у меня нет конкурентов, все грибы — мои. Разве что какой-нибудь абориген-индеец или твой брат эмигрант, не обязательно совок — повстречал как-то польку с грибным лукошком. Не то что в России, где грибников больше, чем грибов.

Зато и покалякать о «третьей охоте» здесь, считай, не с кем. Даже мои нью-йоркские друзья-приятели из бывших москвичей в грибном направлении глухи и слепы. Говорить о грибах с негрибниками — о стенку горох. Когда я под сильным грибным впечатлением рассказывал моему здешнему приятелю Саше Гранту: «Тут белые, там красные...», он воззрился на меня с искренним удивлением: «Ты о гражданской войне?» Что делать, нет у него этого в опыте. Или разыгрывал меня? Кто точно меня не разыгрывает, так это фанат моей прозы из Атланты, бывший питерец, когда пропускает грибные тексты, считая их лирическими отступлениями, необязательными к чтению. Такое небрежение, впрочем, не только здесь, но и там, откуда мы родом. Одна наехавшая из Москвы дама, очень даже ничего собой, перебила меня, когда меня повело на грибной сюжет: «Грибы в России только евреи собирают», — и мне ничего не оставалось, как перейти к банальному флирту, что пришлось ей больше по вкусу.

Сережа Винник с другого берега Америки, из Силиконовой долины, рассказывал мне, как потерял в Москве свою девушку, с которой у него все было на мази, пока не свел ее по грибы — вместо ресторана, театра или квартирника — и показался ей таким отпетым лохом, что больше она с ним знаться не пожелала. А он остался верен своей грибной страсти у себя в Калифорнии, где третья охота сдвинута по срокам и приходится на конец года, когда я собираю грибы (красные) только в океанских дюнах на Лонг-Айленде: сахарные, чистые на срезе — откуда червю взяться в песке?

Что грибы, что бабы — мне всё теперь в кайф, будто в последний раз, пока не сдулся отсюда навсегда:

*...Каждая малость*
*Жила и, не ставя меня ни во что,*
*В прощальном значеньи своем подымалась.*

Узнаёшь, конечно. Из лучшего стихотворения про любовь, которое я знал наизусть подростком, когда был влюблен первый и последний раз в жизни — и до сих пор: в тебя, Лена.

Вот и живу теперь таким манером в мои закатные, заемные годы: последняя встреча, последняя свиданка, последние объятия, последнее соитие, последний вояж, последний мной читанный или писанный текст, мои последние грибы, последняя женщина.

Моя родина там, где грибы, женщины и книги: центр повсюду, а поверхность нигде. Пусть космополит, хотя точнее — фунгофил, женолюб, котофэн и книгоман — книгочей запойный. В последнее время, правда, больше перечитываю, чем читаю заново. В том числе, самого себя, любимого. Да, востребован, восемь книг за два года, на очереди вот эта, девятая — лом читателей, творческая эрекция в параллель, а не взамен сексуальной, бай-бай, д-р Фрейд со своей сублимацией. Да и вопрос еще, что чего является сублимацией: творчество — секса или секс — творчества?

О встречной девице, шагая по трехбуквенной дороге обратно в кемпинг с собранными грибами и надеясь поспеть к просыпу моей спутницы, чтобы удивить и порадовать ее, я и думать забыл, пока она сама о себе не напомнила: то ли увлекся грибами, то ли память отвлекла, то ли слух у меня постепенно сдает, то ли... Короче, остановился на обочине, чтобы облегчиться и даже не услышал шороха шин, упиваясь мочеиспусканием — иногда оно приносит удовольствие сродни сексуальному. Ладно, Аноним Пилигримов, как всегда, преувеличивает. Короче, был несказанно удивлен, когда девушка спешилась вровень со мной и соскочила со своего двухколесого коня. Еле успел засунуть свой пенис обратно в ширинку. Быка за рога, как она держала за рога своего пегаса:

— Я видела издалека, чем ты занят. Чего стесняться? — И давая мне урок беззастенчивости, тут же стоя справила нужду.

Я деликатно отвернулся.

— Спасибо тебе за эту лесную дорогу. Ненавижу море.

Морем здесь почему-то все называют океан. Слышишь, Фазиль? Вот и наше заветное место — SeaWall, а не Ocean Wall. Как Пушкин называл Летний сад «мой огород», так я зову SeaWall моей дачей, хотя вся «дача» — это просторная палатка в любимом кемпинге на берегу океана, с выносной каменной платформой, откуда я наблюдаю огромные волны во время прилива и восход солнца.

— За что? — спрашиваю я у моренавистницы.

— Мы живем у маяка в Портленде. Море с утра до вечера. Знаешь, как надоедает. Особенно в прибой — такой грохот стоит.

Мы с ней шли вровень, она держала за рога свое вело, а я бережно нес свой пластиковый мешок, предвкушая удивление моей вечной спутницы. Поравнялись с боковой тропой, которая шла через болота.

— Свернем? — предложила девица. — И где-нибудь там съедим твои сэндвичи. — И указала на мой пластик.

— Это не сэндвичи, — сказал я и показал ей грибы.

К моему удивлению — ни толики удивления!

— Можно заняться чем-нибудь еще, — задумчиво говорит она.

И, столковав образовавшуюся паузу по-своему:

— Не бойся. У меня есть кондом. Я всегда ношу с собой. С одиннадцати лет. На всякий случай. Еще до того, как начала трахаться. Мало ли что. Папа научил. Я — папина дочка.

— А сколько тебе сейчас?

— Пятнадцать.

— Как ты думаешь, сколько мне?

— Как папе: пятьдесят четыре. Только он большой и толстый.

— Бери выше.

— Год-два — какая разница?

Не стал уточнять, дабы не превысить ее возрастной ценз. Да и выгляжу я лет на десять моложе, а чувствую себя и вовсе сорокалетним, виагрой не пользуюсь, полагаясь на вдохновение, которое и есть либидо. Пятидесятники, думаю, предел ее представления о полноценном сексуальном партнере. Что для нее секс с кем попадя? Похоть? Физкультура? Чтобы прыщиков не было, как пишет классик?

— Ты любишь папу? — взыграло во мне любопытство на предмет инцеста.

— Нет — он меня. А я люблю брата. Джош. Ему семь. Я присутствовала при его рождении. Было так здорово… — И посыпались медицинские термины, я ничего не понял. — Мы здесь все вчетвером в трейлере. Ну, пошли.

Как от нее отвязаться? Попытался ее приструнить:

— Согласно американским законам, это уголовное преступление.

— Так никто же не узнает!

— Но мы с тобой будем знать.

— Ну и что? Это будет наша тайна. Мы поклянемся, что никому не расскажем.

— Да меня комары съедят! — прибег я к последнему доводу, чтобы отъе*аться от предложенной е*алки. — Здесь сплошные болота.

— Какие еще комары? Ты что, не обрызгался спреем? И потом ты же будешь двигаться — они тебя не тронут. Даже если один цапнет, так за жопу, а не за хер.

Заметив, что все еще колеблюсь:

— Или, хочешь, я тебя покрою.

— Чем?

— Собой. Лягу на тебя. Ничуть не хуже. Я больше тебя, ни один комар между нами не пролезет. Пошли скорее, — нетерпеливо сказала эта юная е*ака, хотя боковая тропа осталась позади.

Мы уже подходили к нашему кемпингу — вот и шлагбаум вдали.

— Меня жена в палатке ждет. — И, как ни странно, это на нее подействовало отрезвляюще.

В самом деле, странно.

— Ну, как знаешь, — сказала она разочарованно.

Семейные узы для этой нимфоманки оказались незыблемы.

На прощание она назвала мне номер участка, где стоит их семейный трейлер, и, наклонившись, глубоко, профессионально поцеловала меня в губы, возбудив и оставив ни с чем. Прощай, племя младое, незнакомое, — и послал ей воздушный поцелуй. Весь в сомнениях, стоял и думал о несостоявшемся приключении. К чему этот пост? Раньше я был решительнее. Или легкомысленней? Тем более безопасный секс — с резинкой. Да и является ли такой секс изменой, когда твой член не касается чужого влагалища? Род онанизма. А как насчет жены, если она — предположим — е*ется с чужим мужиком в гондоне? Чуть не оговорился — «в гондоле», и Венеция всплыла в моей памяти, как тритон по пояс в воду погружен. Так измена это или не измена? — я о жене. А что касается мужа, то последний — упущенный — шанс: потрахаться на стороне. Никогда не отказывайтесь от секса и от интервью, советовал последний живой американский классик. А е*ля — одно из главных наслаждений моей жизни, пусть и мимолетное. Остальные — не такие все-таки упоительные, но зато длительнее: путешествия, писательство, чтение.

И то правда, все лучшие книги я уже прочел и перечел — от «Гильгамеша» и Библии до Монтеня, Шекспира и Пруста. Остается читать отчеркнутое мною на полях, что я и делаю в этом путешествии. А дома, на прикроватном столике, у меня лежат десять любимых томов: три Монтеня и семь Прустов.

«Есть писатели, ставящие себе задачей изображать действительные события. Моя же задача — лишь бы я был в состоянии справиться с нею — в том, чтобы изображать вещи, которые могли бы произойти». Как у меня с этой девицей! Это Монтень обо мне. А не написать ли мне сексуальные воспоминания о небывших, несбывшихся приключениях? Как часто представляю разбросанных по всему свету — если еще живы — женщин, с которыми у меня так ничего и не произошло, хотя горячо, вот-вот. А счастье было так возможно, так близко, пусть и не счастье. Вот сейчас нейдут из головы и возбуждают несколько одноклассниц, хотя главная одноклассница всегда рядом, и не поменяю ни на какую другую: где гарантия, что другая окажется лучше этой? Но я вспоминаю их всех юными, желанными, не*банными и похотливыми — целки-онанистки, как и я тогда, но в мужеском роде. Почему слово «дефлорация» относят только к девичьему роду? Почему только она и обладают этим несомненным знаком — чуть не сказал «качества», хотя редко кто из них донашивает злосчастную эту плеву до первого соития ввиду неистовой мастурбации?

— Пальцами? — спросил я тут одну.

— Почему? Всей рукой! Иногда двумя. Часами, до полного изнеможения. А когда началось по-настоящему, казалось мало, запиралась в ванной и там сама себя дое*ывала.

— И до сих пор?

— Бывает.

Касаемо остальных кайфов, то всюду, где хотел, побывал — не однажды, и, боюсь, уже исписался и обречен на дубли и клоны, опять же дежавю, как в этом путешествии и в этом опусе: уже и не упомню, о чем писал, а о чем еще нет. Ту же ревность взять — один из главных драйвов моей жизни, а значит, и моей прозы. Почему ревную к гипотетическому предтече и не колышут (почти) гипотетические измены потом? Если они были. Если даже были, то одна — зря, что ли, ты поставила вопрос против апофегмы Ларошфуко, что есть женщины, не изменяющие своим мужьям, но нет, которые изменили бы только один раз. А потом говорила, что это не из личного опыта, а из умозрительного представления — что одноразовая измена не обязательно ведет ко всеобщей пое*ени и безразборному бля*ству: «Я ищу в книгах удачные слова и откровения, а не пошлые аналогии» — камушек в мой огород. Может и так, но осадок, как говорится, остался, пусть вилки и нашлись. Из синхронных измен больше всего ревную к самому себе, пусть что-то есть в этой ревнивой турбулентной сумятице трикстерное. Трикстер и есть, кто бы сомневался?

Ах, были не были — разве в том дело!

Господи! Не сделай меня похожим на Парнока! Дай мне силы отличить себя от него.

Это Мандельштам в «Египетской марке», отмежевываясь от жалкого своего героя. А Пруст писал Андре Жиду, что тот может пуститься во все откровенности о гомосексуализме, но передав их своему герою — в третьем лице. Хоть я и придерживаюсь традиционной ориентации, но последую его совету.

Слово — Анониму Пилигримову.

# Ревность к самому себе:
# представить непредставимое.
# Путая первое лицо с третьим

*Ничего не выходит наружу...*
Сергей Чудаков

*Ничего не меняется так часто, как прошлое.*
Сартр

*В действительности все не так, как на самом деле.*
Ежи Лец

Аноним Пилигримов поплелся к своей вечной спутнице, слегка сожалея об упущенном шансе. Она еще спала — залез в ее спальник и проделал с ней то, на что не решился с девицей с кондомом. А здесь и кондом не нужен! Утренний секс у нас (у них) клевый. Она что-то прошептала спросонья, но Аноним (не я!) уже был в отключке, впав в кому «малой смерти». В полусне представлял, как она рассматривает грибы. Хоть какая радость в ее безрадостной вечереющей жизни. Мы (они) прожили с ней одну и ту же жизнь, но я (или он?) счастлив, а она несчастлива. Вот и представляю нас с ней: Счастливцев и его жена Несчастливцева.

Вчера сюрприз ей не удался. Притаранил с утра мидию с длинным хвостом водорослей. Думал — расколет камнем и съест, тем более она куда-то запропастилась, когда я очнулся от «малой смерти» (вчерашней). Когда она появилась, мы ломанулись по намеченному маршруту, а поздно вечером она вынула мидию из ведра с водой и в моем сопровождении понесла обратно в океан, по пути спрашивая меня, не повредила ли ей пресная вода. «Думаю, нет — у нее в раковине сохранилась соленая», — наобум сказал Аноним Пилигримов. Был отлив, я светил ей мощным фонариком с берега, а она ради этой несчастной мидии прыгала с камня на камень, рискуя свалиться и сломать руки-ноги, что ей запросто: еле спас, в самый последний момент, когда в Мадриде на высокой платформе она отступала к ее неогороженному краю, чтобы лучше разглядеть стоящий на ней фрагмент Асуанского храма, у нас такой же в Метрополитен-музее. Да и здесь, на SeaWall, гигантская, выше горизонта, волна смыла таких вот, как мы, зевак — спасательным вертолетам и лодкам удалось выловить нескольких, два сильно покалечились, девочка погибла. Аноним вовремя оттащил свою спутницу, которая в ответ на предостережения сказала, что здесь не Индонезия, хотя достаточно малой тектонической подвижки во время такой вот штормяги, как объяснил мне знающий толк в этих делах приятель. Коня на ходу остановит, в горящую избу войдет... — за что мы их и любим, зато своих в грош не ставим. Статистика смешанных браков в Америке — удручающая. Либо наоборот — зависит от того, как посмотреть: ассимиляция идет полным ходом! По-любому, еврейство исчезает с лица земли само по себе, никакой Холокост больше не нужен. Одна надежда на пейсатых, что продлят существование этой многократно вые*анной нации.

Вот так же точно вбрасывает Лена обратно в море выбросившихся на берег, но еще живых мечехвостов, морских звезд и медуз, а на Аляске — семгу, которая идет, закончив свой жизненный цикл, умирать к месту своего рождения. Но жалость моей спутницы превышает иногда понимание ею законов природы. Жалостлива от природы — одна из причин его (а не моей!) ревности, не «пожалела» ли она кого-нибудь, а теперь вот жалеет Анонима и не сознается? Теория стакана воды, который следует дать тому, кто просит напиться, согласно эмансипантке Авроре Дюдеван (она же Жорж Санд). В частушечном пересказе:

*Ой, солдатики-касатики,*
*Как вас не пожалеть!*
*Просит кружечку водицы,*
*А ведь знаю: хочет еть.*

Могли быть и другие причины, я знаю? Влюбчивость, скажем, о которой у нас с ней разборки до сих пор: она утверждает, что это сугубо сердечное чувство, а я считаю — эвфемизм похоти. Не есть ли само слово «сердце» в любовной эстетике эвфемизм гениталий — равно женских и мужских? Уж коли пошли частушки:

*Ой, товарищ дорогой,*
*Как же трудно без жены:*
*Я иду, а сердце бьется*
*Очень сильно об штаны.*

Если она могла отдаться Анониму без особой любви, то тем более тому, в кого была «платонически» влюблена или он в нее — вовсе не платонически? Наш (их) вечный спор о влюбленности: нечто возвышенное и внечувственное или хотенье, зуд и свербеж — либидо, короче. Что бы она теперь ни говорила, от нее исходили, а для Анонима исходят до сих пор флюиды — пусть платонической — похоти, на которые мужики и откликались, как кобели на запах сучки, когда у той течка. Как в тех стишках-порошках:

*когда мы встретились глазами,*
*мы оба поняли, что нам*
*необходимо повстречаться*
*друг с другом чем-нибудь еще*

*две параллельные прямые*
*живут в эвклидовом мирке*
*и бегают пересекаться*
*в мир Лобачевского тайком*

— Ты же сам знаешь, что ничего не было!

— Не убеждай меня в моем знании, которого у меня нет: точного, — говорит Аноним Пилигримов. — Даже если знаю, то не уверен в своем знании. Тем более у меня два знания — противоположные: чему верить? Не въезжаю. Непредставимы оба. Вот разговаривают два человека как ни в чем не бывало, и вдруг на них что-то находит, они быстро раздеваются и что есть силы е*ут друг друга. Стыд, табу, условности — как не бывало! Дружба дружбой, а ноги врозь. Да и без всякой дружбы, не зная друг друга — что в имени тебе моем? — встретились, пое*лись, разбежались.

Вот от чего Аноним все время дергается. Вот что превращает его из доктора Джекила в мистера Хайда.

— Тебя всегда было через край. Переизбыточно. До сих пор! Для этого надо хоть немного проголодаться. И потом ты себя так поставил, что изменять тебе было невозможно.

— А до меня?

Вот что сводит Пилигрима Анонимова с ума. Вот мука-то, мучается бедняга Аноним Пилигримов.

Само собой разумеется, что я есмь первый и последний единственный твой мужчина на всю жизнь, что не само собой разумеется. Наш (их) брак покоится на этой прочной основе, которая дает трещину за трещиной, но я их скрепляю слюной и спермой.

Какой же он нафталин со своим старомодным культом девичества, девства, целости, которому она должна соответствовать, когда целибат не в цене и не в моде — скорее наоборот, да? А как же распутный Рим с его весталочьим фетишем? Может, я не иудейского вовсе племени, а муслимского с райскими гуриями, с их еженощно возвратным целкомудрием? Именно так я тебя и воспринимаю по жизни, гурия моя несравненная и ненаглядная, целочка навсегда, вечная дева, каждый раз наново, до самой моей смерти, но и после — не моги и думать! Вдова должна и гробу быть верна, как завещал нам родоначальник-основоположник. Да ты сама, до самых родов, считала себя девицей, вот кто тебя дефлорировал изнутри — наш сын, выскользнув из твоей родной вагиночки, как на санках с горки скатился — роды были быстрыми и легкими! Это ли не доказательство твоей мне верности еще до того, как я проник в тебя с превеликими осторожностями — твоя собственная уверенность в своей целости? Так с чего тогда у Анонима Пилигримова крыша поехала, и одной ногой в могиле он печалится, шалеет, шизеет, заводится с полоборота, стоит только представить непредставимое — тебя с предшественником-предтечей в заветной и священной позе? Двуспинное животное — это мы с тобой, а не ты с кем попадя!

Право первой ночи — первым распечатать женщину. Не любую — только тебя одну. Право однолюба, пусть и многоё*а. До других партнерш-временщиц Анониму Пилигримову нет дела — да хоть проходной двор. Это про них — Красавице платье задрав, видишь то, что искал, а не новые дивные дивы и прочие nil admirari, а я после полувека интенсивных с тобой сношений не перестаю удивляться твоим доверчиво раздвинутым коленям, самой этой позе, которую небезызвестный доктор-мудило назвал то ли нелепой, то ли смехотворной, а для меня нет ничего прекраснее и священней на свете, когда ты лежишь подо мной, как распятый лягушонок. Потому ты для меня до сих пор девочка, что знаю сызмала — школьницей, целочкой, весталочкой и медленно, затянув до бесконечности и измучив обоих, продвигался к твоей девичьей тайне, которой — вот что непредставимо, как бесконечность! — может статься, у тебя уже не было, когда Аноним решился наконец на осторожное вторжение в *святая святых*.

*Для меня Кодеш ха-Кодашим, а для тебя?*

Ревность как культ вагины. Не любой, а единственной. Я не моногам, а монотеист. Pozzo sacro. Так и назвал свою прозу не о тебе, хотя о тебе, а подзаголовок: измена — это так просто.

— Нет, не просто, — говоришь ты.

— Откуда ты знаешь? — ловлю тебя на слове.

— Потому и знаю, что никогда тебе не изменяла.

Измена — это так просто, потому как следствие недое*а, а тут и вовсе нее*а. Измена — это так просто, зато ревность — это так сложно, потому как ревность ≠ измена. Ты права: измена может быть одноразовой или не быть вовсе, зато ревность на всю жизнь — до последнего вдоха. Или выдоха. Как повезет.

Самый поэтический образ дефлорации у Стравинского-Фокина —Головина —Бакста в дягилевских сезонах — когда Жар-птица не сразу, но в конце концов отдает огненное перо Ивану. Ах, о чем говорить! Ты вышла из своей плевы, как из пузыря, — и вошла в сопредельный мир.

Когда?

А другую свою прозу про тебя «Одноклассница» подзаглавил «головоломкой на два голоса», дав слово ревнивцу и гипотетическому перво-рас-печатнику, а надо было «головоломка на три голоса», но в третьем, твоем голосе столько шумов и ярости, что я не различаю в нем связных и связующих слов.

И еще парочка ссылок на мою вымышленную ревнивую прозу — «Преждевременная эякуляция» и валентинка «Добро пожаловать в ад/рай».

Пусть это не ты косила под невредимку и не строила из себя целку, но Аноним Пилигримов назначил тебя белой, пушистой, кошерной и целой — «несверленной жемчужиной и необъезженной кобылицей», и ты всю жизнь должна теперь соответствовать присвоенному тебе статусу. Вот причина твоих намеков и недомолвок, если только это не игра ревнивого, то есть ложного воображения. А может, ты порывалась сказать правду эвфемистически, но Анониму подавай только прямоговорение, не в обиду тебе и не в обессуд ему. Начиная с того парутинского письма, где написала, что не уйти мне от него и сама назвала себя последней дрянью, но Аноним пропустил мимо ушей, то есть мимо глаз, не представляя непредставимое — все равно, что представить за этим делом бесполого ангела. И ты с этой ангелической ролью справлялась, но не справилась — вышла из роли. Потому что Аноним плохой режиссер или потому что ты никакая актриса? Недаром терпеть не можешь театр. У тебя не игровой талант. Слишком сильная и яркая личность, чтобы лицедействовать и играть другие роли. Аноним тебя выдумал, а ты сама по себе. Какая из вас нам с Анонимом нужна? Обе? Позарез!

Ты ничего ему не говорила, но и он ни о чем тебя не спрашивал, благодарный за доверие, согласие, физическую взаимность. Это потом Анонима все это начало мучить и замучило вконец. Наваждение, идефикс, флешбэк — воспоминание о бывшем или небывшем? Непредставимо то, что так ярко представлено во сне и наяву. В снах наяву. Сон, явь, перестал отличать их. Но и ты стала доставать Анонима:

— Сейчас-то что?

— Тебе нет дела до моего прошлого!

— Мы и женаты тогда не были.

— Могла я распоряжаться своим телом?

— В смысле своей пиз*ой, да? — молчит Аноним.

— Как ты смеешь! — молчишь ты.

Он и не смел (глагол) и не посмел — лестничная, постфактум реплика, реплика в сторону, ответ вдогонку, когда Аноним Пилигримов проигрывал это твое заявление в своем воспаленном мозгу, а ты объясняла его своим феминистским бунтом против собственнических инстинктов, в отместку на притязания отнять и приватизировать себе в карман твое прошлое.

Почему, вовсю пользуясь тобой как женщиной, Аноним отрицает за тобой неотменные женские права — быть женщиной? распоряжаться своим телом? пользоваться по назначению своим влагалищем, коли само слово «влагалище» от слова «влагать»? Никто не властен над своей природой: нельзя, но если очень хочется, — можно. Если я признаю отдельность существования моего чувствилища — io e lui, то почему не твоего? Когда невмоготу, нет больше силы терпеть, никакого удержу. Да и зачем? Какие там моральные критерии, когда такая физиологическая чрезвычайка! Единственный физический и моральный выход — мастурбация. Или к твоей пятерне Аноним ревнует, как к чужому х*ю? Что я несу? Открещиваюсь и отрекаюсь от этой главы Анонима Пилигримова, хотя вынужден ее за него писа́ть. Что делать? Тень, знай свое место!

Умозрительное преодоление застарелой ревности.

Базовый инстинкт. Безумный навык бытия — привет умнице Языкову. Любой импульс в этом мире — не только в человеческом — направлен к спариванию: единственное, в чем он находит свое оправдание, Монтень прав. Все крутится-вертится округ этого неодолимого влечения. Средоточие всё и вся. Остальное — надстройка. Точнее, надстройки. Включая мораль, то есть табу. Кто сказал, что полуправда хуже лжи? Вот Аноним, простяга и лох, ловит тебя на оговорках, проговорах, недоговорах и прочих проколах, когда ты врешь правду, пытаясь, может, и бессознательно, открыть ему глаза, а по Фрейду, именно в парапраксисах кроется истина, выглядывая из подсознания, как его же эмбрион подглядывает за соитием своей матери — не обязательно со своим отцом! Вот до чего этот неискушенный искуситель не доискался. Кто отец Гамлета — Гамлет Старший или его младший брат Клавдий, к которому прикипела Гертруда еще до вынужденного, по закону майората, замужества? Вот у кого эдипов комплекс, так это у Гамлета Младшего, который убивает своего настоящего отца, мстя ему за убийство отца мнимого. Куда меня занесло, однако — остановись, пока не поздно!

Бедный Аноним Пилигримов, от имени которого я пишу эту главу! Мне ли его не понять? Вот почему все равно сбиваюсь с третьеличного рассказа на первое лицо.

Он бы ничего не знал и не подозревал даже, если бы не то окаянно-покаянное парутинское письмо — зачем ты написала его, а написав, послала ему! — где ты звала себя последней дрянью, рассказывая о девичьих приключениях на археологическом раскопе, но он и думать позабыл, ни о чем тебя не расспрашивал и даже не спрашивал, тем более там была утешительная фраза «В главном я тебе ни в чем не изменила», а верил Аноним тебе тогда безгранично и безусловно — это потом некто поднял веко с его третьего глаза, и он стал прокручивать ретро под названием «Не от мира сего последняя дрянь» и рыть под тебя, раскапывая твое прошлое, как Шлиман свой Гиссарлык. Лучший подарок к золотой свадьбе — сцена ревности.

Само его имя Анониму ненавистно — тот самый Анатоль, который совратил — или не успел совратить? — сначала Наташу Ростову, а потом подваливал к Лене Клепиковой. Что ты мелешь, Аноним, при чем здесь Лена Клепикова! А был ли он на самом деле этот твой Анатоль Второй? Или ты сама его измыслила из девичьей похоти, писательской фантазии и моральных табу, которые ты нарушила или не нарушила — вот в чем вопрос?

Если бы не твое письмо, никаких подозрений, хоть ты и послала в тот же день вослед телеграмму «Прости письмо…», которая его опередила, а теперь под подозрением всё и вся. Тылы не обеспечены.

Нет, я не могу умереть, так и не узнав, кто был первым, думает Аноним Пилигримов: скорее всего я, а вдруг не я? Не хочу, чтобы на смертном одре сверлило мой умирающий мозг воспоминание о бывшей или не бывшей случке моей телочки с племенным быком — профи, который уже пере*б на раскопе всех от мала до велика — твоих сокурсниц и местных девиц и бабец, одна ты осталась не употребленной и неуестественной среди этой всеобщей пое*ени. Как там у Лескова в «Леди Макбет Мценского уезда»: «Какую хошь бабу до беды доведет». Così fan tutte — ты, что ли, исключение?

Таких, как ты, днем с огнем — потому и люблю тебя с нашего общего детства до нашей общей смерти, ты моя Джулия, Изольда, Феврония, а пара дней, месяцев или лет в нашем возрасте не в счет — что пара минут в юности, всего ничего. Кошмар, конечно, хоть невероятно, немыслимо, невозможно, если ты пойдешь в обгон и умрешь прежде меня, унеся с собой тайну потерянного девства и оставив Анонима в окончательной безнадеге — спросить больше некого и не с кого. Вот когда оставшиеся дни, недели, месяцы покажутся мне неизбывной вечностью, вечным предсмертием, и я никогда не умру, Вечный Жид.

Пока что живы оба, и Аноним Пилигримов пытает знакомых и полузнакомых женщин на предмет дефлорации: одни даже не заметили, как это произошло, другие не помнят. Или делают вид, что не помнят? Это для нас событие — потеря ими девства, для них — никакого, да?

А что я бы хотел еще узнать, рушась в смерть? Вот я презирал Тютчева за имперскую суетность: «Взята ли Хива?» — его последние слова. Не факт. Пока мы живы, пусть нас интересует жизнь, а на том свете своих дел будет по горло. Так, может, в норме, если я спрошу тебя со своего одра, кто был твоим целинником? Проблема в другом: успею ли услышать и осознать твой ответ? И поверит ли тебе Аноним Пилигримов, если даже в сей торжественный момент ты будешь талдычить ту же самую бодягу про свою невинность, дабы не расстраивать его перед смертью, ха-ха? Порядок! Коли Тютчев ушел на тот свет, так и не узнав, взята ли Хива, то и нам с Анонимом суждено сойти во тьму с тьмой в умирающем мозгу, так и не прознав истины.

А что есть истина? Лишь тебе не дано прие*аться? пусть е*у свою память, как сказала мне, взревновав, одна юница. Да я бы давно стал импотентом, если бы не память. Сила привычки? Инерция любви? Заряд юношеского влечения? Амок? Амок и есть. Мощная эрекция памяти. Память — моя виагра, корень мандрагоры, эликсир любви. Помню — значит, существую. Е*у — значит, существую. Ревную — значит, существую. Ревность живит воображение. Вылечиться от ревности — и от любви. Точка.

Сколько я о тебе писал, прямо и косвенно, под твоим именем и под псевдонимами, в документалке и фикшн, а теперь вот от имени Анонима Пилигримова — обречен на повторы. Опять же путем домысла, воображения, сомнений, подозрений и ревности. Кто знает? У меня есть два цикла, или, как теперь глаголят, две линейки проз: «е*альная проза» и «ревнивая проза». Соприкасаются, но не совпадают. Ревнивая проза — это любовная проза, и вся эта безумная глава Анонима Пилигримова — объяснение в любви Владимира Соловьева.

В чем я смею тебя упрекать — а мои собственные приключения на ниве нелюбви? Но ты о них знаешь, а я о твоих — только догадываюсь и не знаю, были они или не были. Вот незадача! Есть разница между мужской изменой и женской: когда я е*у, это мы е*ем, а когда тебя е*ут, это нас е*ут.

Мой Монтень пишет о ревности, что она тем более досадна, что ею не с кем поделиться. А с объектом ревности? Аноним Пилигримов делал множество попыток, но туман не рассеивается — в отличие от здешнего океанского, который истаивает под солнцем в хорошую погоду. А у нас с ним погода всегда из рук вон плохая. Беда ревнивца, что у него под подозрением весь мир: знакомые и незнакомые, сущие и несуществующие, аиды и гои, бывшие и небывшие, живые и мертвые. Я ревную к твоему брату, которого у тебя, к счастью, не было, а был бы — старший, младший, не все ли равно! — кто-нибудь кого-нибудь обязательно совратил. А худшая из ревностей — к самому себе. Спускаюсь в этот ад сомнений регулярно. Этот ад во мне. Все говно его (моей) души поднимается на поверхность Ты здесь ни при чем. Ад — это я.

Даже здесь, в Акадии: мир окрест обалденный — океан, скалы, леса, озера, маяки и церкви, лани и луны, лобстеры и поповеры, — а мы? А не так, что эти вспышки ревности и отчаяния суть рецидивы далекой нашей юности и по-любому молодят Анонима Пилигримова и его жену Елену Несчастливцеву?

Да, Аноним Пилигримов?

Ах, Аноним Пилигримов, зря все-таки я дал тебе слово в моей, соловьевской прозе. Как ты смеешь катить бочку компры на мою невинную Лену Клепикову? Мало того, что наговариваешь на нее, так и на меня тоже — путем сознательного самонаговора и нарочитого самооговора художества ради, как тонко замечает Надя

Кожевникова о прозе Владимира Соловьева, утверждая, что мне все равно не удается оболгать самого себя:

*Потому что натура автора, его природа в текстах всегда про-сачивается, и у вас, конечно, тоже. Вы целомудренны, доверчивы и застенчивы, уж не обижайтесь, вы редкий в наше время однолюб, и Лена, ваша на всю жизнь избранница, и счастлива, и обременена такой пылкой страстью. Тут вы безусловный лидер и мало с кем сравнимый образец преданности семейным добродетелям.*

Ну, что скажешь, Аноним Пилигримов, клеветник и доносчик? Это о нас с тобой и нашей общей, на двоих, гёрле Лене Клепико-вой. Даже если только половина из того, что Надя написала нам на ФБ, верна, тебе надо сглотнуть обратно всю свою словесную бле-вотину. И мне тоже: мало того что разоткровенничался в «Трех евреях», так еще оговорил себя, а теперь вот — «всей правде обо мне прошу не верить». Шутка, хотя и она может быть против меня использована каким-нибудь соловьевое*ом. Так же, как ты теперь используешь самооговор Лены «последняя дрянь», хоть той же природы, что самоедство Владимира Соловьева в его горячечной питерской исповеди. Типун тебе на язык, Аноним Пилигримов! Кляп тебе в рот! Будь проклят!

Увы, это как загнать джинна обратно в бутылку.

— А почему она истерит и подъе*ывает нас по любому пово-ду — и без оного? — огрызается злопамятный Аноним Пилигри-мов.

— Например?

— Сколько угодно! Вот…

— Кому ты нужен?

— Сам себе.

— Ты — никто.

— Это мой псевдоним. Настоящее имя — Улисс.

Мимо, хоть и кончала классическое отделение. Не делать же мне в разговоре сноску о знакомстве Циклопа с Одиссеем, как де-лаю здесь.

Или Аноним в самом деле впал в ничтожество, застряв, зацик-лившись на ревности? Или это ничтожит его, чтобы уничтожить? Гнев предпочтительней печали, а что у него? Обида стала горлом.

— I'm Nobody. — И тут же уточняет: — Это не я, а Эмили Дикинсон. Зато у меня мания величия и комплекс неполноценности отлично ладят друг с другом. В отличие от нас с тобой.

Увы, снова мимо.

Оглушительные скандалы, ни с того ни с сего — на тропах, в палатке, в магазине, в ресторане, но кончаются — нет, не сразу, а через пару часов или дней — бурным совокуплением. Как прекрасно всё окрест — и как ужасны мы. Выпустив пар, с еще большей страстью набрасываемся друг на друга.

Пусть схожу с ума. Или уже сошел? Это не разные глагольные времена, а разные глаголы: сошел с ума — клинический диагноз, схожу с ума — душевное состояние. Первое — оценочный взгляд со стороны, а второе — констатация снутри собственной тревоги, паники, сумятицы, усталости, отчаяния. Ты права: сейчас-то что? Прав я: именно сейчас, в предсмертные кануны, хочу знать правду. А хочу ли я знать правду, которую и так знаю? Какую из них? Потому что правд как минимум — две.

Общеизвестна история с Сократом, который так и не позволил своему ученику рассказать правду, о которой и так догадывался, загнав его в тупик тремя вопросами: уверен ли ты, что это абсолютная правда? что она к добру, а не во зло? что она будет мне полезна, а не во вред? Да и так ли для него было важно, что Ксантиппа сношалась с его учеником Платоном? Ученики — ему были важнее жены, и это у Ксантиппы, а не у Сократа случались приступы ревности, коли она однажды опрокинула на него горшок ссаки.

Увы мне, я — не Сократ, а ты — не Ксантиппа, скорее Аспасия, женщина Перикла и собеседница Сократа.

Так чего тогда я хочу и чего чаю? Подтверждения своего знания непосредственным участником этого игрища — таинства — священнодействия? Это для меня игрище — таинство — священнодействие — чудо, а для тебя? Чем было для тебя тогда и что́ — теперь, в воспоминании, в капризной изолгавшейся памяти, когда попрыгали в койке, как сказала не ты, или поза смехотворная, удовольствие мимолетное, а расплата суровая, с чем ты согласна, зато я категорически нет с твоим любимым доктором Джонсоном? Разве что с последним членом его триады:

— Сладку ягодку ели вместе, горьку ягодку я одна.

Клянешься, что никогда не изменяла.

— А если бы изменяла, сказала бы?

— Не знаю.

В самое яблочко моей ревности. В нокаут.

Все, что Аноним знает про то твое лето — из твоего исчезнувшего письма, которое не брала, говоришь теперь ты. Не факт, что это и есть реальность. В действительности все могло быть не совсем так, а то и совсем не так, как на самом деле. Не то чтобы нам с Анонимом нужна правда, только правда и ничего, кроме правды, но, чтобы знать наверняка, нам позарез подробности, о которых ты сама рассказываешь в моих ночных, а иногда и дневных — послеполуденный сон фавна, когда меня смаривает после ночных бдений и я рушусь в койку, — кошмарах.

— Расскажи сон, — просишь ты, которой сны больше не снятся.

— Ну уж нет! Сны — сокровенное. Как для тебя прошлое. Сны — моя реликвия. Не замай.

Ночь непрерывных кошмаров того парутинского жанра с прерывистым твоим рассказом о главном там злоключении. Злоключение — для меня, а для тебя? Один и тот же сон, я просыпался, записывал его, засыпал, мне снилось продолжение, и так много раз, пока окончательно не проснулся, разбитый в пух и прах. Вся моя подсознанка, которую я днем блокирую, повылезла в ту ночь наружу. Боль, кровь, отрада, услада, сласть — зачем мне теперь эти, может, и небывшие парутинские подробности? Из вуайеристского любопытства? Ревность — моя — отчасти — из чистого любопытства? Из писательского любознатства? Пусти меня в свое прошлое, Лена!

А она впускает меня только в себя, когда являюсь к ней среди ночи, и я засыпаю рядом с ней без никаких больше сновидений и сомнений.

Грех всем этим тебя пенять — спасибо тебе за переживания и за сюжеты: реальные или фантазийные, какая разница? Не факт, что реал, а факт есть реал? Воображение возбуждает больше, чем реал. Говорю не только о сексе, но и о сексе — тоже.

Вот в чем отличие Анонима Пилигримова от Владимира Соловьева. Один — литературный персонаж, а другой — писатель. Так бывало и прежде: Константин Лёвин пусть авторский, автобиографический, но литературный персонаж, и очевидный художественный просчет графа, что тот не сделал его писателем, как он сам. Исправляя очевидную ошибку Толстого, я ставлю себя вровень с вымышленным героем: вот эта недружная, конфликтная парочка антагонистов — Владимир Соловьев и Аноним Пилигримов, д-р Джекил и м-р Хайд.

Коли искусство я ставлю выше жизни, то что было в действительности, а что на самом деле, не имеет значения. Нужна ли писателю правда, кою алчет и добивается всю жизнь напролет Аноним Пилигримов, да так и помрет в сомнениях? Зато моя жизнь без этих мук и сомнений бессодержательна, ты права, ища им объяснение: «Значит, для чего-то тебе это нужно». Еще как нужно! В смысле, если звезды зажигают — значит — это кому-нибудь нужно? Нужна ли мне эта правда на смертном одре — моем, а тем более — ужас! ужас! ужас! — твоем? Умоляю, молю тебя, Лена, не признавайся ни в чем, как я тебя ни выспрашиваю и ни допрашиваю! Даже если есть в чем, а тем более, если не в чем! Молчи, скрывайся и таись, да простит меня Тютчев за искажение, а на самом деле улучшение его стиха. Если даже в детективе разгадка всегда разочаровывает — фокус-покус на месте метафизической, пусть и физической, сакраментальной тайны.

Да пошел ты, Аноним Пилигримов Хочу Всё Знать, со всеми своими заморочками! Не тронь мою девочку Лену Клепикову, м-р Хайд-Аноним Пилигримов! Мне не нужна ни скромница, ни скромница, а какая ты есть — таинственная, неразгаданная. Не я тебя создал, как Пигмалион Галатею, да и той в лом, вот и взбунтовалась. Ты — тем более — сама по себе. Не я тебя создал, а ты — меня, как я Анонима Пилигримова: пусть гендерная подмена — ты мой Пигмалион, я твоя Галатея. А я тебя не создал, а назначил — писателем, музой, любимой, целой, белой и пушистой. В чем-то соответствовала, а в чем-то — нет, да и не от тебя одной зависело, какой тебе быть и какая ты есть, а Аноним Пилигримов удивлялся прорехам и несоответствиям. Симулякр — копия с оригинала, которого не существует. То есть существует, но только в моем воображении, а воображение правит миром, заключил Наполеон, исходя из своего опыта. Ему удалось материализовать свои фантазии, но карточный домик его фантазийной империи рухнул, погребя его под собой, зато пенис, его тайный вожатый, был заспиртован и сохранен навсегда. А мой карточный дворец по имени Лена Клепикова все еще стоит, колеблемый любым дуновением, что тот тростник либо Эолова арфа. Never Never Land. Я назначил тебя моей женщиной, а ты — ни в какую. Невыполненное — нет, невыполнимое! — обещание, которое ты никогда мне не давала, ну и что с того? Невосполнимая потеря? Так ли уж это важно теперь — какая ты на самом деле? Какая есть, такую люблю. А какую любил? Какой полюбил? Какой вообразил? Какую назначил? Ревность под ручку с отчаянием, будь прокляты оба!

Вот так и брожу всю жизнь по лабиринту своей жизни, не находя и не ища выхода. А зачем? Это мой дом, я сам его воздвиг по лекалам моей души, другой — без надобности. Драйв, сюжет, интрига моей путаной жизни. Без этого напряга и жизнь не в жизнь!

Господи! Не сделай меня похожим на Анонима Пилигримова! Дай мне силы отличить себя от него.

**Конец безумной исповеди Анонима Пилигримова**

# Автопортрет в траурной рамке.
# Некрофильские игры с цитатами

*RIP — to myself*

*Я уже насытился жизнью.*
1000 и одна ночь

А не пора ли Анониму Пилигримову пришпорить Пегаса и вертануть этого капризного конягу назад в нью-йоркскую конюшню, чтобы все новые замыслы, мысли, сюжеты и драйвы перенести с бумаги в скучающий дома в одиночестве комп? Вот беда: поклонник Владимира Соловьева прислал Анониму Пилигримову в подарок лэптоп — наколенник, а мы с моим авторским персонажем и alter ego не успели его освоить. Вот и возвращаемся домой, а на мачтах нашей старенькой «мазды» пузырятся паруса, от похоти ветров беременея. Никаких к обоим авторам претензий за пикантный образ и за mixed metaphor — спрос с Великого Барда, цитирую «Сон в летнюю ночь».

С другой стороны, хорошо. Я про это компьютерное воздержание. Сколько мы оба-два — Аноним и Владимир — скопили за это время энергии, чтобы излить ее по приезде в чрево одного на нас двоих компа. Не уподобились ли мы участникам велопробега Le Tour de France, у которых полгода перед ним табу на секс, а уж если совсем невтерпеж, то без оргазма — дабы излить фонтан скопленной спермы на финишной прямой? Это уже не Шекспир, а Соловьев с Пилигримовым, но под его очевидным влиянием.

Пусть не полгода, но за месяц наших августовских скитаний мы с Анонимом Пилигримовым скопили мало не покажется, главное теперь — не расплескать по пути. Две юбилейно-антиюбилейные статьи про Кушнера-Скушнера, чтобы найти этому советскому стихотворцу место под солнцем русской поэзии, смутно догадываясь, что вызову огонь на себя за эти публикации. Эссе про Александра Володина, которого я странным образом упустил в книгах о шестидесятниках, хоть и дал в одной ему посвященный рассказ «Капля спермы». Немного политоложества — на носу президентские выборы, а мы с Леной Клепиковой не то что поставили на Дональда Трампа, но предсказали задолго поражение его сопернице — в статьях и в книге-политикане с Трампом на обложке — она успела выйти в Москве перед нашим броском на север. Замысловатый рассказ «Русская улица. Аденома» про рисковые шуры-муры и трали-вали героя с женой своего уролога с неожиданным концом, о котором, впрочем, я узнаю́ по возвращению в Город (забегая вперед, а потому из суеверия если возвращусь). Об ушате ревнючей напраслины, которую безобразник Аноним Пилигримов, дав волю «ложному воображению», обрушил на мою невинную жену, не ее стиль, не ее амплуа, не в образе, хотя, конечно, могла и выйти из образа ввиду чрезвычайных, форс-мажорных обстоятельств, прогнуться под ними и дать слабину, кто знает, кто знает, кто знает, нашептывает мне еще один мой соавтор по имени Червь Сомнения — а не вставить ли эту ревнивую — точнее, любовную — главу, как свидетельство клинического помешательства моего скорее все-таки героя, чем соавтора, в этот мой субъективный травелог — дорожник — не пропадать же добру, пусть и тараканы в голове? А сам этот травелог в нашу с моим настоящим соавтором без вины виноватой Леной Клепиковой в очередную, девятую кряду книгу про страну нашего нынешнего обитания — ПМЖ? «Америка с черного хода»? «USA — pro et contra»? «Глазами русских американцев»? О названии надо еще подумать и поспорить с Леной, а потом с московскими реализаторами, которые, увы, далеко не всегда правы. Уломали нас поменять чудное название «Дональд Трамп как зеркало американской революции» (так называлась моя газетная о нем статья, на нее и клюнул РИПОЛ в лице гендиректора, это с его подсказа мы сделали ту книгу), как бы оно пригодилось впрок на случай его победы, на безликое, серое и бесперспективное «Дональд Трамп. Борьба за Белый дом». Вот поэтический отзыв психиатра и писателя Владимира Леви на одну из моих предсказательных статей:

*Всё точняк, один в один.*
*Ай да Пушкин, сукин сын!*
*Поселился в теле новом:*
*стал евреем Соловьевым.*

А этот остроумный отклик от моего друга из Голландии русского поэта Наташи Писаревой — наоборот, прозой: «Прочла на одном дыхании! Изложено тонко, с юмором, и, что самое главное, сюжетная линия не дает скучать. И все политические коллизии благодаря авторской интерпретации не выглядят такими уж непонятными и пугающими в глазах обычного, не отягощенного государственными проблемами читателя, каким, к примеру, являюсь я».

Только бы успеть! Столько замыслов не просто в голове, а записанных по старинке на бумаге. Только бы разобрать собственные каракули. У тебя не плохой почерк — у тебя нет почерка — очередной подъе* Лены Клепиковой, у которой комплекс моей неполноценности, зато у меня — никакого. Хотя здесь она, пожалуй, права. А если я пишу симпатическими чернилами, чтобы сделать их невидимыми для супостатов, включая самого себя, потому как нет большего врага человеку, чем он сам, да?

Ну, само собой, Бог посмеивается, подглядывая через плечо за моими симпатическими предположительными записями, а сам располагает моей судьбой как попадя. Или этим заняты три мерзкие старухи по фамилии Парки, они же изначально, у греков — Мойры, а имена у них — дай Бог память! Не дал, вспомнил только одну, последнюю, а потому полез в Вику: прядильщица Клото, вожатая Лахесис и обрезальщица Атропа Неотвратимая, вот кого я ненавижу больше всех! Есть за что. И Харона тоже.

Мне пеняют смертолюбием. Не один я. Тот же родоначальник — явись, возлюбленная тень, пир во время чумы, грядущей смерти годовщину меж них стараясь угадать и прочие некрофильские вирши. Или на современный лад: где прервется моя колея? О Бродском и говорить нечего — хоронил себя через стих: жить — это упражняться в умирании. Упражняйся — не упражняйся… — это не возражение, а реплика в сторону. Точный ли это перевод с арабского — насытился жизнью? или пресытился жизнью? Разница колоссальная: может, я и насытился, но не пресытился. Я написал о пушкинской некрофилии в последней, перед разрывом с официозом, статье в «Литературке», аккурат накануне образования независимого информационного агентства «Соловьев — Клепикова-пресс» — как на меня тогда набросились, пользуясь моим новым статусом персоны нон грата, а некий долбоё* (Я. Гордин) — неимоверно раздутое честолюбие при полном литературном убожестве — тиснул проплаченный донос-заказуху.

Мельчим, однако — к слову пришлось. Коли человек начинает умирать с рождения, так я начал хоронить себя чуть ли с первых моих опусов. Каждый — рассказ, эссе, роман, книгу, эту включая, — пишу, как последний. Собственно, весь свод моих сочинений можно рассматривать как эпитафию себе заживо. Ну да, «Автопортрет в траурной рамке», хотя это название оправданны, покуда автор жив, а post mortem становится типа плеоназма с уклоном в абсурд.

Пусть иные корят меня в несуеверии, а другие, наоборот, в кокетстве, кое-кто, правда, догадывается, что таким образом я иду на опережение, в обгон, заговаривая смерть и омолаживаясь с ее помощью. Ну, как борода в моем возрасте не старит, а молодит, скрывая морщины. Приведу, однако, образчики всех трех вариантов.

Некий коллекционер пишущих машинок из Германии опубликовал, оказывается, целый роман, мне посвященный: Владимир Соловьев — главный его герой. С подзаголовком «роман-комментарий» — результат кропотливого, с лупой, вчитывания, всматривания в мои тексты. Лестно, конечно, хотя много вздорных догадок и просто лажи. Но здесь уже ничего не поделаешь, коли Владимир Соловьев, по словам блогера Софии Непомнящей, «пожизненная любовь наших родителей и легенда для людей моего поколения». Там, где я пишу прямым текстом, немецко-русский этот автор вместо контекста ищет подтекст, приписывая мне разные небылицы. Сошлюсь на другого родоначальника — всемирного: сигара иногда это просто сигара, и ничего более. Однако вот кусок из этого обо мне романа, который имеет прямое отношение к некрофильскому сюжету этой укороченной главы. Речь там о моем «романе с памятью» — подзаголовок, а название «Записки скорпиона» — десятилетней давности московского издания:

*Первые восемьдесят страниц из восьмисот проникнуты каким-то кладбищенским настроением. Тянет В. Соловьева писать «о самом себе как о будущем трупе». Книга и начинается с того, что автор рассматривает возможность «завещать свои органы медицине», чтоб «ни лишних трат, ни хлопот наследникам». (Ближайших наследников, как известно из прошлых книг В. Соловьева, всего двое: жена Лена Клепикова и взрослый сын Жека-Юджин. Но, правда, при том условии, что В. Соловьев — это действительно он сам, а не его двойник, и, разумеется, жена и сын тоже должны быть не просто литературными героями, а истинными Леной Клепиковой и Юджином Соловьевым.) Итак, «чем гнить на кладбище или дёргаться в печи крематория», он предпочел* бы «физическую расчленёнку на благо медицине», но вроде бы пока ещё не решил окончательно.

«Песочные мои часы на исходе... Вот-вот буду покойником... Не этой ли ночью отдам концы?.. Этой книге... суждено остаться недописанной...» Читатель в моём лице до того обеспокоился похоронными настроениями автора, что, позабыв о собственном преклонном возрасте, начал подсчитывать: «Записки скорпиона» появились в 2007 году, писал он эту книгу никак не меньше года, пусть ещё год потратился на хождение рукописи по московским издательствам (возможно, теперь это и быстрее, но округлим для ровного счёта), — выходит, ему тогда было 63 года, так что всё-таки имел право сомневаться, доживёт ли до семидесяти. Совсем недавно видел его по телевизору, вместе с женой Еленой Клепиковой они вспоминали о Сергее Довлатове, так что, скорее всего, В. Соловьев жив по сию пору, только зря разволновав себя и нас возможностью досрочного ухода. Хотя, с другой-то стороны, его можно понять: никто ведь не знает своей даты... С некоторых пор вообще начинаешь обращать внимание на чужую продолжительность жизни, когда она приводится в книгах или на памятниках, — и сопоставляешь её с нынешним собственным возрастом. Почему-то чаще всего так получается в последнее время, что твои годы вплотную приблизились к возрасту людей ушедших. Но это так, к слову... Немного отвлекаясь в сторону, пишешь об этом лишь для того, чтоб выразить готовность разделить с автором его меланхолическое настроение в первых восьмидесяти страницах «Записок скорпиона».

А вот образчик иной реакции на мои смертолюбивые сюжеты — предупредительно-суеверный. Редактор сан-францисской газеты «Кстати», прочтя у меня в рукописи «мне бы еще год-полтора, чтобы доосуществиться», дал мне решительную, но, впрочем, доброжелательную отповедь:

*Владимир, нашел у Вас эту неосторожную фразу и встревожился за Вас. Вы столько знаете о подсознании и бессознательном, и такую элементарную ошибку совершаете! Ни в коем случае нельзя такие вещи озвучивать! Потому что подсознание понимает все буквально, не воспринимая ни юмора, ни иронии. А оно, подсознание, управляет всеми процессами в организме. Возникает оно у человека раньше, чем сознание, формируется к пятилетнему возрасту. И, обладая огромной силой, остается при этом на уровне развития пятилетнего ребенка: не понимает юмор (шутки, иронию и т. д.) и может вполне всерьез запаниковать и отключить в организме системы жизнеобеспечения. Никаких сроков ставить нельзя, ни мысленно, ни в разговоре, ни тем паче в печатном тексте. Разве что большие сроки: сказать себе что-то типа: хочу прожить (или даже — проживу) еще лет двадцать пять — тридцать. Может, столько и не выйдет, но настрой останется на длительный срок, и подсознание это учтет. Подумайте, может, поправить эту строчку, про год-полтора. В общем, подумайте над этим местом.*

На что я ему:

*Ну, во-первых, со смертью мы всегда ведем неравную игру, помните у Бергмана в «Седьмой печати»? Про подсознание Вы правы — у него плохо с чувством юмора, а так как мы на 97 %, кажется, состоим из него, то нам ничего не остается, как иронизировать в оставшихся 3 %. А Вы уверены, что наше подсознание подслушивает наше сознание? А тем более заглянув через плечо редактора, прочло эту мою злосчастную фразу в рукописи? Пусть будет «во-вторых». В-третьих, это у меня постоянный рефрен в разных вариациях. Не я один — тот же Бродский хоронил себя заживо с юности — ложился ли на операцию геморроя или шел к зубному врачу: «До встречи», — сказал я ему. — «На кладбище», хотя до смерти ему было еще жить и жить. В-четвертых, поздно менять фразу — книга уже ушла в типографию. А главное, я же не о жизненных сроках, а чтобы литератур-*

*но доосуществиться, а потом, может, я ударюсь в загул на свободе от трудов праведных и неправедных.*

Одна только изумительная тонкачка и отгадчица Зоя Межирова с ходу просекла что к чему и печатно объяснила себе, мне и читателю некрофильские мои игры в своей на одну из моих книг рецензии. Самое место здесь ее процитировать, коли меня повело в кладбищенскую сторону:

*Энергия слова, плотность всей ткани прозы так велики, что можно с уверенностью сказать — писал книгу молодой человек. Это как голос, — по его интонации узнаёшь о состоянии, настроении говорящего, — голос, его звук, скорей даже тон его, нельзя подделать. Так же и с энергией, которую я ощутила. Поэтому в частых отсылах читателя к мысли о бренности и собственного бытия, у автора есть — на сегодняшний день! — (через элегантные лекала различной направленности пластики) как бы некоторая доля лукавства – вот так он, как мне показалось, чуть смущенно оправдывает энергетику молодой своей литературной силы. А она на протяжении всего повествования не иссякает. Кажется, энергии слова не будет конца. Впрочем, это так и есть. И возрадуются кости, Тобою сокрушенные (50-й псалом Давида).*

Вот именно — в самое яблочко! Спасибо обоим — царю Давиду и поэту Зое Межировой, которая к тому выдала мне еще одну чудную цитату из Акафиста перед чудотворной иконой Всецарицы, в Россию из Афона привезенной: «И не изнеможет у тебя всяк глагол». И не изнемогает — такая сила у этого пожелания. Пока что. И в гроб сойду пляша. Привет, Марина Ивановна!

А что дает такая предварительная подготовка к смерти, мне довелось выяснить под конец этого райско-адова путешествия. В том смысле, что из райской Акадии мы угодили в самый что ни на есть ад. Это по ощущениям, а по сути — в предсмертие. Лично мне упражнения в умирании еще как пригодились — исчез страх смерти, притупилось чувство опасности, а инстинкт самосохранения опустился ниже некуда. Не то чтобы море по колено, скорее легкомыслие взамен мужества. А чего бояться, когда жизнь стала интроспекцией, физическая боль снимается пейнкиллерами, а обращенные в прошлое сердечные муки повышают душевный болевой порог? Именно легкомыслием, а не мужеством можно объяснить многие мои жизненные ходы и поступки — ту же смертельно опасную конфронтацию с Левиафаном государства, хотя чудище обло, озорно, огромно, стозевно и лаяй, кто спорит? Здесь, однако, нас подстерегал Левиафан нерукотворный.

Нетерпение сердца и творческое недержание — нам бы прямой наводкой рвануть в Нью-Йорк, но нас ждал перевал — транзит в виде упомянутого нью-гэмпширского кемпграунда на Медвежьем озере, где я надеялся еще раз повидаться с любезным моему сердцу и глазу святым семейством крикливых лунов, зато избежать еще одной конфронтации с кусачей змеей-перерожденкой. Обычно мы задерживаемся здесь на пару-тройку дней: неизбежная ссора, примирение, секс, грибы, три-четыре мили по здешним тропам, заплывы в ласковом торфяном озере и проч. На этот раз нам удалось только закатить скандал друг другу сразу по приезде уж и не помню, по какой причине, да и не так важно ввиду громкости и яркости следствия — соседи по кемпингу с большим интересом вслушивались в чужеязыкую речь на повышенных тонах. На утро, не здороваясь и не прощаясь, каждый ушел своим путем, благо троп здесь достаточно, чтобы не пересечься в Эвклидовом пространстве Нью-Гэмпшира, я вернулся первым и с нетерпением теперь поджидал мою спутницу, чтобы поделиться веселой, как мне казалось, новостью.

— Как Адама и Еву, нас изгоняют из Эдема за плохое поведение.

Никакой реакции.

— Собирайся. Мы должны сегодня же отсюда убраться. Подобру-поздорову. Иначе нас силой вышвырнут из кемпинга.

Без никакого интереса:

— Это у тебя юмор такой?

И в сей торжественный момент я предъявляю документ — официальную ксиву с уведомлением сегодня же покинуть лагерь, которую обнаружил на ветровом стекле под дворником.

В чем прелесть моей вечной спутницы — при всей разветвленной душевной системе, она наивна и доверчива, как дитё. Разыграть ее ничего не стоит. Вот почему ее любимый с юности автор — Толстой, а не Достоевский, к которому ей долго пришлось привыкать, но будучи тонкачкой-стилисткой, она и его полюбила — за язык.

— Это из-за вчерашнего скандала?

— Бери выше.

Обалденно так на меня смотрит. Еще бы! Чудесный день, солнце, на небе ни облачка, легкий бриз. Вот он и есть предвестник грядущей бури. Ну да, буревестник, а в нашем случае — еще и горевестник.

Лена тянет меня в офис качать права.

Аргументы у нас слабенькие — что заплачено вперед (вернем), что наш кемпинг далеко от океана, который мог бы слизнуть нашу палатку (а ветер, который повалит на вас дерево и убьет!), не ветер валит деревья, в океанская вода подмывает их корни (а ветер вырывает их из земли).

— О чем спорить? — не выдерживает рейнджер. — Есть приказ закрыть все кемпинги в Новой Англии и Нью-Йорке.

— Когда мы должны уехать?

— До четырех часов. Ураган начнется в семь.

Прям как начало киносеанса. Чего он не учел и не усекли мы, что этот кемпинг для местных — из Нью-Гэпшира и соседних Массачусетса и Коннектикута, в двух-трех часах отсюда, а до Нью-Йорка нам ехать часов семь как минимум. Уж отдыхать, так до упора, нельзя, чтобы этот день зря пропал — наша программа-максимум, а потому звоню в Нью-Йорк — как там настроение у наших русскоязычных друзей. Возвращаюсь к Лене, с которой заключен если не мир, то перемирие, ввиду необходимости держать общую оборону против общего врага, с утешительными вестями, которые я, стараясь подсуетиться под мою душеньку, для которой любой повод сгодится для пессимизма, слегка преувеличиваю:

— Мишель говорит, обычные преувеличения, ну, типа перестраховки. Помнишь, с год назад, продукты впрок закупали, а все обошлось. И Сашок того же мнения. Даром, что ли, говорят, что врет, как синоптик. Где наша не пропадала!

Помимо того, что после скандалов в поисках мира под оливами я всячески стараюсь ублажить и задобрить мою любимую и впадаю в сентиментально-расслабленное состояние, я принадлежу к тому типу русского человека, который пока гром не грянет, не перекрестится и только после драки машет кулаками. К тому же нам, иммигрантам, чуждо встревоженное состояние аборигенов по поводу погоды, которое мы принимаем за паническое. Короче, мы насладились этим днем сполна, назло незнамо кому отправились на дальнюю тропу, взирая на все жадным взором василисков, а когда вернулись, лагерь был пуст, зато около нашей палатки дежурили, нас поджидая, четыре машины — местной полиции, парковой полиции и две рейнджерские. Мы объяснили задержку тем, что заблудились, наспех собрались и отбыли где-то около пяти, эскортируемые этим почетным конвоем. Небо над всей Испанией было безоблачное, а потемнело вдруг, когда мы уже выехали на большак — межштатный хайвей под номером 93. И сразу же началось сплошное безобразие и светопреставление. Когда мы въехали на сквозную 95-ю, которая через всю Новую Англию ведет в наш Нью-Йорк и далее, но нам туда не надо, мы катили уже под обложным ливнем, ни зги, ехал вслепую, на ощупь, только вспыхивали по пути огромные компьютерные щиты с красными тревожно мигающими предупреждениями, что все должны немедленно прекратить езду в незнаемое, при первой возможности съехать с дороги и искать убежище — смертельно опасно! Зато забитый обычно до отказа хайвей был абсолютно пуст, а потому хоть нас и мотало из ряда в ряд, никаких инцидентов ввиду отсутствия иного транспорта, кроме нашей одинокой «Мазды Протеже», ни одной полицейской машины, даже стражи порядка все попрятались, дрожа от страха, мы с моей спутницей были одни на всем белом — точнее, сплошь черном — свете.

Ну ладно я, отрепетировав смерть в своей прозе, мысленно и эмоционально свыкся с ней и в жизненный расчет не принимаю. Но моя Лена, пусть и не моя, Лена Клепикова, для которой panic

attack стал не просто нормой поведения, но modus vivendi, обще-
житейским кредо и обыденной, рутинной, домашней философией
без никаких угроз на горизонте, на этот раз была совершенно спокойна и с ходу отвергла парочку моих вялых, впрочем, предложений внять грозным световым предупреждениям и съехать с дороги — я больше и не пытался ее уговорить или урезонить.

Чем мы были ведомы той беспросветной ночью, когда сквозь
тьму и ненастье, по пояс в воде, медленно, шагом, вслепую про-
двигались к Нью-Йорку — мужеством или легкомыслием? В труд-
ной, рисковой, смертельной, как сейчас, ситуации Лена совсем
иная, наоборот, чем в обыденной жизни, где она измышляет несуществующие опасности, зато при существующих, реальных,
взаправдашних всегда оказывается на высоте: проверено неоднократно, а мы с ней попадали в такие жизненные передряги — врагу не пожелаешь. А ты еще смеешь, Аноним Пилигримов, сомневаться в моей девочке, нашей с тобой общей жене, принимая ее
покаянное — overreaction на невинный скорее всего поцелуй, последняя дрянь она в своем восприятии, а не сама по себе — письмо с того лимана за признание, пусть в камуфляже, в грехопаде-
нии, shame on you! Пусть не добытчик, хотя были времена шести-
значных авансов за наши политические триллеры, зато во всем
остальном — любящий муж, вечный спутник, е*ур каких поискать, «тебя слишком много!» — это жалоба или комплимент? —
инициатор и продлеватель нашей писательской жизни и надеж-
ный водила — во всем остальном на меня можно положиться. Вот
почему ты сейчас спокойна, когда я рулю наш корабель, нас мота-
ет из стороны в сторону, заносит в море разливанном, темно как
в гробу, разверзлась твердь небесная, буря мглою небо кроет.

Честно, полной гибели всерьез мы избегали на этот раз чудом.

Нам повезло — мы проскочили мост через Восточную реку в самый последний момент перед его закрытием — зато бесплатно, все
контролеры сами сбежали либо были в аварийном порядке эвакуи-
рованы, и уже под утро еле живые ввалились в наш дом, где нас при-
ветствовал в некотором недоумении Бонжур. Трудно было определить гамму чувств на его родном кошачьем лице: где вас носило? уж
и не чаял встретить вас на этом свете? чтоб это в последний раз!

Что ж, за все надо платить — имею в виду все, что я испытал в этом путешествии в райскую Академию. Дешево отделались, коли вернулись живые и невредимые. Жизнь в Нью-Йорке остановилась — закрыто метро, не ходят ни автобусы, ни такси, ни частный подвоз, отменены самолетные рейсы, бродвейские спектакли и даже бейсбольные матчи. Есть возможность сосредоточиться. Я сажусь за компьютер и начинаю писать «Лабиринт моей жизни» — сомнамбулу-прозу, которую теперь кончаю, ставя в ней последнюю точку.

# Зоя Межирова

\* \* \*

*Первоначально строка значило укол.*

Из словарей

Володя мой Соловьев,
Флейта, узел русского языка,
Бесшабашно-точных
Нью-йоркских рулад соловей,
Завязывающий Слово в петлю,
От которой
Трепещет строка,
Становясь то нежней, то злей.

Вокруг никого,
Поговорить уже не с кем,
Среди небоскребов —
Один.
Но если и так,
Что бы там ни было –
Господин,
Сам себе
И отец,
И блудный

Подсудный сын.

Держитесь, Володя,
Делать нечего,
Такие вот времена.
Волна отбросила,
О скалы расшибла,
Отлива, прибоя
В этом вина.

Но всё прибывает, питает
Никем не отобранный
Плавный мощный язык.
Знаю, что только к нему
Вплотную,
Как живительному
Источнику,
И приник.

Никого нет вокруг.
Страшно. Пустынно.
Но Библия на столе.
Перед работай читать,
И дурные мысли
Умчатся на помеле.

Да вот еще кот-мудрец,
Сбоку у книг примостился,
Смотрит взглядом
Всех континентов
И всех времен,
И не отводит глаза...
Какая нам разница, Володя,
Что за погода
И что за день,
Слабый свет
Неслышной луны

Или беснующаяся гроза?

Пейте живительный
Горький напиток,
Дивный язык
Далекой бездонной
На время канувшей
В топи сказок
Или исполнившихся
Предсказаний
Сонной покорной страны.
Там травы благоухают
И веют отравой,
И выходы из потерь
Почти уже не видны.

Но все еще
Вещая птица Сирин
Властительно в темной
Беззвездной ночи поет
И призывает
Над материками
Необозримый,
Незримый,
Неутолимый
Строки
Победный полет.

ЕЛЕНА КЛЕПИКОВА__

# МУЖСКИЕ КОМПЛЕКСЫ ГОЛЛИВУДА

# СОЕДИНЕННЫЕ ПРЕЗИДЕНТЫ АМЕРИКИ: ВСЕ ОНИ ЛЮБИЛИ ЭТОТ НИКАКОЙ ФИЛЬМ!

Журналисты, историки и писатели долго и безуспешно пытались вычислить «среднего американского президента». Что их всех, таких разных и всяких, роднит? В чем их национальная и в чем личная особость? Где у них можно потянуть за ту ниточку, чтобы обозначился пунктирчик судьбы, характера, командного склада? Вот, к примеру, сотворили в Америке и в Европе внятный всем типаж советского генсека, а нынче — российского президента. А с американскими президентами не получилось.

И вот, начиная с 34-го в середине прошлого века избранного президента и кончая предпоследним, 44-м, общая между ними черта была наконец отыскана. Все эти одиннадцать белодомовских друзей Оушена, вся эта президентская рать просто жить не могла без нравственной опоры и суфлерской подсказки фильма «Ровно в полдень».

Есть фильмы для детей, есть только для взрослых. А бывают фильмы исключительно для американских президентов.

Конечно, их смотрит, когда захочет, вся Америка. Но только президентам без этих фильмов — совсем невмоготу в Белом доме.

Билл Клинтон, квартировавший там восемь лет подряд, отсмотрел этот, специально для президентов, фильм свыше 20 раз. Кинооператоры, таскавшие одну и ту же ленту по заказу Клинтона в Белый дом, считали до 20 раз. А потом считать перестали — сочли президента киноманьяком.

Дуайта Эйзенхауэра никак не заподозришь в пристрастии к Голливуду. Но был один фильм, который он смотрел, смотрел и не мог насмотреться. Более того — всякий раз видел его заново: напряженно и страстно.

Выпущенная на экран в 1952-м, в год избрания Эйзенхауэра на высший пост в стране, картина «Ровно в полдень», резкая, как гравюра, и прямолинейная, как стрела, была прокручена на экране в Белом доме раз пять за двухсрочное проживание там 34-го президента США.

Да, Эйзенхауэр — не только президент, но и суровый, прямодушный генерал — не возбуждался от искусства. Но был в отпаде от одного-единственного фильма. В самом деле: не успел он разместиться на новом месте и усвоить его устав, как тут же заказал бобину с любимой кинолентой. Предвкушая восторг от предстоящего ему зрелища и мысли не допуская, что кому-то этот фильм не по ноздре, Айк (так называли Эйзенхауэра) пригласил на просмотр скучавших в кулуарах репортеров.

Свет погас, еще мелькали титры, а здравомыслящий и хладнокровный президент с головой ушел в виртуальный мир. На экране одиноко маячил Гэри Купер в роли отважного шерифа, падающего с ног от усталости. Четверка неумолимых киллеров протурила шерифа сквозь его опустевший от страха городок, и он затаился в конюшне, которую эти подонки подожгли. Айк наклонился вперед в ужасном волнении. Как только Гэри Купер прыгнул на лошадь и, сохраняя свое дурацкое достоинство перед бандитами, двинулся из конюшни, президент уже не мог сдержаться. «Беги! — завопил Айк. — Скорее!»

Интуитивный порыв Эйзенхауэра, отождествившего себя с киногероем, оказался пророческим. «Ровно в полдень» — фильм бесхитростный, простодушный, но в то же время — знаковый, эпохальный, исторически плодовитый. За ним тянется длинный и внушительный хвост истории. И не только тем славен этот фильм, что живо и емко воплощает в сюжете кредо ковбоя-главнокомандующего: «Мэн должен делать то, что мэну должно делать».

«Ровно в полдень» — самый прославленный из голливудских вестернов. Казалось бы, ну что в этой скромной киноленте привлекательного? Фильм мрачно-черно-белый, беден сценическими и живописными эффектами, сполна уложился в скупые 85 минут.

Но именно этот киношный простак повлиял решительно на все — от телесериала «Дымок от пистолета» до спагетти-вестернов Серджио Леоне. Киноцитаты из «Ровно в полдень» достигли космоса в жанре фэнтези и в виде постеров «Солидарности» приняли участие в первых в Польше посткоммунистских свободных выборах.

Но вот что удивительно: «Ровно в полдень», или дословно «Высокий полдень» («High Noon»), до сих пор боевая, гордая и актуальная политическая метафора. И фильм остается ненаглядным и до зарезу потребным для всех, после Айка, американских президентов, включая интеллектуала Барака Обаму.

Режиссер фильма — Фред Циннеманн, автор сценария — Карл Форман, заказчик — независимая кинокомпания Стэнли Крамера. Здесь дебютировала молодая Грейс Келли и вернулся в кино после долгой отлучки весьма немолодой Гэри Купер, затухающая тогда звезда на голливудском небосклоне. «Ровно в полдень» получил четырех Оскаров (Купер — за лучшую актерскую роль).

Этот фильм-семенник с мощной детородной потенцией сотворил на телевидении жанр докудрамы в прямом эфире. Разумеется, это была игровая докудрама, художественная фикция. Накаленные события из «Ровно в полдень» на телеэкране разворачивались серийно и с уловкой подлинности — с места действия и в реальное время, необычайно подходящее для этой моральной телепроповеди: в воскресное утро.

Прокрученный на кинофоруме в Манхэттене, этот — исключительно для президентов — фильм был восторженно и вдумчиво встречен более широкой, хотя и элитной аудиторией. Прихотливый критик из «Нью-Йорк таймс», сам на себя дивясь, написал хвалебную рецензию на простецкий (интригой, пафосом, этикой), сплошь черно-белый, к тому же 50-летней давности фильм. Критик рассуждал приблизительно так: вроде бы все сюжеты вестернов — давно отстрелянный материал, однако этот вестерн не устарел ни по стилистике, ни по идее. Идее одинокого, никем не востребованного, абсолютно убыточного для подвижника подвига. В истории шерифа, который встал на защиту трусливых, неблагодарных сограждан от мстительного гангстера, есть потрясающее уяснение того, что мы называем мужеством в человеке, и как это тяжко и горько быть мужественным в мире головорезов и трусов.

У этого кинолоха не только умопомрачительно долгое — до наших дней! — и славное будущее, но и мрачноватое и не очень симпатичное прошлое.

Предыстория такова: в 1948-м, в разгар охоты за «красными ведьмами», Карлу Форману предложили написать пародийный сценарий про ООН. Спустя пару месяцев после окончания сценария, когда фильм уже был запущен в производство, Форман, бывший член компартии, предстал перед пресловутой комиссией по расследованию антиамериканской деятельности. Как и многие тогдашние интеллигенты, Форман отказался назвать имена своих коммунистических сообщников. И был выброшен своим партнером Стэнли Крамером из независимой кинокомпании, независимость которой оказалась теперь под вопросом.

Под влиянием этих чрезвычайных событий сама аллегория фильма приобрела несколько иной, более актуальный смысл, и Форман с тех пор неизменно настаивал, что «Ровно в полдень» — кино против маккартизма как такового. И более конкретно: о так называемых черных списках. В эти списки входили известные писатели, ученые, журналисты, которых сенатор Маккарти требовал лишить работы. Так был изгнан из «Манхэттенского проекта» отец американской атомной бомбы Роберт Оппенгеймер, так исчезли с афиш имена Артура Миллера и Лиллиан Хелман. Больше всего, само собой, пострадал Голливуд и его окрестности. Форман — в том числе. Тем более он успел добавить в сценарий диалог в духе времени, несмотря на уговоры друзей не ставить под удар фильм, в который уже столько вложено сил.

Особенно усердствовал Джон Уэйн, самый ярый антикоммунист в Голливуде. Беспокоясь за репутацию Купера больше, чем сам Купер, он умолял Формана, чтобы тот самолично снял свое имя из титров фильма. Форман наотрез отказался. Уэйну ничего не оставалось, как выразить возмущение фильмом «Ровно в полдень» в целом. Случилось это в 1958 году, когда он сыграл главную роль в «Рио Браво» — своеобразном антиподе, идейной перелицовке в обратную сторону киноленты «Ровно в полдень». Его крутой шериф из «Рио Браво» не только не взывает к горожанам, но даже отклоняет их, с его точки зрения, неуместную помощь. Даже спустя многие годы Джон Уэйн продолжал негодовать, называя «Ровно в полдень» «самым антиамерианским фильмом, когда-либо мною виденным». И признавался «Плейбою», что «никогда не сожалел о том, что помог вышибить этого Формана из нашей страны».

Существует, однако, и другая точка зрения. Как заметил культуролог Ричард Слоткин, анализируя мифологию пограничья в книге «Нация с револьвером», куперовский шериф-одиночка «...упорно отстаивает необходимость превентивного насилия — чтобы отвратить злодеяния, которые — он один уверен — неминуемо грядут». Вот этот мужественный волюнтаризм одиночки, прозорливого и авторитарного, перед лицом людской трусости и разброда и есть идеал американского политика. И недаром этот фильм — фаворит у американских президентов. Именно им случается принимать в одиночку непопулярные, рисковые, убыточные, но с их колокольни — абсолютно неизбежные решения.

Линдона Джонсона, втравившего нацию в войну во Вьетнаме, прямо сравнивали с долговязым шерифом в исполнении Купера. И Ричард Никсон, и Джон Кеннеди, и Линдон Джонсон, и Рональд Рейган, и Джимми Картер — все едино отпадали в Белом доме от фильма «Ровно в полдень». Но никто из них не переплюнул Билли Клинтона, поставившего рекорд президентского отпада от кинокартины. А Клинтон был инициатором не только непопулярной, но и не очень внятной среднему американцу войны в бывшей Югославии.

«Это фильм о мужестве против боязни и малодушия. О парне, который делает то, что делать должен, хотя рискует всем», — сказал Клинтон репортеру Дэну Разеру в 1993 году. «Гэри Купер на экране прямо-таки зашиблен страхом — от начала до конца. Он и не прикидывается каким-нибудь мачо или крутым мэном. Он только делает то — в страхе и дрожи, — что считает единственно провильным. Это великий фильм».

Любопытно, что сенатор Боб Доул, соперник Клинтона на выборах 1996 года, рисовался перед избирателями в образе киношного шерифа с его лаконичными «йепс» и «ноупс». За три дня до выборов Доул объявил: «Это „High Noon" нашей кампании! Часы отбивают последние минуты. Мы на пути в Белый дом».

Любимый фильм не подвел Клинтона. И он был переизбран президентом, получив мощную моральную подпитку от славного вестерна.

По иронии судьбы Клинтон, готовясь к передаче власти 20 января 2001 года, порекомендовал Джорджу Бушу «чудный фильм» с Гэри Купером. Но президент Буш только раз затребовал «Ровно в полдень» по месту жительства — в конце сентября 2001-го, когда объявил Осаму бин Ладена в розыск, «живого или мертвого». Буш подарил фильмовый постер японскому премьеру, большому знатоку американского кино. Тот немедленно откликнулся на символичный дар: «Гэри Купер сражался с бандой в одиночку, но на этот раз весь мир поддерживает Соединенные Штаты». И более непреклонно, чем любой другой американский президент после своего земляка-техасца Линдона Джонсона, ратовал за превентивный удар, чтобы предотвратить насилие, которое — Буш в это веровал не меньше чем киношный шериф — непременно случится.

«На ответственного политика фильм „Ровно в полдень" действует, как импульс, как толчок, призыв к действию, — писал провидчески критик Гарри Шейн в середине 50-х годов в статье „Олимпийский ковбой". — Небольшой городок весь трясется от страха. Обреченно ждет, ничего не предпринимая, лютых гангстеров. Жители стали боязливыми, нейтральными и нерешительными — как ООН перед Советским Союзом, Китаем и Северной Кореей. Моральное мужество проявлял только один — истинно, до мозга костей американский — шериф. „Ровно в полдень", — продолжал прозорливый критик, — наиболее убедительное и, безусловно, самое адекватное, честное объяснение американской иностранной политики».

Верно и сейчас — семьдесят лет спустя.

А как отнесется к этому «президентскому» фильму новый оккупант Белого дома Дональд Трамп? Вообще-то, как известно нам, его биографам, любимый фильм нового президента — «Гражданин Кейн». Но вряд ли даже Трамп, этот возмутитель вашингтонского спокойствия, решится нарушить героико-эстетическую традицию Белого дома.

# ЧЕГО БОИТСЯ ГОЛЛИВУД?

«Иди скорей! — кричит мне муж, влипнув в телевизор. — Там член показывают». И в самом деле — в диковину. В отличие от примелькавшейся на экране женской обнаженки, голого мужика в кино или по ящику нечасто встретишь. Поговорим о том, чего боится Голливуд.

Российским кинорежиссерам, смело пустившим в свои фильмы равно мужскую и женскую наготу, будет, наверное, в диковинку узнать, что в Голливуде существует негласный, но стойкий запрет на обнаженного ниже пояса мужчину, особенно если там наблюдается некоторая активность. Мало того: новые фильмы, где появляется голый — фронтально — актер, рутинно подверстываются под категорию «дети до 17 лет не допускаются», что означает тупик коммерческой перспективы у фильма. В век всесторонней сексуальной раскованности нелепо списывать этот голливудский конфуз перед голым актером на соображения морально-этического порядка.

Тем более что женское тело в нынешней голливудской продукции обнажено до последней крайности и не подвержено никакой моральной цензуровке. Частично или полностью раздетая на экране актриса — настолько общее место в новейшем кино, что нагое женское тело в восприятии рядового кинозрителя перешло из эротической сферы сначала в эстетическую, а затем — в житейски бытовую. Например, сексуально педалированная поначалу в кино женская манера подходить к телефону в чем мать родила воспринимается сейчас вполне нормативно. В фильме «Незамужняя белая женщина» актрисы как одна говорят по телефону нагишом и упорно ходят у себя дома с открытой грудью. Тогда как нагой мужчина в том же фильме дан почти привиденчески — как обман зрения, в зазоре сменных кадров.

Двойной стандарт? Несомненно. Однако на нем настаивает и голливудская кинофабрика, и, судя по всему, массовый зритель. Причем обоих полов. Этот двойственный подход к производственной отдаче женской и мужской наготы приводит к переиспользованию на экране женского тела за счет сокрытого мужского. Этот почти маниакальный упор голливудской кинокамеры на голой актрисе застолбил у зрителя образ женщины, оголенной в самое неподходящее время и в самых невероятных обстоятельствах — будто современная американка принадлежит к племени экваториальных дикарей.

В карьере любой актрисы неизбежно наступает момент, когда ей приходится раздеться на экране ниже пояса. Женская нагота стала такой непременной деталью голливудских фильмов, что если актриса отказывается остаться «без ничего», ее в этом качестве заменяет дублерша по телу. Так случилось с Джулией Робертс в фильме «Красотка» и с Джиной Дэвис в фильме «Тельма и Луиза».

Мужской эротический дублер — вещь в Голливуде почти неслыханная. И когда такие популярные актеры, как Дензель Вашингтон и Аль Пачино, наотрез отказались предстать перед зрителем в чем мать родила, эротический разгон самих сценариев был значительно сужен — дабы угодить разборчивым актерам.

Эпизод на съемках фильма «Городские девчонки» наглядно представил эту бездну в восприятии мужской и женской кинонаготы. По ходу сценария герой исполняет мужской стриптиз. Оператором был ветеран по женской обнаженке. Однако он был слегка сбит с толку, когда вплотную приблизился с ручной кинокамерой к раздевающемуся до мужской укромности актеру. На помощь пришла тертая режиссерша мисс Кулидж: «Включи воображение, придурок! Представь, что он баба, — повторяла она на протяжении всего эротического эпизода, — только представь его бабой — и поехало!»

Несмотря на явную эротическую переэксплуатацию женского тела в кино, из него всё еще выжимается высокий коэффициент полезного действия. Каждый год Голливуд запускает с дюжину кинолент с интенсивно эротической подоплекой. Вот, к примеру, эпохальный фильм Жан-Жака Анно «Любовник», запечатлевший все фазы любовной одержимости у девочки-подростка. В свое время он поставил рекорд по числу женских телесных интимностей в игровом кино. Однако если актриса в этом фильме была обнажена тотально и всесторонне, то мужские признаки ее сексуального партнера были находчиво затемнены.

Функциональная перегрузка в голливудском прокате женской наготы за счет отсутствия мужской приводит, естественно, к сюжетным неувязкам. В боевике из сексуальной жизни вурдалаков «Невинная кровь» разгоряченная по ходу действия вампирша срывает с себя одежды и остужается в ночи нагишом. Ее же партнер из вурдалаков церемонно отправляется спать — наглухо одетым — в мясной холодильник. В эротически ударном фильме «Основной инстинкт» как-то загадочно прозвучала бурная постельная сцена, где она обнажена абсолютно, а он укрыт простыней.

Если это не закон, то — традиция: когда в эротической раскладке сюжета действует женщина, Голливуд оставляет всё меньше места воображению.

Герой-любовник, наоборот, неизменно получает защитное укрытие, будь то простыня, ночная рубашка, засвеченный кадр или ванна в мыльных пузырях. Здесь интересен сам факт голливудского ступора перед голым — фронтально — мужчиной. Неубедительными кажутся доводы кинокритиков в том смысле, что так всегда было и быть должно, и женщина стала эротически раздеваться в кино со времен первой «Клеопатры» в 1934 году, потому что мужчины хотят видеть обнаженную женщину и потому что женская нагота более эстетична, чем мужская. Голливуд, считают эти критики, просто верен давней традиции визуальных искусств, прославляющих женское тело.

Здесь легко возразить, что в других видеоискусствах нет ничего подобного оторопи Голливуда перед нагой мужской натурой. На театральной сцене голый актер дебютировал в 1967 году в скандальном тогда спектакле «Волосы». Никого не удивит появление на балетных подмостках танцора в костюме Адама. Художники давно работают с мужским ню. Постмодернистский фотоаппарат снимает мужскую обнаженку более охотно, чем приевшуюся женскую. Чего тогда боится Голливуд?

Вопрос этот не праздный и не скользкий, а по существу. Поскольку эротический пережим в голливудской практике нагой актрисы и недожим нагого актера добавляют, конечно, веских аргументов в тот крупный разговор по поводу сексуальной дискриминации женщины, который столько лет ведется в американской критике.

За последнее время было предложено два типа объяснения голливудского парадокса — социологический и психоаналитический.

Согласно социологам, безусловное преобладание в кино женского тела над мужским объясняется тем, что гетеросексуальное общество естественно выказывает больший интерес к женской голизне, чем к мужской. Даже женская аудитория, составляющая по крайней мере половину кинозала, предпочитает видеть на экране сексуально раздетую женщину, но не мужчину. Данные социологических опросов выяснили, что «женщины не побегут в кино только потому, что там будет показан голый актёр. Для мужской же аудитории женская нагота в кино, безусловно, притягательна. Это — на продажу».

Голливудские продюсеры добавят сюда и эстетические резоны, утверждая, что голый мужик нефотогеничен, антиэротичен, и если женское тело в кино обслуживает задачи сексуальной эстетики, то показ мужского достоинства в боевой изготовке почти всегда граничит с порнографией. Ибо «пенис — очень скверный, дурной актер, который всегда переигрывает».

Здесь уже прямой переход из зоны эстетической в психологическую. Если женская нагота в кино настолько уже оприходована, что не воспринимается зрителем в сексуально-интимном или персональном аспекте, то нагота мужская, напротив, не получив необходимого в любом искусстве остранения, интимна до неприличия и шокирует публику своей сугубой конкретностью и назойливой физиологией.

Получается беззаконный перескок из сферы искусства в голую, фигурально, натуру. Из эротических игр — в сексуальные акции. Что, по мнению психологов, отвращает массового зрителя обоих полов.

И мужчин — в большей степени. Поскольку обнаженная и, как правило, образцовая мужская плоть на экране заставляет их комплексовать, переживать свою неполноценность и остро, болезненно сознавать собственную мужскую уязвимость. А поскольку, как считают социологи, американскому обществу присущ мужской протекционизм, Голливуд будет стоять на страже интересов и опасений мужчины, не обнажая его на экране.

# НЕ КУРЯ СЕБЕ...

Война куреву в Америке объявлена давно, окончательная ее цель — уничтожение курильщика как класса, как составной части оси зла. Так в Октябрьской революции давили всех буржуев. Вытеснение курящих некурящими. Чистых — нечистыми. Нечестивых — праведниками. Очень, по сути, библейский сюжет.

Одновременно с оттоком дымящих масс меняется и само общество — его физиономия, физиология, нравы, мораль, привычки, манеры, быт, стиль, фобии и филии. Но прежде всего — культурный код, каноны и приемы разных искусств. Не стал бы сейчас Илья Эренбург писать свои «Тринадцать трубок», учить искусству их курить и различать по трубкам тринадцать отчетливых этнотипов. Да никто бы сейчас и печатать не стал его «Трубки», убоявшись их вопиющей политнекорректности и явной крамолы.

Более всего пострадало из-за антитабачной кампании — кино. И прежде всего — американское, сильно травмированное изъятием из него готового набора художественных средств. До сих пор — и чем дальше, тем больше — ощущается в этом кино растерянность перед пустотой в том месте, где был верняк — приемов, символов, метафор, намеков и целый фонтан сублимаций. История американского кино, несомненно, писалась в табачном дыму.

Фрейд как-то заметил, что только иногда сигара — это просто сигара, которую можно раскурить. Он имел в виду, конечно, ее фаллический символизм. В кино на протяжении 50 лет сигарета никогда не была просто сигаретой, которую актер или актриса закуривали бы произвольно и однозначно. Огонек сигареты описывал на экране пунктир человеческой судьбы, характер персонажа, фабульную амплитуду фильма. Раскуренная на экране сигарета всегда была интенсивной деталью, начиненной смыслом и тянущей за собой ассоциативный хвост.

В американском кино курили особенно запойно, обстоятельно и долго — кадр за кадром. Глядя на такой транжир киновремени, приходишь к выводу, что это был один из способов его творческого заполнения. Особенно стильно было на голливудском экране сосать сигару и говорить — гнусаво и весомо — сквозь сигару. Тогдашний киноэкран был насквозь пропитан табачным дымом — настолько густым и слоистым, что зрители невольно испытывали отравление от этого виртуального курева.

И вот — внезапно, но объяснимо — киногерои перестали курить: многозначительно, с семантической нагрузкой и психологическим подтекстом.

Из кино исчезла простейшая знаковая система, которую зритель схватывал на лету и расшифровывал с отточенной до интуиции чуткостью. Вот два фильма с разницей в 50 лет.

В «Мальтийском соколе», производства 1941 года, актер Хамфри Богарт сосредоточенно скручивает папиросу, что означает в косноязычном на мотивации кинематографе завязку очередного конфликта. Табачный кисет, свисающий из пиджачного кармана Богарта, мгновенно сигнализирует о его грубой мужской силе.

Фильм выпуска 1991 года «Что касается Генри» (в российской версии «Кое-что о Генри») уже не пользуется этой безотказной знаковой системой курения в кино. Мало того: сам факт курения используется в этом фильме не функционально, а оценочно — идеологически, в виде назидательного, хотя и ироничного моралите: герой фактически расплачивается с жизнью за пристрастие к запойному курению — он не получил бы пулю в лоб, кабы не забежал в пивной ларек за пачкой сигарет. Кадры с истекающим кровью на полу распивочной актером Харрисоном Фордом служили грубовато наглядной иллюстрацией к лозунгу тогдашнего американского дня: «Курение — зло». С еще большим пропагандистским пылом толкуется в фильме «Смерть по второму заходу» (в российской версии, кажется, «Снова умершая», на всякий случай привожу оригинальное название «Dead Again») жутковатый «эпизод с сигаретой», где Энди Гарсиа пытается судорожно всосать сигаретный дым сквозь трахеотомную дыру в горле. Короче, если еще совсем недавно на экране курили со смыслом, то сейчас — с моралью.

Кино всегда играло в обществе двойную роль: с одной стороны — фиксируя, с другой — создавая его поведенческие и оценочные модели. В данном случае проводимая в масштабе всей страны кампания против курения подорвала не только коммерческую базу табачных магнатов, но и разветвленную символику курения на экране. В новых фильмах импульсивно дымят только негодяи. Положительные герои не курят вообще.

Кинорежиссер Даниэль Мельник, в прошлом заядлый курила, утверждает, что сейчас «не посмел бы изобразить протагониста с сигаретой во рту», если только это не исторический фильм. Но вот последнее новшество: в исторических фильмах и даже в вестернах, где без табачища никак нельзя, ежели герой хватается за табачный кисет, то этим дело обычно и кончается — сверхбдительный продюсер не позволит ему всласть затянуться на экране.

Исчезновение сигарет из американского кино разрушило систему ассоциативных связей, которые тянулись в зрительный зал за табачным дымком на экране. На самом низком символическом уровне белые цилиндрики служили отвлекающим маневром — занять руки неловкой актрисе, перебить занудный диалог, охладить паузой раскура жар страстей на экране.

Сигареты в кино давали более сложные показания о персонажах. В зависимости от того, что курила героиня — простые сигареты или с фильтром, дешевые либо с древесным табаком марки «Парламент» или «Кэмел», — вырисовывался ее характер, положение в обществе, культурный ценз. Яростные затяжки на экране актрисы Бетти Дэвис, а также ее характерный жест — бурно раздавить в пепельнице наполовину выкуренную сигарету — сообщали о далеко зашедшем неврозе. Табачный дым на экранах 40-х годов густо стался над миром совершенно иных человеческих отношений и связей — когда мужское торжество проявлялось, например, в обкуривании лица противника, когда побеждал тот, кто закуривал первым, когда предложение сигареты было и предложением любви.

И сексуальная метафоризация чаще всего извлекалась в те годы из самого акта курения в кино. В эпоху запрета эротики на экране тонкие длинные сигареты, легко скользящие меж красных сомкнутых губ, стали безопасной метафорой секса.

В фильме 1942 года «Вперед, путешественник» найдена идеальная формула сублимации любовной интимности, в которой было отказано по ходу сюжета незадачливым любовникам, в акт совместной раскурки сигареты. «Что ж, покурим вместе с горя», — говорит герой в конце фильма, закуривает сигарету и передает ее, мокрую и теплую от его дыхания, актрисе Бетти Дэвис. Эта красноречивая жестикуляция любви стала в год выпуска фильма сакраментальной в американском любовном этикете.

В кино вообще не курили просто так — из личной потребности или для удовольствия. Курение на экране всегда было функционально и имело точную значимость. Сплющенный в блюдце окурок, папироса, погашенная о подошву, мерцающий во глубине сюжета огонёк сигареты являлись кинематографическими иероглифами, которые, за давностью их употребления в кино, тем не менее не стали штампами. Им свойственна была текучесть смысла и динамизм применения.

Например, американское кино восьмидесятых — середины девяностых годов активно использовало «сигаретные метафоры» в любовной символике, хотя запрет на секс в кино уже давно был снят. Просто из фаллического символа сигарета, интимно выкуренная на экране двумя любовниками, перешла в другой ассоциативный ряд — эмоционально-лирический. На языке психиатрии акт курения на киноэкране всегда «сверхзаряжен», имеет свою семантику и развернутый символизм.

Нынешний принципиально некурящий кинематограф Америки утратил безотказную систему сигнализации зрителю, которую включал сигаретный дымок на экране. Ассоциативный ряд, извлекаемый сегодня из киносигареты, сузился до однозначности. Невозможно представить на современном экране героического Виктора Ласло (актер Пол Хенрейд) из «Касабланки», отправляющегося на опасную встречу с подпольщиками с пачкой сигарет в кармане. Наоборот: в фильме «Мыс страха», где Роберт Де Ниро играет закомплексованного садиста, заядлого курильщика, сам факт пристрастия героя к сигаретам уже говорил о его преступных наклонностях. А в сегодняшнем кино курящий положительный герой попросту неприемлем.

Иначе говоря, если положительные герои нынче в кино нормативно не курят, то негодяи просто обязаны закурить. С далеко идущими ужасными последствиями.

# НЕЧЕЛОВЕЧЕСКИЙ ТАЛАНТ: ЗВЕРИ НА ЭКРАНЕ

Все актеры принадлежат к животному миру, но не все актеры — животные. Однако и в зверином мире существует такое понятие как Божий дар.

В «Аиде» на сцене Метрополитен-опера играет лошадь четырех лет — 20-летняя девица в людском раскладе. Играет с большой творческой отдачей. Вдохновенно и непредсказуемо. Радамес, сидящий на Джесси, никогда не знает, каким аллюром четвероногая юница понесет его по сцене к самому краю над оркестровой ямой, где он выдаст свою коронную арию.

Джесси послушна, скромна, никаких темпераментных выходок. Участвует во всех репетициях, изображая то, что от нее требуется — дать картинно погарцевать Радамесу перед арией. Но перед живым залом Джесси преображается. Вся отдается, по Станиславскому, действу и ритму и забывает о древнеегипетском всаднике. Выбирает то машистый шаг, то игривую рысь, а то — в экзальтации — и вдохновенный галоп. Скалит зубы от избытка эмоций: Джесси очень музыкальна. Бывает, и заржет — к восторгу зрителей. Но всегда как вкопанная встанет на самом краю, ни разу Радамесу не грозило сверзнуться в оркестровую яму. Потому что Джесси по натуре — сущий ангел. Только уж очень творческая эта ее натура. Случается, что четвероногую артистку ставят в пример двуногим, впадающим в рутину. Кстати, в театре юная лошадь работает по совместительству. Ее основная профессия — полицейская служба. Ее гонорар в театре — вдоволь сена, овса и ночной прогул по Центральному парку. У Джесси две медицинских страховки — от полиции и от Метрополитен-оперы, и свой адвокат, отстаивающий ее права — как лошади и как актрисы. Джесси настойчиво приглашали в Голливуд. Но она предпочитает оперу.

Голливуд же имеет дело с киноактерами крылатыми, двуногими, четвероногими, всегда бессловесными, покрытыми то шерстью, то перьями, а то и чешуей. Актеры из животного мира на протяжении всей истории кино участвуют в нем как в массовках — на подхвате, так и на первых ролях, как статисты — толпа, живой фон, так и в солидных амплуа характерных, комических, лирических персонажей.

Пик интереса зрителей к актерам из зверей пришелся на фильм «По дороге домой», поставленный на диснейских студиях по нашумевшему роману Шейлы Барнфорд «Невероятное путешествие» (в Советском Союзе он впервые вышел в 1968 году и много раз переиздавался) о странствиях по дикому северо-западу Канады в поисках своего хозяина двух охотничьих собак и сиамской кошки. Этот фильм приобрел чин «национальной сенсации», кассовые сборы за полгода проката побили известные рекорды в этой области. В трех главных ролях снимались натуральные, а не мультипликационные звери — пятилетний сиамский кот, пожилой бультерьер, выказавший незаурядный талант к клоунаде и пантомиме, и рыжий лабрадор, отличавшийся редкостной понятливостью: говорят, он схватывал на лету все указания режиссера. Об актерских способностях сиамского кота я не скажу ничего. Зачем лишать тех, кто не видел фильма, нечаянных восторгов и запланированных сюрпризов? Однако продемонстрированный кошачьим актером дар вольной импровизации и буйного воображения настолько поразил зрителей, что именно с фильма «По дороге домой» Голливуду предлагают ввести «Оскар» для зверей. А тогда места были распределены так: первая премия — сиамскому коту, две вторых — его собачьим напарникам.

В этом фильме актеры-животные играли самих себя, а не исполняли трюки и цирковые номера, противные их природе, навязанные человеком. Вроде излюбленного в американских фильмах 50–60-х годов амплуа кота-велосипедиста, накрепко привязанного к раме и вцепившегося лапами в руль, или собаки, небрежно ведущей машину по пустому шоссе, или енота с человечьей жестикуляцией, мимикой и даже речью — заэкранным голосом актера.

И в сделанном в те же годы советском фильме «Укротительница тигров» зверь блестяще играл самого себя — хмуро и презрительно к человеку, с органикой, без капли фальши. Мачо-тигр валил с телефона трубку, лез на холодильник, депрессивно ходил по цирковой бухгалтерии, рычал от отвращения, грозил своим цирковым коллегам страшной лапой, и видно было — с каким удовольствием он разорвал бы их в клочья. Кабы не профессиональный дрессировщик, который, как и тигр, играл самого себя. Но намного хуже тигра — деревянно, испуганно, притворно, чем и подпортил прелестный фильм.

В Америке до сих пор удержался в комических телесериалах образ необыкновенно смекалистого пса, имитирующего человека на потеху публики. Таков сенбернар Бетховен, сыгравший в одноименном сериале на редкость фальшиво. В чем пес не виноват. Виноваты постановщики, задумавшие эту подделку пса под человека.

Совсем избавиться от циркового трюкачества со зверями-актерами американскому кино пока не удалось. Несмотря на мощную кампанию протеста против такого рода эксплуатации зверя человеком со стороны защитников прав животных. В голливудской комедии «День сурка», вышедшей на экраны одновременно со зверино-эмансипированным фильмом «По дороге домой», лесного сурка-актера заставляют лежать за рулем «понтиака», выдавать человеческую мимику и всячески посягают на его звериное достоинство. «Здесь налицо ущемление индивидуальных прав сурка, бесстыдная эксплуатация зверя человеком, — признал Эндрю Смайлс, представитель Американского общества покровительства животным, а фактически — личный агент сурка-актера. — Однако мы проследили, чтобы зверьку были предоставлены наилучшие жилищные, гигиенические и медицинские условия, чтобы его рабочий график не превышал 2–3 часов и чтобы по окончании съемок он был безопасно транспортирован в родной лес на севере Нью-Хэмпшира».

Что касается кота и двух собак, сыгравших в фильме «По дороге домой», то контрактом было оговорено, что из этого полного опасностей и риска для жизни сюжетного маршрута звери вернутся целыми и невредимыми. А когда наблюдатели из Общества по предотвращению жестокости к животным, курирующие денно и нощно эстрадные выступления группы пингвинов на съемках фильма «Возвращение Бэтмана», забили тревогу — о ужас, уникальные птицы, силой вырванные из родной арктической стихии, содержатся в условиях, угрожающих их здоровью и расположению духа, — взрыв общественного негодования был так силен, что съемки прекратили. До тех пор, пока жилищные условия актерствующих пингвинов не были предельно приближены к их родному Баффинову острову.

Нелегко Голливуду с его звериными актерами и их человеческими агентами. Не то что в золотой голливудов век, когда лошади невозбранно мёрли в модных вестернах, а на съемках бесконечного «Тарзана» натурально подстреливали тигров и пум — для эффектного правдоподобия. В нынешнем Голливуде, когда снимают лошадей в эпизоде ружейной перестрелки между ковбоями, как, например, в «Сказке о Бронксе», им (лошадям, разумеется) затыкают ватой уши, а ружья заряжают бесшумнейшими из холостых патронов.

Подобные меры предосторожности предпринимались также к паукам и крысам, исполняющим ведущие роли в фильмах «Арахнофобия» и «Дракула», а в титровой заставке к популярному кино «Река течет» о ловле на удочку форели в горных потоках Монтаны появляется надпись: «В ходе съемок ни одна рыба не была убита или ранена». И это в киноленте об убийстве и мучительстве нерестующей рыбы! Кстати, постановщик фильма многократно выступал перед аудиторией, наглядно поясняя, что в тех эпизодах, где форель, пойманная на крючок, страдальчески бьется в воде, на самом деле резвится рыба, выращенная в питомниках и безболезненно подвязанная к бечевке. А в кадрах, требующих кровавого реализма, механическая форель отлично подменяла живую рыбу.

Вот правила по найму зверей, установленные Обществом покровительства животным, — им завидуют многие актеры-люди: «Киностудия обязуется обеспечить на всё время съемок и репетиций подходящее помещение, бытовой комфорт, здоровое питание, медицинскую помощь, щадящие условия труда». Нынче против правил на киносъемках — тронуть муху, не говоря уж о рыбе, лошади или птице.

Кстати, о птичках. Когда в начале 60-х Альфред Хичкок снимал птичий боевик, где действуют смертоносные банды чаек, атакующие приморский городок, с этими чайками — статистами и каскадерами с атлантического побережья штата Мэн — обращались не слишком корректно, попросту грубо, круто и принудительно, плюя на их птичье достоинство. Чаек гоняли шестами, провоцировали в них панику, агрессию и страх, в птичьих массовках чайки были неоднократно «психически травмированы и физически терроризированы человеком».

Но вот через 30 лет после того голливудского самодурства в нью-йоркском Центральном парке снимали фильм «Один в доме». В массовках работали 500 с лишним голубей, прошедших актерскую подготовку на голливудских фермах для зверей-исполнителей. Транспортируя ученых голубей в парк, голливудский тренер поклялся: во время репетиций «ни одна птица никак не пострадала: ни физически, ни душевно». В фильме «Один дома» гастролирующие голуби исполняли роль, близкую по усложненности функций к хору в греческих трагедиях. А в некоторых эпизодах голубиные стаи были главными исполнителями — перерезая, например, путь к бегству преступной банде (разумеется — людей). В Центральном парке наблюдатели из Общества по предотвращению жестокости к животным стояли на страже безопасности и соблюдения прав актеров-голубей. Когда съемки закончились, директор со вздохом облегчения вписал в рабочий дневник: «Играли — 500 птиц, жертв не было».

«Голливуду приходится всё больше считаться с этой звериной проблемой, особенно после нескольких проигранных судебных исков», — мстительно заключил президент еще одного общества, опекающего зверей, — «Люди за этическое обращение с животными». Задачей этой добровольческой организации неукротимых энтузиастов является избавление животных всех пород и видов от участия в любых формах людских развлечений, включая кино.

Не исключено, что они своего добьются, заручившись поддержкой таких влиятельных политиков, как экс-вице-президент Ал Гор — принципиальный ревнитель суверенности всего живого и нерукотворного на земле. Однажды, когда съемки фильма «Один дома» были в самом разгаре, их пришлось временно прекратить —

поступила жалоба от группы наблюдателей за голубями: птицы-актеры ночуют в тесных клетках и страдают клаустрофобией. Жалоба оказалась ложной. Однако во время простоя всей съемочной группы к ним пожаловали мастера спецэффектов из фирмы «Пиротехника и магия» и предложили заменить живых голубей на компьютерных, гарантируя, что механические птицы будут слепо повиноваться любому указанию постановщика и никогда не заведут судебную тяжбу.

Елена Клепикова & Владимир Соловьев_

# РУССКИЕ В АМЕРИКЕ

# Владимир Соловьев РУССКАЯ УЛИЦА: АДЕНОМА

А запал он на нее по аналогии. Не то чтобы собственного вкуса на баб не было, но полагался на отмашки друзей и художественные ассоциации. Повелось так у Олега со школы, когда приятель указал ему на смазливую, хоть и толстопопенькую девочку, которую он в упор не замечал, учась с ней в одном классе уже второй год, и Олег тут же написал на ногтях левой руки четыре буквы З И Н А, а на большом пальце букву С, с которой начиналась ее фамилия. В институте он романился с герлой, которая косила горбатеньким носом и челкой под молодую Ахматову, потом была тургеневская барышня с нетургеневским темпераментом, хотя кто знает, какой у тех темперамент, а женился на татарочке (наполовину, но пусть остается безымянной татарочкой) — смахивала на Беллу Ахмадулину, о сходстве с которой не подозревала по крутому своему в поэзии невежеству. Зато оказалась вежественной и раскованной в постельных делах по сравнению с зажатыми русскими подружками, хоть и отдалась ему целой, что само собой разумелось, но спустя пару лет у Олега возникли кой-какие сомнения. Поначалу она оправдывалась своим девичьим инстинктом, который дан нам (им) взамен мужской опытности, а потом, когда вконец изб*ядовалась и изолгалась, не имело уже большого значения, кто распечатал ее как женщину. Или имело? Ну, ладно, когда она после первого же соития, благодарно обцеловывая его, дошла наконец до «струмента» и стала облизывать, как в детстве петушка на палочке, его плоть восстала, и она сделала ему вполне профессиональный минет, но той же ночью она и его обучила оралке — впервые он орудовал там не членом и пальцами, а языком, и это вошло в их сексуальный ритуал — нет, это уже не инстинкт, а благоприобретенный опыт. Ну и намучился он со своей татарочкой, хотя формально женат на ней по сю пору, и время от времени, когда у обоих простой, прибегают к услугам друг друга, а иногда и в параллель, хоть и живут теперь раздельно, но все в том же Куинсе окрест 108-й улицы, главной иммигрантской артерии этого спального района Большого Яблока, знаменитой тем, что одиннадцать лет кряду ее мерил своими ножищами Сережа Довлатов, о чем теперь сообщает на одном из ее углов уличная табличка «Sergei Dovlatov Way». Два других писателя, удостоенных такой чести: Шолом-Алейхем, проведший в Нью-Йорке пару последних лет и похороненный на куинсовском кладбище, и никогда не бывший в Америке Тарас Шевченко. Русский, идишский и украинский писатели — ни одного чистопородного американца.

Именно по аналогии началось у Олега и с Мариной на закате его мужеской жизни. Хоть она была хороша сама по себе, но флюиды, которые от нее исходили и так мощно на Олега действовали, были связаны с писаной русской красавицей в кокошнике с полотна Венецианова. Он раздобыл большую репродукцию с этого портрета и повесил над письменным столом. То есть видел ее сто раз на дню, когда поднимал глаза от монитора, да и с койки, где он дрочил на нее, не выключая света. На кого из них — крепостную девку со старинного и не очень умелого полотна либо на реальную даму с Русской улицы? Когда Марина пришла к нему в первый раз, то скользнула равнодушным глазом по своему портрету, не выдав ни удивления, ни восторга. «Но это же ты!» — «Я? Не похожа нисколько», — удивилась Марина, глядя в это венецианское — тьфу, венециановское — зеркало. Опять игра ложного воображения? Олег находился в кругу ассоциаций, которые мешали ему воспринимать реальность как она есть. А какая она есть без ассоциаций? Этого ему знать было не дано, потому как без ассоциаций реальность для него не существовала. Олег был окультуренный продукт своего времени — ни шагу без эстетических (или эстетских?) параллелей. Марина говорила ему, что он измыслил ее — она другая. А что есть любовь как не вымысел влюбленного? Как жалилась ему одна герла, в которую никто никогда не влюблялся (как и она ни в кого): «Можно подумать, что у них между ног что-то такое, чего нет у меня!»

Вдобавок ностальгическо-генетический фактор: женат на вельми е*учей татарке с сомнительным прошлым, а окрест, среди русскоязычников Нью-Йорка, главный женский тип (как, впрочем, и мужской) — семитский: Марина здесь — этнический раритет. Белая ворона — буквально: русоволосая, слегка курносая, россыпь веснушек по весне. Этой русскостью злоязыки объясняли и переход ее мужа Саймона Краснера в православие, да еще заделался попом: в своей лонг-айлендской церкви вел воскресную службу. Их было в Sea Cliff две — Преподобного Серафима Саровского, связанная с московской епархией, и Казанской Божьей Матери в американской конфессиональной юрисдикции. Олег так и не выяснил, в какой из них разглагольствовал Саймон. Русская по всем параметрам Марина не ходила ни в одну из них.

По будням батюшка работал урологом: частная практика в Бруклине и Куинсе и штатная работа в престижной манхэттенской больнице. Собственно, в этом его профессиональном качестве Олег с ним и познакомился, когда пришла пора, и он явился на прием по поводу простаты, все оказалось вроде о'кей, за исключением здоровенного камня в печени — «И что с ним делать?» — «Раздробить молотком», — это у Саймона был такой юмор, он любил шутковать с пациентами, — и аденомы: впервые Олег услышал это красивое слово, не ведая еще, что оно означает. Олегу не очень понравилось, как Саймон держал в руке его нехитрое хозяйство, словно взвешивая и оценивая, в чем прямой нужды не было — все необходимые анализы уже были сделаны. «Текел?» — «Что?» — «Да нет, я просто так. Проехали».

Офис был пригляден на вид — букет свежих, а не искусственных цветов, симпатичного дизайна кресла, свежие номера американских и русских журналов, по стенам хорошие репродукции хороших художников — Магритта, Модильяни, Шагала и даже — подивился Олег, узнав — крымская акварель Волошина, о ностальгическом происхождении которой он узнал позднее, когда ближе познакомился с менеджером офиса — венециановской красавицей. Олег, понятно, с ходу обратил на нее внимание, как на экзотку в наших палестинах, но ее матримониальный статус, да еще замужем за знакомым, который был, к тому же, его интимным врачом — типа табу даже для поползновений, и он пошел по пути наименьшего сопротивления, приударив за рыженькой медсестрой легкого нрава. Конечно, это была подмена путем сублимации, но до него как-то не сразу дошло, что он влюбился, а случалось с ним это крайне редко и давно не случалось: здесь, в Америке, — впервые. Обжегшись на своей татарочке, он дул на любой любовный росточек, и его отношения с женщинами ограничивались половыми, но любовь, как известно, половым путем не передается. А с сестричкой началось с невинной шутки: «Вы рыжая повсюду?» — «И там тоже». Отступать было поздно, да и невежливо после такого ее пригласительного ответа. Почему нет?

Потом выяснилось, что у рыжей три мальчика, которых она наеб*а от трех разных мужиков — один, поговаривали, от Саймона. Пострел, однако, а еще поп! А коли так, это несколько смягчало табу на венециановку, хоть и не снимало полностью. Хоть у них в русском землячестве перекрестный секс был делом привычным и делом привычки и даже художественно зафиксирован Володей Соловьевым в одноименном рассказе, который он ложно атрибутировал помянутому Довлатову, его знатоку и практику — «Всю ночь, бывало, не смыкаю ног», запомнилась Олегу крылатая фраза оттуда, сам он, настрадавшийся из-за своей татарочки именно по этой части, старался избегать его, приравнивая к инцесту. А здесь сразу два табу: не прелюбодействуй и не пожелай жены ближнего твоего. В одну из бурных сцен, когда он бросил жене, что могла бы заниматься этим на стороне, с незнакомыми, она ему резонно ответила: «На панель меня толкаешь? Хорош! Хочешь, чтобы б*ядью заделалась? А других знакомых, кроме общих с тобой, у меня нет. Твои знакомые — это мои знакомые». — «Мои знакомые — это твои еб*ри». — «Не все. Познакомь с незнакомыми». — «С незнакомыми не знакомлюсь». В том числе из-за этих словесных баталий они и разбежались, оставшись официально супругами, но из супругов став — время от времени — любовниками, что обоих устраивало. Никаких обязательств, подозрений, сцен и скандалов, хоть его и точили сомнения в ее предматримониальном прошлом, зато к ее нынешней еб*льной жизни был отменно равнодушен.

Была ли Марина в курсе его семейных перипетий, автору доподлинно неизвестно, зато скоротечная интрижка Олега с рыженькой медсестрой протекала у нее на глазах и, по-видимому, как-то если не возбудила, то задела, а может, и возбудила ввиду неизбежной параллели с романом ее мужа с той же телкой. «Коллекционируешь отцов своих детей?» — спросила она рыжую на правах менеджера. Как в воду глядела, но на этот раз та решила не искушать судьбу и — с его молчаливого согласия — пошла на аборт: «Десятый», — многозначительно сказала она, хотя, видит Бог, в предыдущих девяти он замешан не был. Собственно, на этом их маргинальная сама по себе и по отношению к сюжетному драйву связь сдулась, и единственный от нее прок — послужила своего рода допингом для Марины. «К вам не подступиться», — сказала она и чмокнула его в шею. Олег растерялся и не сообразил, не успел поцеловать ее в ответ. Спустя неделю — опять-таки в офисе — Олег хотел поцеловать ей руку, но она отдернула: «Нафталин». — «А что не нафталин?» — «В губы». Они были одни в кабинете, и, хотя дверь открыта, Олег притянул ее к себе и коснулся губ, но она вырвалась: «Сумасшедший! Саймон убьет, если узнает». — «Кого?» — «Обоих». — «Умереть одновременно, как Ромео и Джульетта, Тристан и Изольда, Петр и Феврония...» — начал было Олег, пока не понял, что Марине знакома только первая пара из упомянутых. «Он дико ревнив, — сказала Марина. И тут же рассмеялась: — Собака на сене».

В ту ночь Марина снилась ему сладко и мучительно. Он просыпался от эрекции, шел в уборную облегчить мочевой пузырь, но эрекция возникала наново, не Приапова ли у него болезнь из-за аденомы? Тут вдруг Марину как подменили, и начался давно преследующий его, при всех вариантах и разночтениях, типологически архетипный кошмар с татарочкой, как она рассказывает ему в подробностях, как потеряла невинность на студенческой практике, а он все спрашивает и уточняет — всесильный бог деталей, всесильный бог любви — и мучает себя и ее озабоченными, а на самом деле садомазохистскими вопросами:

— Было больно?

— Да.

— А кровь? Кровь была?

Дефлорация в его инфантильном представлении — это крово-пускание, кровоизлияние, море разливанное крови.

— Да.

Та самая кровь, которой не было при их первом соитии, что его тогда нисколечко не смущало, а только потом стало мучить во сне и наяву. Нет, ему самому нужно записаться к себе на прием и лечь на заветную кушетку, что за бред, он слизывает ту ее кровь, как слизывал наяву менструальную, и снова просыпается от мощной эрекции и слышит в ускользающем сне собственный голос:

— Но тебе было с ним хорошо, правда? Кайф, лафа, утеха, бал-деж, блаженство. Только скажи правду, прошу тебя...

Их роман с Мариной продвигался в замедленном и стреми-тельном ритме. Прошли две томительные недели между «К вам не подступиться» и «Я готова на всё» по телефону, когда она согласи-лась прийти к нему. «Книжки посмотреть». — «Теперь это называ-ется „книжки посмотреть?“ — И не дожидаясь ответа: — Буду ждать вас с распростертыми объятиями. Вы готовы к распростер-тым объятиям?» — «Я готова на всё», — просто сказала Марина, и получалось, что она первой решила нарушить табу, а не он. Или для нее, как и для всякой женщины, этого табу не существует?

По-любому, табу таяло на глазах, и Олег разок сходил с Мари-ной на бродвейский мюзикл «Великая комета» по девяносто двум начальным страницам «Войны и мира» — «У меня лишний би-лет», — позвонил он ей в офис — спектакль подействовал на обо-их возбуждающе, однако ограничилось поцелуями и рукоблудием. Когда он коснулся ее груди и наобум сказал: «Давно не ласканная», Марина мгновенно подтвердила: «Да». — «А секс?» — в смысле давно ли у нее был последний раз. — «Подумаешь, попрыгали в постели». Делом его мужской гордости было опровергнуть это заявление. Да и какой это секс — супружеский секс на 20-м году совместной жизни? А выскочила она замуж рано, коли у них с Саймоном была пубертатная дочь, которой повезло поступить в Джорджтаун, и она редко наезжала к ним из столицы, все боль-ше американизируясь и отдаляясь. Зато им с татарочкой Бог деток не дал, что упростило разрыв. Подтаявшее табу служило теперь подпиткой его либидо — ну, типа запретный плод, сладость греха и все такое. Состоялся бы их роман, если бы табу было прежней силы, трудно сказать, но тянуло их друг к другу неудержимо еще и по той причине, что для обоих это был последний, судя по всему, шанс в их любовной — не только сексуальной — жизни. А если бы табу не было? Это Олег, сам того не сознавая, заглядывал в будущее.

Чем Марина еще привлекала, так это замужним девичеством — как бы еще и не жила полноценной женской жизнью. Любила вспоминать детство — сначала в Маньчжурии, куда направили ее отца, военного врача, потом в Крыму, тогда не русском и не украинском, а советском: непьющие крымские татары с мошной только-только начали возвращаться на родину, сплотив враждовавших между собой русских и украинцев в лютой к ним ненависти, особенно когда те стали обустраиваться — скупать землю и возводить мечети. Жила она со своими родаками в Феодосии, а своего будущего мужа повстречала в Старом Крыму, куда летом водила экскурсии к дому Александра Грина, и Саймон затесался среди ее экскурсантов. Инициатива, понятно, исходила от него, а мечтательную девочку он привлек своим итало-еврейским происхождением — потомок гарибальдийцев-тысячников, которые после разгрома уплыли на утлых лодчонках в Крым и осели здесь, переженившись на местных еврейках. Связь с «доисторической родиной» (еще одна штука его шутки) Саймон восстановил, выучил итальянский, даже Марина немного калякала на этом легчайшем европейском языке, и держал на Сицилии парк старинных авто — дешевле, чем в Америке, да еще, пользуясь договором о двойном налогообложении между странами, не платил налог ни в одной из них. Однако с наплывом ливийских беженцев, а потом еще сирийских и всяких прочих стало опаснее, деньги уходили теперь на охрану. Два-три раза в год он отбывал туда, инспектировал свою коллекцию и рулил бесценные модели по местным дорогам.

Вот живчик, как только его на все хватало — урология, Сицилия, раритетные кары, воскресные службы, романы на стороне? Зато супружеским долгом явно манкировал. Он был на пару лет постарше Олега, маленький, лысый, шустрый и шумный. Что общего у них с Мариной, задумчивой, отрешенной, не от мира сего? Ее воспоминания обрывались на замужестве, о котором Марина не любила распространяться, разве что вскользь, вынужденно — terra incognita. Единственное, что Олег выяснил, когда они с Мариной впились друг в дружку, что замужество не по большой любви, если по любви вообще, а просто пришла пора, она подзалетела, вот они и поставили штампы в свои паспорта. Саймон, старше на семь лет, был ее первым мужчиной, а были ли еще мужчины в ее жизни? «А ты как думаешь?» — на вопрос вопросом. При небольшой инверсии вопрос звучал бы как ответ: «А как ты думаешь?» Всяко, в браке она застоялась, но это только фон их романа, а успеху Олега немало способствовала его профессия: модный психиатр на той же Русской улице, да еще автор изданного в Москве бестселлера «Конкретная психология» с пикантными примерами из своего российского еще врачебного опыта. Книгу можно было приобрести в его офисе — автограф бесплатно. Зато, следуя завету Фрейда, а не примеру Юнга, романов со своими пациентками Олег не заводил: слишком легкая добыча. «Конкретную психологию» он презентовал Саймону «на знакомство», книга тут же перекочевала к его жене, вот Марина и познакомилась ближе с их соседом по Русской улице — и увлеклась.

Ему таки удалось поразить Марину с первой же встречи. Ну, прежде всего она удивилась, что он не принимает виагру: «Саймон ее прописывает всем без исключения — от мала до велика». — «А сам?» — «Откуда я знаю». То ли она в самом деле изголодалась, то ли он был на высоте, работая попеременно там пальцами, языком, членом, но, уходя, она сказала:

— Мне никогда не было так хорошо.

— Увы, ты не сможешь повторить это в нашу следующую встречу. Я не могу превзойти сам себя.

— Нет, ты не понимаешь. Я и не подозревала, что это может быть так хорошо. Думала, фригидка. У всех, наверное, как у меня, а страсти-мордасти — это кино и литература.

— С тем хорошо в еб*е, с кем хорошо и без еб*и.

— Тогда зачем еб*я?

В самом деле. Олег как-то не подумал об этом, когда вспомнил старый анекдот.

Сюжет здесь, однако, несколько осложняется. Их роман был в самом разгаре, когда Саймон, снова без никакой надобы взяв в руки его гениталии и задумчиво перебирая яички, как четки, неожиданно посоветовал ему операцию, которую здесь эвфемистически зовут процедурой. «Так доброкачественная же!» — попытался защитить свою аденому Олег. — «Сегодня доброкачественная, а завтра? — И пояснил: — Аденомоэктомия — иссечение гиперплазированной ткани». Дальше и вовсе пошла терминологическая муть, словно Саймон брал у Олега реванш за его трали-вали с Мариной, говоря на невнятном ему иностранном языке. Речь шла о вариантах: трансвезикальная аденомэктомия с доступом через стенку мочевого пузыря либо малоинвазивная процедура без разреза, через мочеиспускательный канал, с использованием современной видеоэндоскопической техники. «Что-что?» — переспросил Олег. Саймон перешел неожиданно на английский: «Holmium Laser Enucleation of Adenoma», а на вопрос о возможных осложнениях, уже по-русски, с видимым удовольствием: «Недержание мочи, стриктура уретры, импотенция, ретроградная эякуляция» — и отпустил наконец его сморщенные от страха, будто из шагреневой кожи, причиндалы. «Что такое ретроградная эякуляция?» — растерянно спросил Олег. «Заброс спермы в мочевой пузырь», — сказал Саймон и предложил ему обратиться к другому врачу за second opinion.

Что Олег и сделал, но не к другому врачу, а к Марине в тот же день, когда она пришла к нему.

— Это называется золотой стандарт. Высокомощный лазер вылущивает аденоматозные узлы, а эндоморцеллятор их удаляет. Рутинная процедура, но, может, тебе лучше сделать ее у другого уролога. На всякий случай. Мы с тобой у Саймона на подозрении, — сказала Марина. — Только не подумай чего. Саймон не такой. Это для твоего спокойствия.

Легко сказать — спокойствие! В этот раз Олегу было не до секса, и Марина ушла от него не солоно еб*вши. Погуглил на предмет аденомы, но окончательно увяз в терминах. Нет, никакого другого врача — страх опускал его, как мужчину.

Операция-процедура в манхэттенской больнице прошла под общим наркозом, Олег ничего не помнил, зато намучился с катетером, который по идее должны были снять на следующий день, но следующий день была суббота, ждать до понедельника, когда откроется офис на 108-й. Ночью у него была сильная эрекция, но не на Марину, а на жену, катетер сместился, пошла кровь. В воскресенье, когда Саймон читал свою проповедь, прибыла скорая помощь под видом Марины, которая ловко сняла это приспособление для оттока мочи, все продезинфицировала, смазала гидрокортизоном, всадила в задницу укол от сепсиса, дала какие-то таблетки, Олег хотел ее отблагодарить на свой лад, но Марина сказала, что преждевременно, а на следующий день переехала к нему — Саймон улетел ревизовать свою машинную коллекцию. Было им очень хорошо во всех отношениях, и Олег даже прикинул, не развестись ли ему с татарочкой, на которую у него почему-то встал после операции, и жениться на Марине, которая конечно же бросит своего постылого мужа, однако делиться этой мыслью с Мариной почему-то не стал. Где-то вдали, через океан, маячил Саймон, вызывая у Олега чувство стыда и одновременно возбуждая. Он должен был вернуться только через две недели, но на шестой день их райского, до пресыщения, существования среди ночи — разница во времени — у Марины раздался звонок. Говорила она по-итальянски, а потому Олег повернулся к стене и заснул. А когда проснулся, никого в доме не было, а в кухне на столе записка, что Саймон погиб на Сицилии в автокатастрофе. Дела! Теперь оставалось только развестись с татарочкой.

Марина исчезла. Не звонила, не отвечала на звонки. Олег не выдержал и набрал номер офиса, нарвался на рыжую, которая тут же стала точить с ним лясы ни о чем, намекая, однако, на прежние отношения и что не прочь их возобновить. «А Марины нет рядом?» — прервал ее болтовню Олег. «Марина в Италии. На похоронах». — «Доктора похоронят в Италии?» — «На Сицилии. По его завещанию». — «А когда Марина вернется?» — «Откуда мне знать? У нее много здесь бумажных дел. А сюда она больше не вернется. Офис закрывается. Ищи себе другого уролога. Заходи — я тебе отдам твою историю болезни». — «Не к спеху». — «Ну, как знаешь», — и повесила трубку. Вместо рыжей он прибегнул к услугам своей бывшей (бывшей?) жены, которая как раз простаивала, было им привычно и хорошо, как до его сомнений и ее измен, и она как бы между прочим шепнула в разгар страсти, что свое отгуляла и очень по нему скучает: «С тобой лучше всех». Это было похоже на тот анекдот про хорошую-плохую новость, когда жена говорит мужу, что у него самый большой х*й из всех его друзей, но Олег промолчал, потому как кайф словил и был благодарен своей бывшей и сущей жене. Потом она, бесстыдствуя, при настежь открытых окнах, голой прохаживалась по его холостяцкой теперь квартире, в которой они прожили вместе ни много ни мало как шесть лет. Обычная ее с ним игра, наперед зная, чем она кончится. Да, никакая виагра ему не нужна. Пока что. Жена осталась у него на ночь, но наутро, когда Олег еще спал, деликатно смоталась. И чего он так взбесился из-за ее измены? Ну, измен, без разницы. Одна была определенно, он знал это точно, а другие, может, и воображаемые — воображение у него без тормозов. Или воображение без тормозов соответствует безтормозному реалу? Свальный грех или разнузданное воображение? Пусть даже измены не воображаемые, какой смысл отказываться от любимой женщины, если она не в твоем единоличном владении и не одному тебе доставляет неизъяснимы наслажденья? Надо уметь делиться с другими. А теперь, может, и в самом деле угомонилась.

Марина объявилась через месяц, когда Олег уже отбеспокоился либо попривык к своему беспокойству — привычка свыше нам дана, замена счастию она. Похудела, осунулась, черное итальянское платье выше колен, модные туфли на высоком каблуке, ножки, как у девочки, изменила прическу, то ли вовсе без никакой прически, ей очень шло, она была желанной и красивой, но какой-то другой красотой — не венециановской, а скорее италийской — или снова игра воображения с ним шутки шуткует, как прежде? Та крепостная деваха без кокошника исчезла бесследно, и Олег вдруг понял, почему Марина не узнала себя в венецейско-венециановском зеркале над его письменным столом. Ту красавицу он сотворил из воздуха. А нынешнюю?

Симулякр.

— Вижу, ты итальянизировалась, — и начал ее медленно, растягивая удовольствие, раздевать, лаская.

Так у них повелось с первой встречи, когда он снимал с нее лисью шубку:

— Обожаю раздевать красивых женщин, но редко когда удается. — Он сделал паузу перед тем, как ответить на ее вопрошающий взгляд: — Они меня всегда опережают.

С тех пор Марина и предоставляла ему этот возбуждающе-сладостный труд, и Олегу каждый раз казалось, что у них это впервые. Голенькая она была совсем как девочка, хотя к сорока.

Марина была сегодня какой-то рассеянной, то ли растерянной и толкнула дверь в кухню, а не в спальню.

В остальном все вроде, как прежде, но Марина вдруг стала всхлипывать.

— Что-нибудь не так?

— Теперь я вдова, — и заплакала еще горше.

«Вдовьи слезы, вдовьи чары», — снова вспомнил он Володю Соловьева, но только название этого его скандального не меньше, чем «Перекрестный секс», рассказа. В чем бы ни была фишка той истории, Олега вдовьи слезы сейчас не возбуждали, а как-то даже расхолаживали, и единственное, что он сказал Марине, когда наскоро кончил:

— Ну, вдовий статус — это же не навсегда, — и процитировал модного поэта:

*Все всегда не навсегда,*
*Даже ненадолго.*

Олег раздевал Марину, а одевалась она сама. На этот раз как-то второпях, не вняв его вежливому, впрочем, предложению остаться. Вскоре позвонила жена, но он отказал ей, сказав, что много работы — завтра у него несколько трудных пациентов, надо готовиться, так и было.

— А я не навязываюсь. Просто решила тебя проведать. Ты с бабой?

— Нет, уже ушла.

— Выдохся?

— Посткоитальная дисфория, — поправил ее психиатр.

Догадывалась ли его татарочка, что у него на этот раз всерьез? Не то чтобы все знали всех и про всех, но русский мир 108-й и окрестностей был достаточно тесен — если не как пятачок, то как танцплощадка. Одни и те же врачи, аптеки, магазины, забегаловки с преобладанием бухарских, которые сменили русско-еврейские.

Ревность была его прерогативой, татарочка была отменно равнодушна, хоть он и давал повод. Чтобы она его теперь взревновала?

И снова Марина исчезла — прождав несколько дней, Олег сам отправился к ней в Sea Cliff — впервые. Проплутал маленько, зато проехал мимо сказочной такой, немного игрушечной русской церквушки, в которой, возможно, проповедовал покойник. А дом Марины разыскал по ее описанию — узкая такая трехэтажка, по комнате на каждом этаже. Купили его развалюгой, но Марина, с ее отменным вкусом, превратила развалюгу чуть ли не в художественный экспонат. Марина жила теперь одна, если не считать громадного, как енот, мейнкуна рыже-белого окраса. Она нисколько не удивилась Олегу, а на вопрос, почему не отвечала на звонки, сказала, что грохнула телефон в ванной. Она вела его по дому, как заправский гид.

— А это моя голубятня, — когда они поднялись на последний этаж в маленькую комнату под крышей со скошенным по бокам потолком с большим столом и узкой кроватью со смятыми простынями. На этот раз, сломав традицию, она сама разделась и нырнула под одеяло. Это нарушение их любовного этикета подействовало на Олега отрезвляюще, и он не сразу обрел форму.

— Дать тебе виагру? — огорошила его Марина. — От Саймона осталась.

Виагра не понадобилась, он сам себя возбудил и довел до кондиции, хотя по-настоящему член окреп только когда уже был в Марине. Он-то достиг своей нирваны и лежал на спине с закрытыми глазами, когда Марина заговорила о Саймоне со странной фразы, как бы споря с Олегом:

— Как ты не понимаешь! Мы с ним прожили столько лет, он столько для меня сделал. Думаешь, ему было легко здесь? Все с чистого листа. Он в тюрьме восемь месяцев сидел.

— За что?

— В том-то и дело, что ни за что. Дипломированного врача с Украины устроил у нас в офисе массажистом. Из чистой жалости. Потом пошли жалобы, что тот работает в рваных перчатках, одной внес заразу, у нее началась кожная болезнь, кто-то доложил куда надо, Саймон пошел на сделку со следствием, иначе бы дали больше. Главное, лицензию не отобрали.

И вдруг, без перехода:

— Отказало рулевое управление на крутом повороте, в горах. А что, если самоубийство? Из-за нас с тобой.

До Олега вдруг дошло — Марина мазохистски упивается вдовьим статусом.

— Мы оба перед ним виноваты, — сказала Марина. — Он обо всем догадывался, но молчал.

Тут Олег не выдержал:

— Поздно. В смысле поздно бухнуться перед ним на колени и покаяться. Не перед кем.

— Какой ты бессердечный! А он добрый. Все мне прощал. И это простил. Знал и простил. И не только измену, но и ложь.

— Ложь?

— Умолчание и есть ложь. Ты не понимаешь — Саймон был настоящий христианин.

— Ну да! Перешел в православие из-за тебя.

— Не из-за меня, а из любви ко мне. Никто его не неволил.

— А почему тогда ты не ходила на его воскресные службы? Ты сама-то христианка?

— А то! В смысле крещеная. Но по церквам не шастала, хоть это сейчас и мода там и здесь. На его службы я сначала ходила, но он же и отсоветовал, увидев, что я там скучаю. Для меня это были слова, а для него сердечная страсть. Над ним коллеги посмеивались, говорили, что церковь — его хобби, а евреи воспринимали как перебежчика, хоть сами были безверыми. Как и он раньше. Зато какая у него была паства! Души в нем не чаяли, сравнивали с покойным отцом Александром.

— У Александра Меня не было антиков на Сицилии…

— А что в этом дурного?

— … и сыночка на стороне, — закончил Олег.

— Как тебе не стыдно! Это она его соблазнила. Как и тебя. Кого угодно. Камень и тот бы не выдержал. Я как раз ездила в Феодосию к маме, он сразу же мне во всем признался, очень мучился, отговорил ее от аборта…

Камушек в мой огород?

— А мне потому, наверное, и простил, когда догадался про нас с тобой. Решил, что я ему таким образом мщу. Так, может, и было…

Ну, это уж слишком, что-то новенькое. Он к ней по любви, а она из мести? Нет, конечно, зачем она сейчас на себя наговаривает?

— Зачем ты так говоришь! Нам было хорошо. И сейчас хорошо. Сама говорила, что у тебя никогда еще так не было.

— Саймон не такой опытный, как ты. Без всяких извращений.

— Извращений?

— Представь себе! Когда ты черт знает что со мной вытворял, что-то дикое, мне это было внове. Доводил до умопомрачения, ничего не соображала, как животное. Хочешь правду? Настоящий, человеческий секс у меня был только с Саймоном. Ты даже не знаешь, что такое ласка. У нас с тобой не секс, а спаривание. Чистая еб*я без никаких привнесений.

Ну да, еб*я по-черному, как научила его татарочка. Какая там ласка! Главное завестись самому и подзавести партнершу. С женой они работали, как две слаженные секс-машины, с Мариной — он один. Один целует, другой подставляет щеку. Она подставляла ему не щеку, а всю себя, ей было хорошо с ним, а теперь ностальгирует по ласковому сексу с мертвым Саймоном. Пасторская поза — самый раз для попа.

— Шаги Командора, — сказал Олег.

— Командора? — переспросила Марина.

Ménage à trois, этого еще ему не хватало. Ну, ладно бы реальный соперник, это еще куда ни шло, тем более муж, табу возбуждало, но табу исчезло — вместе со сладостью греха, а живому, слишком живому покойнику он проигрывал по всем пунктам: само собой — в человечности, в нравственности, а выходит, и в сексе. Марина вся во власти ложных воспоминаний, как он сам во власти ложного воображения. Некролатрия — идолизация предков и родаков, которых при жизни в грош не ставят, то есть компенсация чувства вины перед ними, а здесь — перед мертвым мужем, имплантируя лжевоспоминания о нем. Да еще меня подверстала в виноватые. Коллективное чувство вины, как у немцев перед евреями — если оно у них есть, а не внушено им евреями-выживаго.

Ну уж нет! Только одинокое, индивидуальное чувство вины. Есть ли у него это чувство перед покойником? Перед живым было, но Олег оправдывал себя влюбленностью в Марину. С ним это стряслось второй раз в жизни, и больше уже никогда, последняя его любовь. Татарочка, которую он все еще, наверное, любил, коли ревновал к предтече, и она являлась ему в ночных кошмарах сразу после дефлорации, и он слизывал кровь из ее влагалища, а теперь вот его бросило на свою, русскую, с венециановского полотна, но она прилетела из Сицилии совсем другой, чужой, еще более красивой и желанной, утратив всю свою русскость — он ее хотел, но любил ли? А если он однолюб и израсходовал всю положенную ему любовную квоту на свою татарочку, та обучила его науке и навыкам любви, которые даны были ей свыше, рефлекторно, как первая сигнальная система, клятый Иван Петрович! — либо благоприобретена, и Олег должен быть косвенно благодарен ее перволюбу, а не сходить с ума от ревности к ее прошлому, когда она могла распоряжаться своим телом, как ей вздумается. Уточняю: как вздумается ее телу.

Олег обнимал и ласкал Марину, а думал о своей татарочке и, возбуждаясь на нее, харил эту вдовушку-неофитку, которая вошла в свою вдовью роль, и кто знает, может, тоже представляла на его месте другого. Злость-тоска меня берет, что не тот меня еб*т — относилось к ним обоим. А разница — что он мог вернуться к своей татарочке, похоже, она и в самом деле перебесилась, с кем не бывает, тем более, он, конечно, спустив с поводка свое разгульное воображение, преувеличил, конечно, число ее измен, возведя случайное, а может, и одноразовое прелюбодеяние в адюльтер, блуд и бля*ство, зато у Марины был только виртуальный образ идеализированного postmortem мужа. В конце концов, почему нет — Олег чувствовал в себе достаточно сил на этот двучленный гарем, даже интересно, разнообразие плюс сопоставление, какие они у него разные, такой manage a trois с двумя любимыми женщинами его бы вполне устроил, но не четырехугольник с Командором во главе угла, чье пожатье каменной десницы он если еще не ощущал, то живо представлял.

Собственно, из-за командора Саймона они и расстались. Марина пару раз ему звонила, но каждый раз нарывалась на ответчик, а перезванивать Олег не стал. Мир тесен, особенно русский, и однажды они случайно столкнулись на 108-й. Потоптались несколько минут на месте — и разошлись. Олег погрузился в написание этой истории, где вывел себя в третьем лице под чужим именем, и успел даже вставить в новое издание «Конкретной психологии». Жена переехала обратно к нему, тем более они формально остались в законном браке, и снова была его подругой и соложницей, как в старые добрые времена.

— Возвращение блудной жены, — сказала она.

— Возвращение блудного мужа, — сказал он.

Все возвратилось на круги своя, включая муки ревности к ее гипотетическому перв*ебу: кто сломал тебе целку? он? я? ты сама? Или у тебя ее отродясь не было? Аномалия такая. Ты и есть аномалия — от пяток до макушки.

А что с брошенной Мариной?

Что с Мариной?

Что с Мариной?

Что с Мариной?

# Елена Клепикова____ЧУЖАЯ ПАМЯТЬ

## Петров гуляет по Нью-Йорку

### Насильно мил не будешь

Поздним утром в воскресенье, скалясь на блескучий нью-йоркский октябрь, Петров вступил наконец в пределы Гринвич-Виллиджа. Позади остались — его вовсе не заметив и равно не привеченные им — места: где драли горло — с панели через двор и в окна верхних этажей — только по-русски, где больше молчали и до упора раскручивали жизнь по-китайски, гречески и хинди.

Затем потянулись за проволочной сеткой и под щёлк на ветру дрянных зазывальных флажков — почему, ну почему так равнодушен к эстетике своего серийного быта американец! — потянулись, говорю, молельни, капища и службы главного туземного бога — автомобиля.

Вот — нехотя, дивясь на пешехода — впустил его в свое грохочущее брюхо чернорабочий мост, откуда, помнится, не видна была городская затравленная река...Что было дальше?

Дальше — тучи над городом встали, в воздухе пахнет грозой. Он стоял с мамой в Нарвской триумфальной подворотне и смотрел, как лопаются пузыри по желтым лужам. Внезапный ливень разразился над городом, сбивая крепкие кленовые и жухлые листья берез — полный разгром лета!

И сразу, без перерыва, — дождливое лето 1955 года. Пионерлагерь на болоте в Прибытково. Бедность, вши, война-война, по долинам и по взгорьям. Вечерние рыдания горна. Павильон, куда сгоняли всех томиться в сильный дождь, обвал дождя на кровлю, открытые стены. И мокрый лес, и гонобобель по кочкам, и родина в платочке со лба стоит, пригорюнившись, над пионером.

Там, где унылая прямизна идущего в никуда проспекта уперлась в псевдоисторический сквер, дождь иссяк. Солнце, злясь на проволочку, рассиялось пуще прежнего, и Петров так же просто и безболезненно выбрался из прибытковских дождей сорокалетней давности, как и вошел в них.

Выбрался он на мокрый асфальт своего нью-йоркского настоящего. Сложил зонтик — цветастый, женский — и широким жестом миллионера сунул в урну. Из такой же дырчатой урны он зонтик извлек с полчаса назад. Соблазняло примерить на себя американскую несусветную расточительность и щедрость выбросов. Над которыми склоняется с восторгом и алчностью эмигрант любой национальной масти.

Петрова умилял наклон здешнего облака, еще не дотянувшего до мало-мальской тучки: зависнув над городом, непременно излить на него быстрый и сильный дождь. Как раздражала его не на шутку неуправляемость собственной памяти, всегда подставлявшей ему вместо парадного Нью-Йорка с его занудными, по номерам, улицами, кукольными кварталами и дурацкой толкотней перекрестков что-нибудь из синеватых миражей его родного города.

Вот уже двухгодовый — время-то как летит! — покойник Иосиф Бродский, его давний знакомец по Ленинграду, дал Петрову здесь, в Нью-Йорке, хороший совет, пронаблюдав без всякого сочувствия его черное, яркое, непробиваемое, как глыба антрацита, отчаяние в первые годы эмиграции. Чтобы прижиться в Америке, сказал ему тогда еще просто Ося, надо что-то очень сильно в ней полюбить. Даже если насильно, да? Улицу какую, язык, словарь. Может быть — набережную, которой здесь, по сути, нет. Еще лучше — абсолютно несъедобный, на наш ошибочный вкус, яблочный пирог по-американски. Ешь его каждый день прямо из жестянки по утрам. И полюбится!

Но с Нью-Йорком любви у Петрова не случилось. Несмотря на попытки с его стороны.

Длинноногий, запыханный, с явной безуминкой город — без памяти, без возраста, без быта — Петрова не переносил, и в нечастые того визиты — два-три раза в месяц, когда нещедро меценатствующий Лева Певзнер письмом уведомлял счастливца об очередной, у себя на дому, литературной встрече, — буквально выталкивал Петрова обратно за реку, в кладбищенские и авторемонтные просторы Куинса, где оседали те, кто пытался и не попал в цель эмигрантской удачи.

Именно так — у Нью-Йорка с Петровым был крайний случай личной несовместимости. Без всяких соблазнов и тайн, бесхитростный и в общем покладистый город не принимал и не понимал созерцательного настроя Петрова, его прогулочной мании, для которой тут не было места. И город, в лице его всегда оглашенных и спешащих по делам прохожих, просто свирепел, когда Петров, промахнув по авеню очередной квартал, вдруг останавливался, оглядался и с минуту, а то и с полчаса, если ему так приспичит, страстно и скорбно вбирал в память все, что оставил позади.

Историк по образованию и по влечению, он относился к окружающему с нежностью и бережно, зная и уже видя, как оно — вот-вот, прямо на глазах — исчезает. Своим профессиональным долгом он считал запомнить уходящее настоящее в его главных и дробных чертах. Очень надеялся на свою, историей тренированную, память.

На родине, в Ленинграде, еще студентом, он задумал написать историю сталинской эпохи в двойной перспективе. С одной стороны, без гнева и пристрастия, но с личным отношением и сильными оценками — беря за образец, понятно, Тацита. С другой — попытаться вогнать персональный сталинский мотивчик в общую мелодику русской истории, нащупать эти ритмы — беря за образец, как ни странно, Велимира Хлебникова. Тот вслушивался в ритм и в рифмы истории и записывал, что слышал. Это была хорошая школа.

За фактами и мелочовкой эпохи Петров обратился к жертвам из лагерных возвращенцев, годами записывал их истории. Когда власть сменила милость на гнев, ему удалось, через феминисток, лесбиянок и сексопатов, образовавших тогда тесный союз, передать свой архив на Запад. Когда же власть, очень коротко, сменила гнев на милость, Петрова — совершенно неожиданно для него — вдруг выперли за границу, приплюсовав, не разобравшись в оттенках, к лиге феминисток и лесбиянок, у которых он читал лекции по своей советской истории и за свободу которых насмерть стояли тогда активистки женского движения всей Европы и обеих Америк.

В конце концов он оказался в Нью-Йорке. Нашел свой архив нераспечатанным в Колумбийском университете, почему-то у филологов-русистов. От его научных услуг университет отказался наотрез. Дали понять, что общий тоннаж «ГУЛага» и всех «Колес» и так превышает познавательные способности американского слависта. И что вообще он слишком поздно эмигрировал — все доходные и все малодоходные места в академическом мире были прочно заняты.

Незнание английского также не способствовало. Когда же он с восторгом, с блеском и в крайние сроки инглиш одолел, оказалось, что никаких преимуществ у него нет. Все вокруг туземные жители понимали по-английски не хуже. И в эмигрантскую среду с ее по преимуществу семитским жизнепробиванием Петров, ощущающий как проклятие свою русскую, не шибко бегущую кровь, как-то не вписался.

Был недобычлив, ненаходчив, жил мечтами. Умудрился голодать в городе, чьи выбросы от магазинов, лавок, да просто в урнах после туземного ланча удовлетворили бы любого гурмана.

Впадал в панику от неустройства, был мнителен, заботился о статусе, а рядом его же брат-гуманитарий — такой же, как и он, карьерный изгой — добивался пособий, дотаций, грантов, а если не добивался, все равно — жил весело и прощелыжно.

По части карьеры Петров опускался все ниже и ниже и последние пять-шесть лет трудился, правда, на полставки, на каком-то уже совсем постыдно низком поприще, которое скрывал от своих немногих, оставшихся от Ленинграда, знакомых. Эти знакомые, когда-то ценившие его в Ленинграде, сошлись на том, что он слишком всерьез и реалистично — без юмора и без вранья — относится к жизни в эмиграции. Каковая жизнь, при любой раскладке судьбы эмигранта, есть жизнь иллюзорная, фиктивная, тонкий пленочный слой на жизни чужой.

Не все складывалось у него так уж беспросветно, хотя твердо знал, что эмигрировать ему было не надо. Случались вспышки радости и духовных озарений. Когда, например, в эмигрантской, самой знаменитой и влиятельной в Америке, газете печатали его статью о текущей российской политике. Либо там же — его добротно подбитые примерами из русской истории советы Вашингтону, как правильно вести себя с ельцинским Кремлем, и советы ельцинскому Кремлю, как выжать больше баксов из Вашингтона.

Гуляя, он часто думал, что лучше — иметь иллюзии или их терять? Почти всегда выходило, что лучше — иметь. Петров хорошо усвоил, что иллюзии и мечты для писателя, особенно для эмигранта, — достаточно крепкий материал, на котором возводить замки, крепости и тюрьмы. Но никакие придумки не спасали от гнета чужих жизней, с которым на руках он оказался в Нью-Йорке.

## Знак русского апокалипсиса

Это неправильно, что Колумбийский университет не поддержал его идею школьного учебника по советской истории. Как бы он пригодился сейчас в России, где новое поколение в невероятных условиях исторического выбора так и не осведомлено, каких ориентиров из прошлого ему держаться.

Русская будущность волновала Петрова. В своем учебнике он хотел напугать до смерти школьника фантомом сталинизма. Чтобы этот путь был для России заказан. Иначе, давал он понять очень просто, и школьнику несдобровать, и стране не сносить головы.

Пугал Петров умело, с нажимом педагога, полагаясь на инстинкт личного выживания, развитый чрезвычайно — пусть скрытно и камуфляжно — именно у очень молодых.

Начнем с рекордов. Ими славился СССР. Самая сокрушительная к своему населению страна на свете. Массовое истребление народа, превзошедшее все — от потопа до Холокоста, от Адама до сегодня — исторические и легендарные прецеденты. Самая дешевая — почти даровая — советская кровь на рынках мирового сочувствия. Убой десятков миллионов убоя только ради. Не выживал ни младенец, ни школьник, ни родители школьника.

Тут бы он привел живой пример. Как совсем еще юная женщина, взятая на сносях сразу после ареста мужа, рожала в недрах Лубянки. Как родился у нее мальчик, и в самый момент его рождения она стала хитрой, злой и мудрой, как древняя старуха. Она вылизывала младенца языком — как корова теленка — и обмывала грудным молоком. Когда гэбисты перекрывали кран в палате, чтобы изъять (их слово) у нее младенца. На допросы ходила только с ним, широко и намертво привязанным к ней жгутами из тюремных простынь, и спала как птица — вполглаза, нависнув над младенцем, как его законная судьба. И в самом деле, им дивно повезло. Их выпустили — по ошибке, на время, чтоб схватить заново и на всю жизнь, — но она уже была кремень и по выходе из Лубянской тюрьмы исчезла из Москвы бесследно.

Ей удалось спастись и ребенка спасти, а вот ее соседке по камере — тоже с тюремным младенцем — не удалось. Ребенок заболел, и его изъяли у матери силой и навсегда. Через двадцать лет, как в романе Дюма, бедолагу выпустили из лагеря, где она жила только мечтой о своем ненаглядном дитяти. Но все следы его пребывания на этой земле были затерты. Уразуметь этот факт мать не смогла. И где-то в апреле 1958 года, когда утро красит нежным светом известно какие стены, она впервые заступила на свою бессменную вахту — искать в Москве и пригородах сына Колю.

Было так: бродя по улицам и по учебным заведениям, куда пускали, эта седая сорокапятилетняя старуха с множеством нажитых в лагере хронических недугов цепко впивалась глазами в лица молодых людей мужеского пола, не сомневаясь, что инстинкт родства и материнской любви безошибочно укажет ей повзрослевшего Колю.

Все-таки она частенько ошибалась и накидывалась со слезами и поцелуями на парней, сумевших в два счета доказать необоснованность ее родительских претензий.

Таким подставным сыном Колей оказался для матери и Саня Петров, выходящий с понтом из парадного подъезда Лубянки. Куда его, мелкого сотрудника ленинградского журнала, послали визировать рукопись Ольги Чайковской о милиционерах.

Место рождения сына показалось матери как бы и местом его постоянного жительства. Ошеломленная этим открытием, она с воплем радости бросилась на грудь Петрову. Не в силах разубедить на месте, он прожил у нее в коммуналке с неделю, пока она сама не выгнала как самозванца. Тогда он и записал ее историю.

Нагнать страху за будущее можно только на юношу, вступающего в жизнь. Уже вступившего в эту реку запугать невозможно ничем. Не выстроишь ему фарватер спасения. Его несет безоглядно в будущее. Вот почему Петров с корнем вырывал сталинизм из России в школьном учебнике.

Оперировал он только былинными цифрами, подавал историю страшной сказкой. Понимал, что мелочовкой эпохи, бытом и дребезгом школьника не пронзишь.

Представим истребленные до последнего жителя города: Москва, Ленинград, Париж, Лондон, Рим, Нью-Йорк. Совокупно. Таковы масштабы сталинской бойни.

Или — стирание с лица земли целых стран: Швеции, Швейцарии, Греции, Норвегии, Дании, Ирландии. Тоже совокупно. А по отдельности — вот взяли и исчезли с глобуса стараниями Сталина Канада, Испания, а то и Франция. Еще не ясно?

Если нет — представьте Москву-реку, несущую к устью не воду, а кровь сталинских жертв. Или — Петербург, затопленный кровавой Невой до адмиралтейского кораблика. Один на другом, их трупы сложили бы сотню Эверестов. Их костей хватило бы на небоскребы Гонконга. А их совместный крик от мучений пробил ушные перепонки зверей и людей на много километров по кругу. Даже деревья из нервных пород упали бы навзничь от ужаса.

Все эти истории остались с ним. Мучили его несказанно. Он был почтальоном, носящим при себе срочные телеграммы, которые давным-давно должен был доставить по адресу. Загвоздка в том, что во всех положенных местах их отказались принимать.

И никакими силами не убедить державных и корыстных шестидесятников, правящих бал во всей культуре метрополии и эмиграции (все до одного как на подбор 37-го страшного года зачатия или рождения; как это у древних классиков? — «Уже не может родиться ничего хорошего, настолько испортились семена», учтем Тертуллиана), — так вот, Петров был бессилен втолковать нынешнему в России журнальному генералитету, что в публикации этих простеньких баек есть историческая и нравственная первоочередность для России. Что в них — чистый звук и знак, поданный через головы шестидесятников и их детей юному поколению варваров, входящих в жизнь. Знак русского апокалипсиса. Общество, российское дикое общество, как оно сложилось сейчас, должно быть об них осведомлено. И немедленно. Им, Петровым. Потому что для частного прочтения, как случилось с ним, эти байки из сталинской эпохи были даже опасны — как избыточная радиация, предназначенная, наоборот, в распыл на миллионы.

## Ленина-путешественница

Двенадцатилетняя балованная девочка по имени Ленина. Училась музыке, французскому языку и очень любила географию. Контурные карты были ее страстью.

Бездна любящей родни. Единственная дочь крупного партийца, ликвидированного, как и его жена, что-то очень скоро после ареста. Дочку сослали в детдом за Урал, буквально вырвав из защитных объятий неродной тетки. Все родные были либо арестованы, либо уже осуждены. Но девочка не плакала и в хмуром сосредоточении проделала весь путь от Москвы до заводского поселка, где был детдом.

Впереди Петрова на полквартала — нью-йоркского макетного квартала, их щелкаешь, как орехи, не замечая вовсе, — во всегдашней бродвейской толпе шла девочка лет тринадцати, прихватывая пальцами метелки обочинных трав. Петух или курица? Тогда, в ее первый убёг из детдома, получались одни петухи — на счастье.

На ее счастье, было лето, и девочка сразу же удачно затерялась в лесах, перелесках и диких лугах с травами в полный рост и цвет. Ее вел инстинкт, резкий и яркий, как росчерки молний в грозовых тучах. Инстинкту помогало знание, ослепительно дробное знание романтики — географических маршрутов, условий жизни и выживания первопроходчиков.

Девочка избегала крупных городов и железнодорожных узлов. Ночевала в деревнях, в лесу и в поле, больше дня не задерживалась ни в одной избе, хитрила, спрашивая направление, просясь на попутки. Умно прикидывалась дурочкой, больной, немой, глухой, глухонемой. Вдохновенно срезала углы бескрайних и круглых, как сама земля, российских просторов. Шла кратчайшим путем — вдоль линейки, мысленно проложенной от сибирского детдома до родной Москвы. И только малую часть пути она проехала на поезде, объявив себя пионеркой-ударницей, спешащей на слет активистов в такой-то городок.

Месяца через три, глубокой осенью, московская неродная, но любящая тетка, глазам не веря, лицезрела на пороге свою почерневшую от трудностей пути племянницу. Мотор, носивший девочку по стране, перегорел, когда она дошла до цели.

Тетка выходила ее, скрывая в коммунальной квартире. Когда девочка встала на ноги, тетка вовремя передала ее другой родственнице, и та приняла с заботой и жалостью и, в свою очередь, почуяв опасность, сдала Ленину с рук на руки ее двоюродной бабке, что жила своим огородом на задворках Москвы.

И все бы кончилось, как считали тетки и бабки, благополучно, и страна забыла о беглой детдомовке, кабы не пришел однажды в гости к этой женщине общий ей и отцу девочки приятель.

Назавтра молчаливую, сосредоточенную девочку снова вырвали из объятий охнувшей и посеревшей от невольного предательства родственницы и отправили под конвоем в тот же зауральский детдом, где ее так отменно и в назидание другим питомцам обработали, что, едва оправившись и каменно затвердев волей, она опять сбежала, но уже без памяти и ясного разумения обстановки. А была зима — крутая, лютая зима 1938 года, побившая сибирские рекорды стужи. Время было крещенское и, соответственно, морозы. Солнце вставало в крови, птицы падали замертво, выли свирепые равнинные ветры.

В Ленине пылал и перегорал от нетерпения жар нацеленного желания. Он согревал ее, как паровозная топка с непрерывной подачей горючего. Иначе она не прошла бы, не вынесла столько обезумевших от стужи пространств. Шла кратчайшим маршрутом, еще более идеально линеечным, чем в первый раз — по шпалам, по накатанному грузовиками шоссе. Еще опасливей подбиралась к огоньку избы, прежде чем постучаться, и снег стонал и ныл под ее детдомовским валенком.

Ее вел дремучий инстинкт, как у зверя — в свое логово. Но другой инстинкт, благоприобретенный, перебил природное чутье и подсказал ей заместо большака лесную дорогу, огибавшую крупный поселок.

В поселке визжали электропилы, дым валил из бараков, хлопали двери, выпуская чудную жилую вонь. С надсадом гремели репродукторы. Но именно эти несомненные знаки оседлой жизни насторожили девочку, знавшую, что людей в их массе надо бояться пуще крещенских морозов. Поколебавшись, она выбрала охотничью тропу.

Девочка Ленина, названная так отцом в экстазе большевизма, пусть идет на хутор бабочек ловить. Туда же — и мать, родившую на Лубянке и сделавшую так, что ее оттуда выперли вместе с младенцем. Какие там были шикарные, со дна эпохи черпнутые, детали — пропадай пропадом!

Туда же — на хутор, на хутор! — и того спасенного младенца. Благо он здесь теперь, под боком, в Нью-Йорке. Не получившийся, несмотря на потуги и цель, известный писатель. Тяжбу ведет непосредственно с Богом. За разрыв между призванием и недостатком таланта, дара. Отчего не вложил при рождении? Зачем было звать? И все это — с философией, пафосом и расчетами. Рационален, а не умен. Тугодум, но выдает чисто механический труд приведения мысли в чувство за истинное глубокомыслие. А в быту — в центре эмигрантской злобы. Держит в поле зрения и зависти любые чужие удачи. Очень активно зол. Мать его, которой тяготился и презирал их общее прошлое, была интересней и милее своего, насквозь себя придумавшего, сына. Это она, пугливо снижая голос, рассказала Петрову про тюремные роды и дом малютки на Лубянке. Чтобы Петров запомнил, чтобы чужая память стала ему родной.

Он был перегружен чужой памятью. С этим трудно жить. Особенно в эмиграции, где нужно, чтобы выжить, обновить жизнь. Он был ломбардом, в который сдают на хранение самые ценные вещи. Чтобы от них избавиться и никогда уже не выкупать. Да и некому выкупать. Все его доверители умерли.

А бывший лубянский младенец, став писателем, мог бы избавить его, Петрова, от своих детских впечатлений. Но не захотел, пренебрег темой. Из трусости и из вкуса. Сознательно прошлое загнал в бессознанку. Так настоящие писатели не делают.

Потому у него, Петрова, нет личной жизни. Из-за чужой памяти. Нападает внезапно, как кошмар, в стремительной прокрутке — за чтением, за разговором, на улице. Слава Богу, девочка та, замерзшая под елкой, куда-то испарилась с Бродвея. Но он знал, что ненадолго. Он должен держать в уме и девочку, и мальчика, и мать, у которой украли младенца, и Арнольда Яновича, так бездарно провалившего свою великую мечту. И как его безумно жаль, о господи.

## Городок в табакерке

Что-то надо придумать, что-то срочно надо придумать. Скинуть чужую память, как мусор, все равно в какую дыру. Самая подходящая — посиделки у Левы. Сегодня, именно сегодня он сделает так, чтобы его наконец выслушали. Пусть хихикают, пусть издеваются, пусть делают вид, что уходят.

В кружке его держали за придурка. За нищету, за советский прикид (он донашивал последний из трех взятых в эмиграцию костюмов), за монологи, за шизу, за беснование в спорах. В кругу острословов и опытных говорунов (забегали в кружок и звезды-репризёры) Петров был крутой совок. Но он знал, что Певзнер, его всегдашний покровитель, был эклектик в подборе людей и ненавидел сплошь интеллигентский междусобойчик.

Больше других Петрова третировал такой игривый циник и журналист Никаноров. Он вещал на Россию по американскому радио. Его специальностью было шокировать публику здесь и там, сообщая скандально-пикантные слухи о великих. Это он пустил в эфир байку, будто Анна Ахматова имела секс со своим сыном и ей не понравилось. Отсюда — их трудные отношения позднее: скулящие обиды сына и холодность матери.

Плевать на Никанорова, на яд его заносчивого старчества. Вот бы он сегодня не пришел! Чудно, если Лева догадался не послать ему открытки. И всё равно я скажу до конца свой устный рассказ под устным названием «Отсрочка казни». О двух казнях сразу — случившейся и замещенной.

Думать о себе, а не только о России, о ее прошлом и будущем. О своем настоящем следует подумать. Как заработать сразу много денег и сменить наконец постылую, каторжную и уже не под силу ему работу на что-то полегче и умственнее. И вправду нелепо быть нищим в битком набитом всеми возможностями — так говорят и пишут — Нью-Йорке. Но у него как-то не получалось.

Прав тот шутник, на прошлой сходке у Певзнера назвавший Петрова человеком бывшим, да и бывшим ли? Он и сам иногда считал, что списан временем и местом. Под местом разумея, понятно, Нью-Йорк. Ленинград в его теперешнем обличье Петербурга был его родовым поместьем, родным домом. Он сам иногда дивился, как это город выдерживает так долго жить без него. Когда его воспоминания крутятся, как бесы, на каждом углу каждого сквера, пугая прохожих. Ленинград был его законным наследством. И он подумывал, как бы востребовать его сюда — по почте ли, по телефону? Удобней всего и утешительней — во сне.

Но были, были и в Нью-Йорке исключения, где душа отдыхала, а не только коробилась. Гринвич-Виллидж, такой городок в табакерке. С претензиями, к сожалению, на творческую завязь Парижа 20-х годов. Что несколько огрубляло антикварную миловидность этого давно умершего местечка. На подходе к нему Петров, прокрутив в голове одни и те же, всегда попутные сюда мысли, остановился как вкопанный. И моментально пришел в себя.

Развал улиц, скверов, площадей, проспектов, прерванных на середине бега. В упоительном контрасте с остальным квадратно-гнездовым Манхэттеном. При желании здесь можно было заблудиться.

И увидеть, как высоко над городом, вдоль решетки тенистого сада на 13-м этаже, нервно ходит и кричит павлин. И встает иногда, и совершенно безвозмездно, прыгнув на парапет, в свою мерцающую изумрудом и синим металлом брачную позитуру. Под аплодисменты и крики зевак с панели.

Встречаются там, не в пример остальному Нью-Йорку, сады и палисадники, подворотни и дворы, выложенные круглым, как яблоки, булыжником. С платана глянуло акулье личико белки. Вот она спускается винтом к Петрову за орехом. К досаде своей, он пришел раньше указанного в открытке срока.

Что ж, еще раз — по Виллиджу.

Дома приветливые, с умными лицами. Из красного кирпича, из пестрого кирпича с глазурью либо штукатуренные в нежную пастель — в сирень, в капусту, под чайную розу. И было жутковато, когда у самых ног веселенького, без возраста домика разверзался провал лет этак в 150 — до уровня тогдашней мостовой.

Все-таки хорошо, что в здешней осени нет северной, душу скребущей ржавчины. На лужайке, стриженной под нулевку, сожительствовали рододендрон, сикомор и норвежская ель, отклоненная от дома под углом крайней печали.

Был там единственный на Нью-Йорк чистопородный переулок — с их свойством имитировать русскую прописную «г». Избушка на курьих ножках на плоской крыше фабричного билдинга — там жил уолл-стритовский делец и воображал, что он в Техасе. И квартира под номером 1371.

Между тем в этой местности было что-то и злокачественное. Жить здесь небезвредно для действующего таланта, как во всякой нирване. Небо стоит низко над Гринвич-Виллиджем. Улицы, скверы, дома и храмы — все уютно интерьерны, выхода из них не намечалось, да и не хотелось — уютственно, приятственно, нирванно. На панели перед домом, где жил еще недавно еще бессемейственный Бродский, залег бесстыжий рыжий кот — в позе Данаи, готовой к золотому дождю.

## Посмеемся над Бродским

Странно, что Бродский, с его безотказным чутьем на трагедию как повод, довод и вывод стиха, обосновался так надолго, почти до смерти в этом душещипательном (а надо бы — душедробительном) дистрикте, модном у творческих импотентов Нью-Йорка. Понятно, впрочем.

Он доживал здесь талант, пустив его с творческой одержимостью на вполне житейские нужды. Прицел на Нобельку взял с первого дня эмиграции. Разрабатывал собственный миф. Стратегия велась на два фронта — американский и русский.

В Америке его не знали совсем как поэта. Приходилось принимать на веру. Веру навалом поставляла русская эмиграция, тренированная, а точнее — третированная Бродским на свой культ.

Русский гений пёр в литературный истеблишмент Нью-Йорка как танк. Остановить его было невозможно. Целевая неукротимость походила на истерику. Туземцы неохотно расступались. Он выбил все, кроме одной, верховные премии США по литературе. А также гранты, стипендии и прочие знатные призы.

Для даров, которые были все ступеньки в гости к Нобелю, приходилось писать по-английски прозу. Для чего у самоучки не хватало ни навыков, ни знаний. Проза Бродского корчится в муках от бесплодных и поддельных родов. Все эти эссе (недоучка любил этот жеманный палиндром) сочинены им через зубовный скрежет, в свирепом нокауте воли — оттого и читателю так неловко с этими форсированными, на русский авось, текстами.

Воистину, строитель чудотворный. Уже не верил в свой дар, что — от Бога. Сам себе поставлял сюрпризы и дары. Странное желание — быть записанным при жизни в классики. Так до революции младенцев записывали в полк. Не бывает, не должно быть классиков при жизни. Классик — всегда мертвец. Но — не доверял Иосиф времени, суфлировал будущему, работал за потомков.

Тем не менее эта кипучая энергия, это скрежещущее упорство в добывании, этот волевой императив больному сердцу потрясают. В своей чрезмерности они подорвали ему сердце и душу покруче питерской психушки на месяц, потешной ссылки и изгнания, которые он в Америке раздул в рекламных целях до неописуемой трагедии. Вообще, много скулил на людях, разумеется, на знатной публике, — по поводу ли уколов в психушке или малой жилплощади в Ленинграде, хотя по советским меркам имел неплохо.

Кичился профессорством. Изъяны эрудиции, да просто хорошо уложенных в голове знаний покрывал за счет апломба, шаманского бормота, нахрапа. Самоутверждался на публике. Из кожи лез привлечь к себе внимание американских журналистов. И вообще — очень влиятельных лиц. Писал открытое письмо Брежневу. Устраивал скандальные демарши. Стихи были оброчные. Слишком высокий процент он с них брал. Внепоэтическая нагрузка. Он был крепостной поэт и сам себе задавал оброк. Часто непосильный для стиха.

Никакой талант не выдержит такой внетворческой нагрузки. Стихи тогда иссякают, их завод кончается, и автор стервенеет без ветра, который называется вдохновением. С этим ветром, надувающим паруса стиху, Бродский завязал давно. Отсюда такое беснование, некий леденящий сатанизм — волевая имитация им вдохновения.

И так — домогаясь высших почестей земных — до могилы и, уже полуторагодовым трупом, после нее. Это когда, полежав в свинцовой таре при нью-йоркском кладбище, престижа и почета не дающем, покойник таки выбил Сан-Микеле. Бессмертие было обеспечено, доколе есть Венеция и туристские орды.

Это был рекорд выбивания из-под стишков. Негоже мотивировать осаду Сан-Микеле, предпринятую честолюбивым трупом с американского кладбища, его особой любовью к Венеции. Потому что Сан-Микеле был в проекте уже при втором наезде поэта в Венецию, возникнув из типично Бродского прикидки: Стравинскому можно, а мне, что ж, нельзя?! Стишки о сем свидетельствуют четко.

«Посмеемся над Бродским!» — под таким спасительным для его стишков девизом прошел на дому у Левы Певзнера с полгода назад день рождения Бродского. С нью-йоркским Джозефом говорили многие, знавшие питерского Осю, его друзья, враги и фанаты.

Говорили так: Ося, окстись. Перестань осанниться. Приди в себя наконец. Не суфлируй потомкам, это смешно. Сойди с пьедестала, не позируй в классика, это нелепо. Не бронзовей и не мрамори по собственному почину, это уже фарс. Не надо работать за потомков, не стоит создавать высокое искусство. Мифы, слава и бессмертие — дело времени, а не личных усилий.

Говоря о стихах, очень советовали Бродскому забыть сумму углов треугольника, печоринский скептицизм, площадь квадрата в круге, дрязги пространства со временем и стебный жест рукой крест-накрест.

Главное тут было — не наезжать на Бродского, а спасать стихи от его мемориальной судьбы.

Стараниями его под пушкинских сработанных плеядников идолизировался сам поэт, его биография, его окружение, его стихи. Давно умершие родители поэта, тускло советские обыватели, в одночасье стали яркими интеллектуалами. Сам Бродский — аристократом духа и рождения. Его стишки, тоже в одночасье, забронзовели, ушли от читателя, стали мемориальны и неподсудны. Они лежали, как антологический венок, на могильной плите своего создателя.

Надо было вернуть им живую силу, повернуть к читателю. Вытрясти мраморную крошку из жил стиха. Рассмотреть их в упор, без силового вмешательства автора. И нужен не смех, а хохот, гомерический хохот, чтобы прочистить озоном сан-микелевскую муть вокруг Бродского и его стихов.

Потому что классик Бродский на собственном пьедестале — действительно, очень смешно.

Петров поежился от восторга, вспоминая, как они тогда заново прочли всего Бродского. Под углом его — воющих от страха, что всем видны, — комплексов. Защитный камуфляж под мэтра, арбитра, профессора, пахана — лишь бы никто не просёк его слабость, тревогу, неуверенность и спад.

Вот в этом разрезе: комплексующий титан Бродский — они и прочли его стишки. Какие бракуя, особенно из последних: плагиат у самого себя. Какие — узнав будто в первый раз, в новом лирическом свету. И часто срывались в восторги и слезы. Те самые, которые Бродский, давивший в себе любую слабость, отрицал и в других.

Говорили, что со смертью Бродского что-то трудно определимое — престиж, разгон, замах, закрут судьбы — из русского Нью-Йорка ушло. Но что-то и пришло — стало легче и проще дышать, вылез из своих богемных подполий поэтический молодняк, встрепенулись критика, ирония и смех, вот и классику Бродскому дали по шапке — живи и дай жить другим, не тяни одеяло на себя, не лауреатствуй в стихах. Говорили, что Бродского погубило неправильное толкование второй заповеди. Он сотворил кумира из себя, но для других. И за других.

# По направлению к Певзнеру

### Земляника на крыше

Напоследок Петров вильнул в улочку с названием, в котором обещалась широко шумящая, скорее всего дубовая, роща. Однако за вычетом тройки миловидно шелудивых платанов улица была бездревесна. Зато на плоской крыше типовой пятиэтажки располагалась — как у себя на воле где-нибудь в России — цельная березовая роща. И билась, и клонилась в пояс под океанским бризом, и грозила сверзнуться на головы прохожих.

Живший неподалеку Лева Певзнер утверждал, что в экзотическом березняке водится в июне не менее экзотическая здесь лесная земляника. Будто сидел он там на корточках среди берез и в голос выл над земляничиной, которую высветил среди ночи фонариком. А внизу на тротуаре стоял на атасе Бродский, обеспокоенный за свою репутацию, и проклинал его за проволочку. В березы пришлось лезть с улицы по пожарной лестнице, спущенной с крыши через железный ажур балконов до первого этажа. Не забудь их хреновый бейзмент — выходит высоковато. Бродский подсаживал, но — жертва истеблишмента и здешний почетный обыватель... или это было еще до Нобелевки?.. неважно — видно, перебздел и сбежал, меня не дождавшись. При чем здесь Бродский! Однако и его, уже почти бесчувственного, березняк на крыше как-то процарапал.

— Вот я и говорю, — прерывисто вздохнул Лева Певзнер, потрогав коленку загнанного им в угол на стуле Петрова, — говорю, значит, что человек, даже с сатанинской волей, себе не принадлежит. Нет у него над собой абсолютной власти. Всегда найдется в памяти что-то такое прибитое и затурканное — чтоб никогда не встало, чтоб пикнуть не посмело! — но только свистни, позови по шифру — и раздавит волевого человека. Да, прустовское печеньице срабатывает и на самом отвлеченном человеке. Как и моя земляничина на крыше. А у вас, Саня, была же своя земляничина в Нью-Йорке, признавайтесь!

Петров страдал. Злился на себя, что снова, в какой уже раз, заявился к Леве раньше всех. Несмотря на оттяжки и круги по Вилледжу. Хотя остальные завсегдатаи и гости литературного салона, учрежденного Певзнером полтора года назад, добирались подземкой, а кто поездом и на своей тачке. Выходило, что его ликующий пешедрал из далекого Куинса был надежнее и стремительней любого вида городского транспорта.

— Нет, Лев Ильич, нет у меня своей земляничины и печенье мадлен пробовать не стану ни за какие коврижки, — холодно выдавил Петров, не выносивший душевной сырости и сердечных перебоев с глазу на глаз.

Но как втолковать этому оборотню судьбы, прожившему в одном Нью-Йорке за нескольких людей — был бизнесменом-янки, женатым педерастом, стал возвращенцем, — хотя бы намекнуть ему, носителю в генах еврейского протеизма, что есть люди одноразовой судьбы, такие одно- и узкоколейки, но часто глубокой просадки, которым переметчивость и сбрасывание прошлого заказано под страхом личного уничтожения. Вот идет такой человек, а за ним (с ним) тащится вся его прожитая жизнь. Такая скука для смотрящего. Но сбросить нажитую жизнь и обновиться такому человеку не дано. Можно черепахе сбросить свой панцирь? И чем ей это грозит?

Прошлое привычно тяготело над Петровым. Зависало, как тучка, в самую солнечную погоду его существования. Он просто не мог ничего предпринять и придумать нового без этого хвоста.

И жить у него выходило только от первого лица. Никаких тебе мистификаций и кувырков. Сладость русской мечты о превращениях. Котлы с чудотворными водами перед Иваном-дураком. Нырни и вынырни другим. Совсем другим — лучшим, во много раз лучшим! — на себя нисколько не похожим. Что это, спрашивал себя Петров, комплекс русской неполноценности? или русская же брезгливая нелюбовь к себе, остоё*ень от себя постылого, на всю жизнь к себе безотъемочно приставленного? Еще бы не остоё*, когда ты возникаешь сращением всех прожиточных слоев. Один за другим, один к другому, и в каждый твой день — все налицо, все присутствуют. Ничего не скрыть, никем не прикинуться. Нет никакого камуфляжа — ни защитного, ни прельстительного для других. Все та же занудная русская открытость в лице. Никуда от себя не сбежать.

Вот Лев Ильич, просивший звать по отчеству в своей последней реинкарнации возвращенца, столько раз от себя убегал, жил под разными личинами, что себя в лицо уже не различает, и прошлое его не мучит. Да и нет у него этого прошлого — настолько он его удачно замутил. Конечно, завидно глядеть со стороны на еврейскую легкость и ловкость сращения жизни при открытых ее переломах.

А бывает и так, что узел географического сечения, эта крестовина меридиана и параллели, дающая на карте Петербург, проходит под позвоночным столбом местного урода, насмерть привязывает его к месту жительства, к месту действия его единственной жизни. Он обречен и счастлив. Потому что есть данные наперед цель и смысл жизни. Сдвинуться — значит сломать эту чудную органику места и жизни, перебить себе позвоночник, изуродовать себя, а может быть, и уничтожить. Кто выбирал ему место рождения? Бог назначил. И как он смел променять свой, подаренный на рождение и всегда вдохновительный город на трескучую фигню

Нью-Йорка? Пустопорожний, самодовольный, говнистый, жирный и тощий духом город-уродина, е*ал я тебя на все четыре стороны!

— Послушайте, Саня, я вижу, вы снова схватились с Нью-Йорком, — сказал чуткий Певзнер, дружелюбно растолкав коленом непреклонные колени Петрова. — А это очень и очень чревато, прямо опасно, поверьте мне, я вас уже предупреждал. Запросто можете загреметь в полицейский участок. За оскорбление действием и даже за сексуальный наскок. Никто не поймет, что — на город. И позвольте застегнуть вам здесь, сами не сможете — резинка от трусов втравилась в молнию.

И Петров скрепя сердце позволил. Точнее будет — скрипя сердцем и весь выворачиваясь наизнанку, настолько невозможна была по натуре та роль, которую приписывал ему — сомневаясь, страшась и полунадеясь — недавний вдовец Певзнер. Портрет его жены в попсовой рамке — там голубела жирная вода, мерцали водоросли, вились ракушки — висел в простенке между окнами. И завсегдатаи Левиного салона, занимая места за длиннущей и древней — в триста с лишком испанских лет — столешницей из мореного дуба, спорили, чтоб только не сидеть под взглядом юноши с серьгой и макияжем, — юноши нежного, наглого и сладко дебильного, но «совершенно неотразимого для матерого голубого самца вроде нашего дорогого Льва Ильича», — как утверждал грубый Никаноров, профессионально интересующийся евреями и геями в их свободном проявлении.

Звонок. Ура! Привезли провиант из «Дамы с собачкой», одной из Левиных рестораций. Оттолкнувшись от Петрова, Лева дал задний ход на своем роликовом кресле, развернулся и покатил к дверям — принимать товар. Петров расставлял на столе бутылки, гремел посудой и думал о Певзнере, которого не знал. Как о нем рассказывал прибывший в одно время с ним в Нью-Йорк Коля Никаноров.

## Голубой период Левы Певзнера

Он любил представлять в лицах, в присутствии радостно краснеющего Певзнера, как тот на пару с прославленным русским балеруном — и оба в чем мать родила — козлом скакали по столам с икрой и шампанским в ночных притонах Нижнего Манхэттена. Свечи в высоких шандалах, наркотой так слегка возбудительно веет, джазисты тянут-потянут-вытянуть не могут какой-то кисленький блюз. Столы составлены, как в тайной вечере, — а что, тоже союз голубых, доказательств не требует. За столами — сплошь жопочники, это был их звездный час, допрезервативный рай гомического секса. Откуда — прямиком в ад, но они тогда не ведали. Ихний пир перед самой чумой. Покуда СПИД не грянул. А что, все нормальные мужики были тогда у них в затраве, вся культура (не ахти какая), все искусство (тоже не ахти) сквозь проголубели. Знаете, что наш симпатяга Лео Певзнер, тогдашний в доску американец, выдал как несомненную истину? — что гомосапиенс тождествен гомосексуалу, и только ему, заметьте.

Был в том кабаке у нью-йоркского порта. Бывал и в их банях и клубах — из чистого интереса. К этнографии, скорее. И вот эти козлы и фавны, абсолютно голые, кобенятся на столешнице, а братва им тянет бокалы с шампанским — чтоб окунули туда свои фаллосы. Забыл сказать — балерун обычно был в балетных тапочках. Голый — но в тапочках. Он был чистый маньяк, колотился в экстазе, и член его знаменитый (из обрезанцев, но не еврей) всегда на взводе получался — как штык под прямым и выше углом. Так, чтобы попасть елдаком аккурат в бокал, парень тот сгибался жопой кверху и, нацелившись в шампанское, ё* его на пуантах. Все в отпаде — рев кобелей, визги сук. Счастливец залпом пьет шампанское, обогащенное семенем балеруна и его СПИДом. Но этого еще счастливец не знает. Ходила байка, что член его настолько раскаленный, что шампанское кипит и много вкуснее от этого. Все хотят такого напитка, все суют бокалы идолищу под член. Кому не довелось, совались к Левке. Лева, а Лева — ну, х*й с тобой, Лев Ильич, — не обижайся, но был ты у них на подхвате. И член твой (необрезанец, но еврей) как штык не стоял и вообще не стоял, а висел, и приходилось его макать в шампанское, которое конечно же у тебя не кипело. Но и этот напиток братва выпивала до капли. Клич: все — под стол! И был у них великий, но однополый, свальный грех. Такой вот перформанс, как говорят сейчас в России.

Свидетельствую как очевидец. Голубого секса историк. Потому что все эти оргии и вакханалии, и спермоносные менады очень быстро свернулись. Как и ночные притоны в Нижнем Манхэттене. Поле, поле, кто тебя усеял мертвыми костями? Грянул СПИД на гейское племя. Из тех ночных, по кабакам, оргиастов дай бог чтоб горстка уцелела. Вот Лева уцелел, даром что был из неистовых. Он вовремя женился и упивался уже безопасным семейным сексом с этим вот (кивок в сторону портрета между окнами) белобрысым англосаксом.

Это была иностранная — американская — пора в многоступенчатой жизни Левы Певзнера. Мало того, что он перешел на английский в общении, культуре, сексе, бизнесе — он постарался забыть все русское. И со своим соседом Бродским, которого боготворил, говорил, и лучше Бродского, по-английски. Так он клеился и втирался к своей жене, который неодобрял русский, как и любой другой иностранный язык. Зачем, когда есть космополит английский.

Золотое сечение Левиной жизни! Защитная сень однополого брака, когда кругом бушевал и разил насмерть их друзей и любовников СПИД. Левина кипучая энергия — дар еврею при рождении, — доведенная до счастливого клокотания любовью и беспрерывным сексом, выкидывала штуки, шутки, чудеса. Вместе с Алленом, юношей нежным, лживым, с распутным воображением, они написали, завербовав подставного автора, обретшее бестселлерную славу и деньги практическое руководство «12 наилучших способов поиметь женщину». Мутные от бешенства волны СПИДа, захлестнувшие тогда мужеложный Нью-Йорк, разбивались вдребезги о порог их семейной квартиры в Виллидже, где юный Аллен, не любивший ничего прочного и неизменного, сознающий, что выскочил замуж слишком вдруг и наугад, всякий вечер на супружеском ложе клялся Леве в верности и любви. Когда он сбежал наконец от этих ежевечерних клятв и от угрюмой Левиной страсти и очень скоро пошел по рукам в богемном Сохо, Лева знал, что любовь и секс от него ушли навсегда. Он слишком высоко ставил жизнь, ее деятельную трясучку, ее перемены и крутые виражи, ее лукавые игры с человеком в вечность, чтобы опять идти на риск сексуального радикализма. Тогда он и начал возвращаться.

Аллен приполз к нему на последней стадии модной болезни и умер буквально на руках у Левы (в длинных, по локоть, резиновых перчатках — парень очень досадовал на Левину неуязвимость к СПИДу). После Аллена у Левы наблюдался сексуальный недоед, умеряемый гомоэротической лирикой на двух языках и бешеным бизнесменством. Именно тогда он расширил сеть своих ресторанов с русской тематикой до соседнего штата Нью-Джерси. С переменным успехом, но без убытков. В эмигрантской среде он считался самым богатым и удачливым дельцом. Говорили, что за большие деньги он заказал сексуальную куклу мужского пола. В джинсовом прикиде и в исподнем от Кевина Кляйна. Рожа у куклы и окрас взяты с фотографии юного Аллена. Когда куклу пользуют по-гречески, у нее встает в натуральную величину член с залупой. Попутно она испускает особый гейский грай.

Вот и всё, что Никаноров имел сообщить о Певзнере, неизвестное другим участникам их кружка. Никаноров настолько отточил это свое сообщение, что оно стало для него эстрадным номером — и он охотно его исполнял, интонируя и даже в лицах, по просьбе публики. Любопытно, что Певзнер не возражал. Казалось даже, что он выслушивал это откровенное, по мнению Петрова, издевательство над собой с каким-то грустным удовольствием. Как будто вспоминал что-то далекое, удивительное, милое, но бывшее, может быть, не с ним. А все остальное Петров о Леве знал сам. Выудил у Левы и его друзей по Питеру. И без всяких издевок.

## Гениальный читатель

Самое интересное в нём — ставшем американцем, усвоившем чужое наречье лучше, чем сосед по Виллиджу Бродский, — его возвращение. Возвратился Лева Певзнер в родную азбуку, в русское письмо и ритмический строй, в охапку русских слов, которые в Ленинграде держали его в непрерывном заводе: скорлупа — окоем — стручья — петуньи — остое*енила — обида — настурция — паруса. Работал он тогда инженером-геофизиком, а жил, как и многие тогдашние физики, лирикой. И только ею. Слово «литература», начиная улыбаться, выговаривал сексуально, с грубым напором — так щупают, перед тем как есть, сродную бабу. Однако его такая на вид крепкая и от самой природы любовная хватка со словом была платонической с самого начала и ничего стоящего не произвела. Постепенно он сам, ненавидя все приблизительное и без мастерства, свел свою авторскую величину к нулю и даже ниже. В чем ему помог Бродский — Бродский неизбежен тут, как и далее в Левиной судьбе, назвав его «венок метасонетов» чистой лажей и даже, тоже чистой, жутью и посоветовав держаться изо всех творческих сил за геофизику. Что Лева и делал с максимальным, по советской шкале, денежным успехом.

Однако он был гениальный, от самой природы, читатель. Тот же Бродский проверял на нем новые, а иногда и старые стихи и переводы — Лева был по основной профессии многоязычен. Он не написал и не напишет ни одного оригинального стиха. Но знал в лицо каждую, буквально каждую, строку из Мандельштама, Кузмина, Гумилева, Заболоцкого и питерского Бродского. Знал наизусть — целиком и в сладострастную разбивку — уйму поэзии и любил, гуляя по своему Васильевскому острову, негромко — а то и очень даже громко, когда увлекался, — читать созвучные пешему ходу стихи.

Водилась за Левой при*издь: чужие стихи он читал и воспринимал — по крайней мере, на момент чтения — как свои кровные, им лично сочиненные. Даже если подворачивалось из сугубой классики — все равно приватизировал на время. Друзья в Ленинграде интересовались: мог ли он угрызаться от собственного неписания ни строчки? В голову не приходило угрызаться — был так плотно набит чужими стихами, что мог задохнуться или взорвать сердце, производя регулярно свои. И если случалось, что забывал на ходу слово, перевирал строчку либо — самое страшное — сбивался с ритма, Лева как вкопанный вставал посреди улицы: напрягался, багровел, вспоминал — и тут же выкрикивал на воздух исправленный текст. Был убежден, что фальшивый звук крушит звукоряд всего мироздания, воспринятого Левой как единая, гудящая от напряжения земных усилий гениальная поэма. Вот за этот его напряг от слова Леву и ценили в Питере те, для кого слово было только сырьем.

Это неверно, что в эмиграции Лева добровольно отказался от поэтического нахлебничества и от родной речи. Но он не смог претерпеть достойно начальную — убогую и нищую — пору всякой эмигрантской жизни. Геофизическая кормушка, которую на родине он довел до волшебной торбы с дарами, не получалась в Америке, где все полезные и праздные, но драгоценные ископаемые были давно разведаны и уже исчерпаны. За исключением, быть может, мифической Аляски, которую многие американцы или не знали совсем, или считали до сих пор русской.

## Французские крепсы и старинный айскрим

Но не за русской Аляской ехал в Америку Лева Певзнер. Несколько свойств Левиной натуры сошлись и дали в итоге горючую смесь, вполне пригодную для хорошей взрывчатки. Сумев буржуазно прожить в Союзе, Лева не мог согласиться на участь нищего эмигранта в Америке. Он был из породы людей с устойчиво высоким о себе мнением. Спускание по этой шкале самооценки грозило драмой и распадом. Наконец в нем — и неожиданно для него — восстал могучий инстинкт выживания еврея в любой точке земного шара с денежными знаками. Говорят, он дико засуетился. Его враги до сих пор утверждают, что для начала он провернул полуопасную, в смысле тюряги, авантюру с медицинским оборудованием для бедных. Так, по слухам, был заложен его первоначальный капитал.

Но уже на четвертом году изгнания (так любил он называть свой вполне добровольный отвал) Лева стоял во время ланча на углу Бродвея и Уолл-стрит в белоснежной рубашке с черной бабочкой и завлекательно — для простоватых бизнесменов — колдовал над портативным устройством французов для изготовления крепсов. Под конец процедуры, которую взволнованно наблюдала и обоняла (Лева употреблял только сливочное масло и никогда — маргарин) небольшая, в полукруг, толпа, Лева подносил длинную американскую спичку к облитому гранд-марнье крепсу, и крепс пылал адским огнем в дыму и алкоголе. Молниеносно свернув и всунув скворчащий блин в пакетик в виде статуи Свободы, Лева, дивясь на собственную щедрость, с улыбкой подавал его счастливцу, сведя момент оплаты к сущей ерунде.

Оттого было выгодно блинное дело и стоило так выкладываться перед публикой, что, проглотив в упоении первый крепс и только напустив слюну блаженства, покупатель, как правило, лез за вторым и насыщался вполне только на третьем. И вскоре Лева, с помощью тренированных напарников, держал крепсовые тележки под зонтиком в двух центральных точках Нью-Йорка — перед входом в Сентрал Парк и внутри Сентрал Стейшн. Это в прохладный сезон.

А в смрадное нью-йоркское лето, проходящее под знаком трех зловещих «h» (hot — hazy — humid), крепсовые тележки, столь памятные жителям и гостям Манхэттена 80-х, заменялись антикварными мороженицами — их Лева приобрел скопом и почти задаром на блошином рынке в штате Вермонт. Левины враги, хмуро и пристально следящие за его бешеной активностью, говорили: украл из запасников этнографического музея Смитсония в Вашингтоне. И приводили подробности. Дал сторожу взятку или просто на выпивку — и вывез на прицепе.

Так или иначе, но идея с мороженицами начала века в ностальгирующем Нью-Йорке конца века была очень хороша. Пусть и не слишком прибыльна. Мороженое трех сортов — ванильное, крем-брюле и клубничное — выдавливалось в кружок между клетчатыми вафлями, на которых отпечатывалось, за плату, имя ребенка-покупателя. Почему-то готическим шрифтом. Что придавало элегическую прелесть старинному и как бы из гриммовской сказки айскриму.

Были у Левы и другие — удачные и провальные — нововведения в уличную торговлю Нью-Йорка. Друзья собирались и шли специально смотреть на него — советского инженера, кандидата наук, опустившегося до мелочной торговли напоказ и всякой дрянью. Но смутить Леву, колдующего над крепсами или веско подающего Джону, Джейн и Мери именное мороженое в круглых вафлях, было не так-то просто. Было невозможно. Для укоряющих взглядов друзей Лева был неуязвим. Для врагов — тем более. Он не понимал их укора. Не ведал ни стыда, ни обиды. В нем играла и пускалась в эксперименты его не терпящая праздности и на редкость предприимчивая энергия. Друзья говорили, что он слишком уж торгаш и весьма непривлекательно корыстен. Например, никогда не угощал знакомых и друзей своим товаром — ждал, чтоб заплатили. Говорить мог только на конкретные (никогда на отвлеченные) темы торговли, выгоды, навара.

Лева уже открыл на Ист-Сайде кафе, где с утра — и впервые в Манхэттене — подавали не только заварной кофе и холодные сэндвичи, но и горячий шоколад и ослепительно горячие — длинные, в хрустких извилинах — пончики типа испанских чурро, только что вынутые из кипящего масла и крупно обсыпанные сахаром с корицей. Это испанское привнесение в типично англосаксонское, а следовательно несъедобное, меню Левиного первого кафе пользовалось такой бешеной, хотя и локальной популярностью, что утренние чурро пришлось продлить — наперекор мадридской традиции — до самого ланча. Опять же — испанские пончики выгоды большой и даже средней не приносили, изготовлять их было так же трудоемко, как и французские сюзетки.

Для Левы это был период ученичества. Он изучал законы и прихоти ресторанной коммерции и делал свои выводы. Очень помогало, повторяю, наличие первоначального капитала, трудно нажитого на спекуляциях с бытовыми медприборами, на крепсах и антикварном айскриме. Экспериментируя, нащупывая вслепую границы американской удачи, Лева мог себе позволить некрупно ошибаться и нести убытки.

Хочется говорить о певзнерах, живущих в эмиграции всерьез — тяжко, круто и хватко — и умеющих беспрерывно, очевидно, до смерти, обновлять эту призрачную по сути эмигрантскую жизнь. В поте лица и с невероятной отдачей они прорывают глубокие фундаменты под свои воздушные замки. Недосыпая и дико нервничая, они работают на будущее, а его нет и быть не может у эмигранта, который, повторяю, есть пленочный слой на жизни чужой. Это настоящий триумф мечты, фантазии и абсолютной беспочвенности, пусть и добытый такими, сугубо утилитарными, средствами.

И вот уже Лева открывает ресторан с русско-французской тематикой в богемном Сохо, где первым из рестораторов Манхэттена (см. пищевую секцию «Нью-Йорк таймс» за осень 1981 г.) вводит французские крепсы с серьезной начинкой в дневное меню. Он продолжает поиски и эксперименты, подбираясь к своему второму ресторану, хотя и понимает уже, что американские вкусы, даже в таких эклектичных местах, как Сохо или Гринвич-Виллидж — упорно консервативны и откровенно невкусны. Или так: здесь вкусно невкусное. Он чуть не срезался на грибах.

## Грибы русские и еврейские

Это была грибная эпопея длиной в полгода. Петров, только что приехавший в Нью-Йорк, принял в ней восторженное участие — тогда он и познакомился с Левой Певзнером. Вместе с напарником — таким же, как Петров, эмигрантом-горемыкой и таким же, и даже выше его, экспертом по грибам. Они снабжали Левин ресторан пахучими сморчками-строчками весной и красно-бурыми боровиками в союзе с маслятами-лисичками летом. Снабжали почти бесплатно — сквалыжный Лева оплачивал только дорогу, отлично рассчитав, что значило для них добраться — три часа на машине из Нью-Йорка на север — до глухих и, очевидно, бескрайних елово-сосновых урочищ, где грибов в тот год было видимо-невидимо, а охотников до них — только два русских эмигранта. И собирать их было неазартно и неволнительно, а с глубоким и набожным восхищением. Господи, как много ему, Петрову, было что поведать об этих, совершенно полосатых в солнце, дремучих борах с черными стволами и шелковистой, рунной, странно неколющей хвоей, где каждый сучок и всякая отсучинка гигиенически облиты смолой.

Вот я иду и все оборачиваюсь, все оборачиваюсь, и сейчас расскажу вам, что вижу. Здоровенный березняк я вижу сейчас, как тогда, собирая грибы в Левин ресторан, — без всякой корявости и северных черных угрей по стволу — слепительная белизна кожуры, которую можно размотать, как марлевую повязку с раны, до самой сердцевины и смерти дерева.

Все дело в том, что рассказать об этом некому. Одно из условий Левиного кружка — не говорить о политике, евреях (как все мы гениальны), природе, погоде, фауне и флоре. Массовый еврей и в особенности еврей-интеллигент из либеральных доктринеров к природе бесчувствен. И привычный Петрову взволнованный клекот в родных палестинах по поводу очередной вылазки в Павловск или Шувалово, да в Таврический сад, где можно до сих пор (Петров справлялся у друзей в письме) в конце июня найти землянику — если, правда, знаешь где искать, — здесь, в русском Нью-Йорке, не возникал. По всем углам России сидят люди пришвинского толка и ежесезонно обсуждают новости леса, неба, воздуха, почвы, городского сада и даже сквера (черемуха вовсю, сирень запаздывает). Этот генетический отпад русского от природы невероятно возносит и самую упадочную жизнь.

Тогда, в пору грибных набегов в адирондакские леса, Петров смирился с утратой навсегда Карельского перешейка, шуваловских елей, невских белых ночей, корюшки, пахнущей июнем, и земляничных местечек под Вырицей, знакомых только ему и маме, где они за один присест набирали на литр варенья. Пора признать, что легкий и суетный человек Лева Певзнер спас его тогда, бросив на грибы, от скоростного погружения на самое дно отчаяния. Жил он тогда в угнетении и не знал, что лучшее средство — оплаченная в два конца дорога до василько́во-иван-да-марьиных подступов к лесным массивам Адирондакских гор.

В первые годы в Америке он только и делал, что подсчитывал свои потери. Приобретений не было — одни убытки, как у Левы с грибными блюдами.

Американцы наотрез отказались пробовать, даже на халяву, румяные струдели с тонкой и хрусткой, по-французски, корочкой и начинкой из диких грибов, называя их «русской отравой», истребляющей в Москве, как хорошо известно из «Нью-Йорк таймс», по сотне, а то и по тысяче человек зараз. Наивный правдолюбец Лева Певзнер вначале бурно возмущался американскими предрассудками. Он заказал бывшей питерской литкритикессе статью об эстетических и гурманских свойствах лесных грибов. Статью напечатали — та же «Нью-Йорк таймс» (от 15 октября 1985 г.), но безрезультатно для Левиной ресторации.

Одновременно с печатной рекламой грибов, которые упорно именовались «русскими», хотя американские леса на всех широтах буквально кишели ими, Лева ввел наглядную, или «живую», рекламу у себя в ресторане, сажая за стол одетых с нью-йоркской попсовой иголочки эмигрантов. Обычно это были Петров и его напарник по грибам со странным, неуменьшительным и неженским именем Бася.

Вот мы громогласно заказываем (на вызубренном английском) официанту исключительно грибные блюда. Когда он предлагает что-нибудь мясное или рыбное, мы с заразительным хохотом, то есть заражая соседей по столику, бракуем все в пользу грибных деликатесов. Вот они прибывают (воздержусь от описания, но были у Левы свои прозрения в грибах, достойные желудочных экстазов, но где-нибудь в просвещенном Париже, а не в захолустном Нью-Йорке начала 80-х), и мы с Басей, задыхаясь от счастья, набрасываемся и пожираем в кратчайшие сроки, изображая чревоугодный восторг. Подзываем официанта, требуем повторить, тычем вверх большие пальцы в знак победы. А по залу (он и сейчас все тот же, этот псевдостаринный зал, сработанный под дворянское гнездо, с буфетной стойкой для закусок, с крахмальными скатертями и ложным хрусталем, с Шишкиным и Шагалом, с дивными, наводящими тоску на эмигранта шторами в рябиновых гроздьях) уже ползет испуганный шопоток туземцев: «Russian mushrooms... poisonous toadstool... all the villages obliterated...» («Русские грибы... поганки... вымирают целые деревни...»).

Не способствовало и то, что Бася, непререкаемый авторитет по грибам, как и многие специалисты в отношении их предмета, любя грибы собирать, не любил их есть. А их избыточное потребление за ресторанным столиком — единственная у Левы, помимо дороги, компенсация за наши лесные труды — вызывало у Баси рвоту, которую он не всегда успевал пресечь в живой рекламе «Дамы с собачкой». Певзнер именовал свои кафе и рестораны по чеховским, доступным нью-йоркскому интеллигенту-обывателю, титулам. А тем, кто не слыхал о Чехове, «Дама с собачкой» наведет на память абсурдистские вывески в трактирах старой Англии.

Короче, радикализация меню «Дамы с собачкой» за счет русских грибов и, в частности, пиарные картинки в лицах не увеличили приток ресторанных людей, как рассчитывал Лева Певзнер, но сколько-то их даже сократили.

Несмотря на убытки, Певзнер продолжал настаивать на своих грибных амбициях, но обращал их уже к узкой прослойке посетителей, а именно — к евреям-ашкенази, выходцам из стран Восточной Европы, где знали и ценили, иногда на вес золота, лесные грибы. Он видел в еврейских лавках, да и в супермаркетах диковинные титулы: «еврейские блины», «еврейский борщ», «еврейские бублики и калачи», а также «еврейские картофельные пирожки с грибами», где словом «еврейский» обозначался не потребитель, а национальная кухня.

Народ в диаспоре неизбежно приватизирует этнические признаки страны-хозяина, и прежде всего — второй после наречия — ее жрату. Так решил про себя Певзнер и загорелся обновить грибное меню за счет «типично еврейских блюд» вроде картофельных оладий с грибным соусом или грибной солянки и с непременным введением в текст «еврейских грибов» — дабы отрезать раз и навсегда жуткий, убивающий сотни и тысячи русский аналог.

Затевая еврейский уголок в «Даме с собачкой», Лева как бы репетировал открытие своего второго ресторана с кошерной тематикой, но с международными — по разбросу кухни в диаспоре — вариациями основной темы.

Поначалу Левина затея с кошерными грибами имела успех. Желающих любознательно поесть в «Даме с собачкой» прибавилось, в основном за счет одержимого до всего национального еврея-обывателя, однако не настолько, чтобы перекрыть число отпавших от ресторана из-за русских грибов.

А когда выяснилось, что под «еврейскими» грибами, как и любыми другими в природе, американец понимает только культурный, без вкуса и запаха, на поток поставленный машрум и что только в этом качестве воспринимает изысканный, благоухающий лесом и памятью, из семи компонентов сложенный «сладкий грибной соус» — только тогда Певзнер признал свое поражение с грибами...

## Пиры Лукулла

...и как-то сразу потерял интерес к экспериментам и новому в своей ресторации. Убыточно и хлопотно. В русско-французский уклад «Дамы с собачкой» он всунул неприметно — то тут, то там, то сплошь — образцы туземной кухни, которую раньше запальчиво счел малосъедобной. Он также рассудил, что новый ресторан не должен быть совсем новым и даже совсем не новым, а творчески осознанным плагиатом старого. И назвал его «Другая дама с собачкой». По-английски это звучало весело, абсурдно и с необходимым кивком в сторону первой дамы и ее собачки.

И вышло так, что Лева Певзнер, миллионер и бизнесмен, поставивший жизнь свою, как новенькую вагонетку, на прочные рельсы американского успеха, по которым ей катить и катить, казалось бы, до последней станции, — так вот, этот новый, с иголочки, американец Лео Певзнер вдруг развернул свою вагонетку взад, в родную речь и русский дух, в здрасьте-до-свидания-всех-благ вместо опостылевших хай-бай-бай-о'кейев.

Не вдруг с ним случилось. И не только умозрительно и в слове. Певзнер был из первых в эмиграции дельцов, затеявших совместное предприятие с московскими воротилами. Но едва он — впервые за одиннадцать лет разлуки — ступил на родную землю, то есть на красно-синий турецкий ковер ресторана «Мираж», где предполагалась встреча с партнером, как попал под обстрел «калашей» и минометов с фатальным исходом как для его содельников, так и — что было Певзнеру жальче всего — для вестибюля ресторана, который был виртуозно сработан под восточную сказку на его кровные доллары. Его самого, в союзе с зеркальными дверьми, выбросило на проезжий асфальт, и он отделался мелкими, но внутренними, травмами. Певзнер не любил вспоминать, как кружным путем, на азиатской авиалинии и горестно переплатив за билет, добирался до Нью-Йорка.

С родиной было завязано, да он и не узнал ее в лицо. Подлинная Россия, с невским ветром и ладожским льдом, прогулками по набережным всегда в рифму, с друзьями, молодостью и горой будущего, была все-таки при нем. Он мог сноситься с ней в своей на редкость отзывчивой к его просьбам и совсем не мучительной памяти. А возвращаться в Россию на жизнь до смерти можно только в славе.

На открытие литсалона пришли, к изумлению Левы, в основном врачи двух категорий — по зубам и по ногам, самолюбиво именовавшие себя дантистами и подиатристами. Все в богемном, по их понятию, прикиде — черные костюмы, бабочки, шелковые пояса. Они с толком осмотрели Левину квартиру до чуланов и двух сортиров, выдули в один присест, без застольных разговоров французский марочный совиньон, закусив редкостными сырами и воздушными, хоть и ржаными, хлебцами, примерились, кто видел больше знаменитостей на панихиде по Бродскому, отчитали Леву, что не набрал у себя именитых людей, на которых они, собственно, и пришли, а впрочем, пообещали бывать у него и дальше. Из литераторов набился молодняк за тридцать, тоже прельщенный виллиджской квартирой в мемориальной близости от логова Бродского и сыпавший довольно жутко почти музейным матерком своих родителей-шестидесятников.

А *ули вам, халявникам, жрать у меня, сказал им всем Певзнер, скорбя по выпитым не по чину бутылям отменного вина и первосортной, любовно им составленной для корифеев слова, закуси.

Вся эта шикарная снедь, с поставкой на два года, досталась Певзнеру от богача-эксцентрика, к тому же скульптора и эрудита, открывшего посреди Сохо совершенно безумный ресторан под названием «Пиры Лукулла». До ресторана высокородный испанец Буэро Альбареда, проматывающий в Нью-Йорке наследство от семьи потомственных банкиров, держал в том же Сохо скульптурную галерею. Там выставлялись не менее безумные, чем лукулловы пиры в бескалорийной соховской диете, почвенные и водные инсталляции (с натуральной жидкой грязью в стеклянных резервуарах) — работы самого Буэро и других экстремалов от пост-постмодернизма.

Какой только типаж не встретишь в Нью-Йорке! По живописности и разности физиономий, выражений и гримас, по богатству персон, темпераментов, характеров, судеб, всех видов и оттенков безумия, всех родов и красок таланта — это первая столица мира. Пока не перемелет всю эту ярко-пеструю людскую ярмарку во что-то единообразное и, в общем, тускловатое американский плавильный котел, работающий, увы, безотказно.

В «Пирах Лукулла» неистовый испанец придерживался древнеримского меню из шестнадцати блюд, которое вычитал у Светония. Ни один из посетителей, отважно переступивших порог ресторана, не смог одолеть без животных судорог и отвращения всех блюд с императорского стола двухтысячелетней давности, и начитанный хозяин очень рекомендовал — для очищения желудка к новой пище — известный римский жест.

С трудом удалось Певзнеру — он с выгодой держал свою «Даму с собачкой» по соседству с «Пирами Лукулла» — убедить Альбареду, зацикленного на съестных тонкачествах, перейти от античной кухни к современной — с французскими, испанскими и англо-саксонскими вкраплениями. И этот проект, считал Певзнер, сгубила изысканность провианта. Испанский фланер, который года два держал в творческой закрутке молодняк Сохо и соседнего Виллиджа, был неистов, крут и совершенно невменяем, но вдруг отбыл на родину продолжать сверхдоходный бизнес своей семьи. Такая вот старомодная история.

Но и от испанца Певзнер имел свой навар. Тот оставил ему — за бартерные услуги — двухгодичную лицензию на поставку из

Англии голубого сыра стилтон, из Италии — болонских окороков, из Франции — марочного каберне совиньона.

Поначалу Лева, подавив искушение внедрить знатный корм в свои плебейские рестораны, не знал, что с этим даром делать. И его враги и недоброжелатели — все те, кого он не позвал в свой литсалон или позвал один-два раза и дал отставку, — ехидничали, что это только чтоб утилизовать ненужное добро, Певзнер завел свои воскресники.

Зато те, кого он обыкновенно звал, начинали ждать его открытки, дивясь на себя, с тревогой, переходящей в панику, — вдруг не позовет? Все знали, что Певзнер, большой знаток по вязке гостей в парадоксальные букеты, случалось, браковал и самых безусловных — с именем, с молвой и даже с талантом, — но как-то не с руки в его раскладе.

## Главный циник русского Нью-Йорка

Неприметно и без всяких Левиных усилий его кружок стал местом заманчивым и вожделенным. Приезжали, случалось и прилетали из своих коннектикутов, мэрилендов и оклахом бывшие кумиры — шестидесятники, а также российский, проездом в Нью-Йорке, литературный молодняк, очаровавший Певзнера — и только его одного — своей чернухой, порнухой и попсой.

Сам Певзнер, которого многие держали за сального дельца, вдруг оказался учителем, словесным гурманом и чуть ли не вождем. Его приговоров страшились, его эрудиция цветила и задавала блеску их разговорам, в его присутствии — мэтра, не написавшего ни строчки, — многие ощущали прилив наглости и самоуверенности. И все было намертво всерьез, будто русская литература переживала свой самый цветущий, пенный — настолько переплескивающий через край, что цвета хватило и на эмиграцию, — период.

Нет, не зря Лева Певзнер прогулял свою молодость на невских набережных, выкликая на воздух чужие стихи. В эмиграции, где всё теряют, он сохранил пафос литературы, которая не кончается, а только меняет свои установки.

Он нагнетал литературную атмосферу из торричеллиевой пустоты эмиграции. Коля Никаноров, главный циник русского Нью-

Йорка, с веселым злорадством похеривший всю русскую культуру, с досадой отметил, что Певзнер с его культом литературы вовсе не идеалист, а самый что ни на есть утилитарный меркантил. Что он ходит в литературу по крайней нужде. Что у себя на дому он лепит для таких же, как он, придурков культурное пространство из ничего. И все его призывы — ложь, мираж и фикция. Плохая игра воображения.

Но Певзнер держал за очевидность, что все искусство — игра воображения. И все, что вокруг искусства, можно умышленно создать и изменить.

Говорят, на первом же собрании Лева произнес речь, которая всех присутствующих — большинству за полтинник и дальше — страшно взволновала.

— Воображение, друзья мои, — сказал тогда с напором Лева, — включите воображение! Вы молоды, вы талантливы, у вас все впереди. Вон будущее лежит на горизонте, целая гора будущего — попробуйте его съесть побольше. В воображении, друзья, в воображении! Какая разница, что — не гора, а так — щепотка, две. Все относительно, друзья мои, и всё, буквально всё сейчас зависит от силы воображения. Культивируйте его в себе как талант, но, как талант, оно не подведет вас. В юности, когда надо жить изо всех сил и всерьез, мы, многие из нас, живут воображением. И только воображение спасает нас в критические минуты жизни. Отчего же сейчас, когда жизнь в основном прожита, не позвать воображение на помощь. Итак, повторяю: вы молоды, вы самоуверенны, до крыши набиты талантом и футурум, о'кей? А сейчас поговорим о литературе.

Петрова тогда не было, Петрова Лева пригласил не сразу и, очевидно, даже не догадывался, как хочется тому попасть в кружок. Об этих встречах и отдельно о Леве Петров собирал по крупицам — не по заданию, конечно, а из особенного интереса к Певзнеру и всему, что тот затевал, включая ресторанные авантюры. Певзнер его интриговал, он был рад втравиться в любое его дело — только бы Лева позвал. Сам он был на предприимчивость — любую — уже неспособен. Не хватало силы характера, закрутки, да просто энергии в его опущенной жизни. Изнурила его совсем эмиграция. Тем более его тянуло прилепиться к тем, кого она взъярила, дала их жизни яркий накал. А может, он был влюблен в Певзнера, как приживалец в хозяина. И тихо ревновал его к Никанорову, жлобу и хаму, который, тем не менее, был из завсегдатаев у Левы, причем с первого собрания. Что-то их крепко связывало, цепко и на разрыв держало. Хотя Никаноров и был как в дремучем лесу невпродер в той самой литературе, которую Певзнер превозносил. Оба они, неодобрительно вывел Петров, с моральной гнильцой, с подтасовочной страстью, обоих истина не очень-то волнует.

С горечью вспоминал Петров, как первый раз шел по открытке в Левин кружок. Был май, американская бурная, всё враз выкладывающая на стол весна. Петров проскакивал среди могучих рододендронов в цвету, сверху донизу усаженных речными лилиями, — так казалось Петрову, имевшему привычку приручать диковинное знакомым. Яблони были так густо облеплены — по стволу и по веткам сплошь розовым цветом, что можно было под ним переждать довольно сильный дождь. Петров решил: надо отличиться на этом сборище, высунуться, показать себя. В одиночестве он одурел до дикости, разговаривал по-русски сам с собой и в лицах — то за себя, то за него или неё. Крыша понемногу съезжала, он это точно чувствовал. У Левы он был сладко оглушен словесными пристрелками, всей солью и перцем интеллигентской тусовки, от которой отвык. Сам Лева щемяще напомнил ему учителя литературы, который сбил с рабочего пути когда-то половину их класса. Петров воспрял, развеселился и решил отсюда не уходить. Призвал на помощь все свои способности — блеснуть. И они собрались. Силен он был в описаниях, в приметах, в их дрызге и мелком дребезге.

— Х*ли нам знать, — огрел его наглый Никаноров, единственный здесь русский, но бесчувственный к природе, как еврей. Появление в кружке другого русского он воспринял конкурентно, хотя — видит Бог! — Петрову, заливавшемуся соловьем в сочувственном кругу говорунов, пробующему, как диковину, звучащее слово на вкус и на цвет, было не до родового окраса этой публики.

Никаноров также не был трахнутым на своей породе. Свою русскость, как и всё сущее, бывшее и могущее быть, он воспринимал сквозь отвращение — с тяжестью, брезгливостью и злобой.

Но больнее всего и безутешнее его грызла зависть — к однопоколенникам, все из того же 37-го года рождения, сумевшим взять реванш у советской судьбы. На старости лет, в крутые сроки и с доходным блеском.

Капитал, доход, большие деньги Никаноров, толковавший когда-то с либеральным подъё*ом сочинение Маркса в Питерском университете, ценил и вожделел больше всего на свете. В Америке, куда он прибился, не заручившись ни одной инакомыслью, не бывав ни подписантом, ни хотя полуевреем, Никаноров камнем пошел на дно, отметив по пути с цепкостью истинного совка, что житейские низы в Америке шикарней и добычливей иных карьерных высоток на родине. С тех пор идея богатства, мечта о достатке американского, а не эмигрантского пошиба овладела им как-то неистово, потеснив, а затем и вытолкав взашей те несколько убеждений и взглядов, с которыми он когда-то свалил из России. Например, Никаноров вовсе сбросил славянофильскую идею, с которой носился на первых порах в Нью-Йорке, как карьерно гиблую в среде еврейской эмиграции, где ему пришлось обитать.

Итак, он работал на американском радио, вещавшем на Россию. Трудность была в том, что вещать надо было о культуре, и прежде всего — о литературе. Но именно в литературе Никаноров пасовал. Бывает так — человек восприимчив к идеям, интеллектуально подвижен, даже виртуозен, у него свой стиль, свой словарь, манеризмы — а литературу не сечет. Слеп и глух — хоть плачь! Никаноров и всплакнул немного — когда запоролся в эфире на гениях. Объявил гениальной стопроцентную графомань. Как критик он страдал оценочным астигматизмом. Если критика — это стрельба по целям, Никаноров бил наугад и наугад попадал в цель. То есть очень, очень редко. Отличить верняк от фальшака, талант от фикции было ему не по силам.

И он литературу взненавидел. По радио на Россию он литературу отменил. Не было литературы и не будет. И не надо ее. Нет ни оценок, ни верха-низа, никаких критериев и точек отсчета, ни ступеней, ни рангов, ни критики. Это все придумали упадочные шестидесятники, которых, кстати, тоже не было. Они сами себя выдумали. Как и высокую литературу, которой можно жить и утешаться. А есть масскультура, доступная каждому, кто ее хочет.

А кто не хочет, преспокойно обходится без всякой литературы и ничего при этом не теряет. Большинству литература по барабану. И большинство всегда право. Потребность в литературе — это миф. И свое высокое назначение Никаноров видел в разоблачении этого мифа.

Конечно, это был грандиозный жест — из Достоевского. Мне не дается литература ни с какого боку — следовательно, я литературу отменяю. Слушатели в России были в отпаде. Тем более что крыл он американским опытом. В эфире Никаноров, с трудом разбиравший — на письме и вслух — по-английски, был матёрым аборигеном, всё в Америке схватившим и усвоившим, — и язык, и культуру, и американские архетипы. Для растерявшихся и всё растерявших на родине россиян made in America Никаноров был прост, доступен и неотразим.

К Леве в салон Никаноров ходил по необходимости: для справки о новейшей прозе в России, об авторах — кто даровит, кто интересен, кто дерьмо? — чтобы на другой же день по радио, с баритональной иронией и блеском, выдать новорусской России истину в последней инстанции.

Петров всё порывался разоблачить фигню Никанорова перед Россией. Обрюзглый, слабый, гнилой, с потасканным и испитым лицом — а морда особенно испитая у алкоголиков, вдруг бросивших пить, — Никаноров был нелеп в той роли эксцентрика, буяна, нигилиста, на которой он настаивал и у Левы, и вещая в эфире. Но именно Лева горой стоял за Никанорова. Ценил за грубый ход негативной мысли, за то, как он классно брал Россию на понт, за размах погромного жеста, за его вполне художественный свист. И Петров понимал — Никаноров необходим как острая специя в том человеческом букете, который Лева неутомимо составлял.

## Пиарщики вечности

Между тем народ собирался. Бруклинцы пришли, как всегда, целой кодлой. Причем никто из них заранее не договаривался в компанию. Как-то так получалось, что на подходе к Левиному дому гости из Бруклина таинственно сходились вместе. И, как всегда, хохотали, пока втекала в дверь вся бруклинская группа. Народу было много — всё знакомая толпа. Разумеется, пришел и Никаноров. Петров моментально увидел — будто читал в биржевой сводке, — как его шансы на сегодняшний успех резко пали. «Ну и дурак! Смелее, наглее — встревай немедленно!» Он ужасно волновался.

Но с ходу встрять ему не удалось. Среди новых лиц оказался курсирующий между Москвой и Нью-Йорком когда-то культовый стильный прозаик, когда-то авангардист и московский плейбой. А теперь слинявший на свободе до такой крайней степени, что единственным его литературным признаком было преподавание этой литературы в американском колледже. В него-то и вцепился со страшной силой бывший теневой поэт из Харькова, сделавший своей специальностью в Левином кружке — поливать эту хапужную, сплошь осиянную генерацию. Всех этих шестидесятников, застивших своим обильным старческим помётом весь горизонт литературной России.

На этой теме торчали долго. И было отчего. За всю жизнь русской литературы не случилось такого хищного клана писателей, сосредоточенных на детоубийстве и похищении славы у будущего. Отвратительны их могильные повадки: будто уходя, они уносят с собой весь священный огонь, и новой литературы не будет. Как в том, их же, анекдоте, где, намылясь из страны, эмигрант выключает за собой свет. Враз лишая молодняк самоуверенности, ярости и хамства. Так гипнотизируют будущее, дав себе время отступить во славе. Отступить наступая.

Типографии заняты под собрания сочинений семидесятилетних шестидесятников. Все дотации — от нищего государства и от воров-олигархов — идут на старцев, на их выхлопные газы. Все поколение объявлено гениальным. Доказательств не требуется.

Помимо и прежде славы — мощный для старческих рук хватательный инстинкт. Все премии, титулы, регалии — однопоколенникам. Так стратегируют славу. Так, физически сходя со сцены в смерть, поколение канонизирует себя. Дикий случай массовой гениальности.

На Олимпе строят совковые коммуналки — нет места для всех достойных. Иконостас в ликах на километр. Все — в нимбах. У кого — крупней, у кого — помельче. Но все равно осиянны.

Рукоположен в классики миловидный лирик Окуджава. В классиках при жизни ходит пустопорожний, изнывающий в прозе от усилий ее чем-то заполнить трудный гений Битов. Поэту Кушнеру, имитатору классики, пишущему как по трафарету, сквозь классический стих, возвращены права первородства — он тоже классик, очевидно, по наследству от гениев, которым подражает. И т. д. и т. п. И всем этим классикам вручены охранные грамоты — от времени, от истории, от критики. Прежде всего — от критики. Таковая не только не допускается, само ее существование — под сомнением у пиарщиков вечности.

Хуже всего: слюноточивые старцы мордуют новые поколения, и без того травмированные распадом отечества. Они уплывают в вечность на своем комфортабельном Ноевом ковчеге, оставляя за собой лишь потоп.

Властное старчество, занятое только деньгами и регалиями, вполне способно задавить нежный и бескорыстный молодняк. Пусть будут в помощь молодым заклинания Велимиром Хлебниковым старцев-упырей своего времени:

«Пусть те, кто ближе к смерти, чем к рождению, сдадутся! Падают на лопатки в борьбе времен под нашим натиском дикарей. А мы — мы, исследовав почву материка времени, нашли, что она плодородна. Но цепкие руки оттуда схватили нас и мешают нам свершить прекрасную измену пространству».

И в самом деле, почва, черпнутая из-под пьедесталов шестидесятников, еще сохранила свое плодородство. И русская литература после них будет жить и обновляться. Но: вот что нужно сделать как можно скорей «государству молодежи», «боевому отряду изобретателей» — пустить старческое творчество в утильсырье. Если еще удастся. Нужно расхохотать этот тяжелый воздух, напущенный в литературу обильными старческими выделениями. Необходимо прочистить российский Олимп от самозванцев, от этих ореольников и нимбачей. Пусть там будет пусто для новых богов. И затянуть собственную песню — пусть дикую, пусть странную, но новую и свою!

Так горячо и нервно высказался бывший харьковский нелегал.

«Да воют они, воют свои дикие стёбные песни, — возражал бывший кумир совковой молодежи, — да слушать гнусно. Скажи спасибо, что не каждый день здесь слышишь. Новаторы, как же! Изобретатели, на фиг! Всего и делов-то: кроют в стихах и в прозе китчем-матом-шизой-стебом-сексухой и вонючей поганой попсой! — И, отметая возражения поэта, ввинтил ему с ядом: — Чего колотишься? Обидно, поди, что не схватил ни здесь, ни там. — После чего, разглядев только сейчас французские бутыли и навалом еды на бугристой столешнице, бывший прозаик сказал примирительно: — Какая к черту слава! Я жрать хочу — выпивка и закусь у вас тут кайфовые».

И все как по команде уселись за стол. Уселись плотно, заметил с тревогой Петров, потрафляя высокому гостю. Тот оказался гурманом и высоко оценил Левин снобистский провиант — упился совиньоном, закусывал вонючим стилтоном, цокал языком, жмурился — короче, пребывал в отключке до самого конца и в разговоры больше не встревал. Свои же люди трепались за столом: как опротивели заморские яства, как хочется, наоборот, черного хлеба, соленых огурцов и колбасы, и почему бы, Лев Ильич, не поставить нам водяру заместо каберне, а Никаноров соглашался на солярку и жигулевское пиво — и несчастный Петров не знал, как быть, как встрять с рассказом. Всегда у Левы закусывали и говорили вразнобой — кто за столешницей, кто мотаясь с тарелкой по комнате, а кто и по-американски — на полу у стенки. Сегодня, как назло, вся кодла сидела сиднем за столом, жрала винище и чесала языком.

А время шло. Петров изныл от муки. Встал, сказал — почти крикнул по-школьному:

— Моя очередь. Я очень долго ждал. Мне надо рассказать!

Добился тишины.

И начал:

### Главы из романа «ОТСРОЧКА КАЗНИ»

# Владимир Соловьев__ДЕФЛОРАЦИЯ

## Рассказ без имен

*Мы с тобой одной крови — ты и я...*
Джозеф Редьярд Киплинг

Взлез, Господи, и поехал! Глаза закрыты, дышит тяжело, сопит, хрипит, что-то бормочет, сопли в себя втягивает — зверь, а не человек! Вот-вот помрет от натуги. Какое там уестествляет — хорошо, коли возбудит под конец последними содроганиями, своим оргазмом, который сопровождает предсмертным воплем и которому завидую: какой бы день у него ни выдался, пусть самый паршивый, а все равно доберет под вечер, е*я меня. Так и говорит, когда замечает мою нерасположенность, которую и не собираюсь скрывать:

— Ты меня не хочешь, и я тебя пока что тоже. Но стоит только начать... Согласись, занятие приятное, в конце концов будет хорошо.

Ему — да.

Мои отказы считал ужимками.

— Не хочу, — говорю, забыв, что у него календарик моих менструаций.

— Не можешь или не хочешь?

— И не могу, и не хочу!

Теперь — ему, а в детстве брату завидовала и все удивлялась, почему у меня не растет, каждое утро, едва проснусь, щупала, проверяла, думала — за ночь, а потом к врачу стала проситься, но, когда объяснила зачем, мамаша с папашей обидно высмеяли, и брат-дурак присоединился: заговор против меня одной. Они всегда его предпочитали и на его сторону становились: первенец, мальчик. Вот и хотела с ним сравняться, думала, если вырастет, они меня тоже полюбят. Страдала из-за их нелюбви, а потом всех возненавидела и желала им смерти: то каждому по отдельности, то всем зараз. А теперь вот его ненавижу: одного — за всех!

Не знаю даже, что хуже. Уйти от него понапрасну возбужденной: кончает быстро, мгновенно отваливает и засыпает как сурок — и мучиться потом полночи бессонницей? Или лежать под ним с открытыми глазами, пытаясь припомнить, как это раньше было, тысячу лет назад, когда трение его члена о стенки моего влагалища приносило столько услады, что все казалось мало, мало? А теперь — повинность. Сказать тяжкая — было бы преувеличением, но в тягость — каждый день! Еженощной рутине я предпочла бы эпизодические вспышки, но он хочет, чтобы жена была еще и любовницей, — это после стольких лет совместной жизни, при такой притертости друг к другу! И не откажешься, потому что отказ воспринимает не как знак моей к нему нелюбви, но — моего старения. А выгляжу я куда моложе, из-за этого множество недоразумений: подвалит, бывало, парень возраста моего сына, но что об этом? Мою моложавость он объяснял регулярными постельными упражнениями да еще качеством своей спермы — где-то, наверно, вычитал, вряд ли сам додумался, — а я — тем, что не жила еще вовсе. Пока не родила, думала, что все еще целая, и родов боялась, как дефлорации, и, пока не умру, буду считать, что все у меня впереди. Хоть бы любовницу, что ли, завел, я ему столько раз говорила, так нет, СПИДа боится, да и есть чего, теперь это как с Клеопатрой: смерть за любовь, кому охота? Только не от этого он умрет.

Уже тогда, в юности, когда только начали с ним этим заниматься, его член, хоть и нормальный по длине, но мог быть чуть потолще, не заполнял в ширину всего влагалища, а теперь, когда пиз*а разносилась, расширилась, стала просторной и гостеприимной — да только для кого? — и вовсе болтается в ней, как в проруби. Еще хорошо, догадывается под углом либо снизу да подушку под меня подкладывает. Сама бы ничего делать не стала: как е*ется, так и е*ется, не велико счастье! Эгоистом в этих делах никогда не был, старался, считая свой член рабочим инструментом, а приносимые им удовольствия скудными, что так и было, хоть и уверяла постоянно в противоположном. Да он и не очень верил и шел на разные ухищрения, но я сохранила в этих делах стыдливость, которая перешла с возрастом в ханжество, — так он считал. В любом случае, со мной тут не разгуляешься, он и не смел, хоть я иногда и ждала, и часто об этом думала, но все равно вряд ли позволила бы: еще чего — оргии с собственным мужем!

Пределом было несколько рискованных, на грани искусства и порнографии, японских фильмов, которые меня возбуждали, а его приводили в неистовство. Почему я должна ему все время соответствовать? К сценам соития в этих фильмах оставалась равнодушной — почти равнодушной, но вот когда девушка подглядывает, как другие этим занимаются, и как потом женщины волокут ее, силой равздвигают ноги и каким-то пестиком в виде птички, похоже на игрушку, дырявят, — смотрела не отрываясь по многу раз, возбуждаясь и припоминая, как это было со мной.

Как это было со мной? когда? с кем?

И не припоминалось, путалось, одно воспоминание цеплялось за другое, как будто меня лишали плевы не один раз, а многократно — и каждый раз против воли, силой, как эту вот японскую девушку, крик которой до сих пор у меня в ушах, а ее глаза — страх, удивление, боль, что-то еще: что? Почему это коллективное женское истязание, этот древний ритуал так меня волнует? А на чистую порнуху так и не решился, хоть и заглядывал туда, когда видеокассеты брал, я ему говорила, зная его:

— Не мучь себя — возьми!

— А ты будешь смотреть?

— Зачем тебе я — ты для себя возьми! — Это значило, что я бы тоже взглянула, случайно, мельком, фрагмент какой-нибудь, но он как-то все не так понимал — или понимал буквально, а потому так и не решился — вот и не пришлось.

Или боялся развратить меня?

Сюрпризы любил. Привесил однажды над кроватью специальное зеркало, и расчет был верным, умозрительно я это понимала: удвоенный таким образом акт, одновременно физиологический и визуальный, дополнительно возбуждал партнеров, но не в нашем случае — меня чуть не стошнило, когда, лежа под ним, я впервые увидела высоко над собой ритмические конвульсии его синюшного зада. Понял сразу же и зеркало убрал. Экспериментатор чертов!

Ввиду упомянутого стыда-ханжества, механические средства были также ограничены презервативами со стимулирующей насечкой, которые он надевал как бы из предосторожности, хоть я к тому времени и потеряла, как мне казалось, способность забеременеть, чему виной был не возраст, но бесконечные мои советские аборты, которым счет потеряла. Предполагаемое бесплодие меня мало беспокоило, потому что свой долг природе я отдала и где-то на стороне — слава богу! — жил сын, который, взрослея, старил бы меня еще больше, живя рядом. Нас с ним принимали за брата и сестру — младшую, как и было уже в моем нигде больше не существующем детстве. Все упирается именно в это, но разве я виновата, что выгляжу настолько себя моложе? И только когда скандалы, и я превращалась в фурию, и проступал мой возраст, он приходил в отчаяние, потому что видел: никакой девочки больше нет — умерла.

Детство, девство, девичество...

А е*ля в презервативах с насечкой нравилась больше, чем без, и он чередовал: начинал так, а когда приближалось, вынимал и напяливал, к тому же получалось вдвое дольше. Это была единственная измена, которая мне досталась: ему — с ним. Имитация разврата продлила нашу сексуальную жизнь, но и это потом мне надоело, прискучило, стерлось, вошло в привычку. А он все как юноша, но не умиляться же мне непрерывно, что у него эта нехитрая пружинка срабатывает! Когда-то, давным-давно, мне с ним было хорошо, пусть недостаточно, а все-таки хорошо, но это ушло в пассивную память, откуда извлечь и воссоздать невозможно, — знаю об этом, но ничего уже не помню. Как и многое другое. Меня винил в своих комплексах, но при чем здесь я? Никогда ему ничего такого не говорила, а он все время, даже во время соития, спрашивал, а потом уже просто требовал от меня отметку. Получалось, что ради меня старается. Я ему говорила, что все это искусственно возложенные мужиком на себя обязательства, что нет у него природной обязанности удовлетворять меня, что здесь в чистом виде действует принцип удовольствия и каждый должен думать о себе, а не о партнере, — тогда и партнеру будет лучше. Он сам превратил нашу супружескую жизнь в экзамен для себя, а не просто постельные утехи, а меня — в экзаменатора. Эта роль мне навязана — им. Да, у меня была своя концепция нашего брака — он ее называл теорией умыкания, — в конце концов даже его в этом убедила.

Так и было на самом деле: инициатор он, а не я. Иногда он выходил из себя и говорил, что, если бы не он, я так и осталась бы старой девой.

— Не беспокойся — не осталась бы! — орала я, а сама думала: «Ну, и осталась бы — велика беда! Одни аборты чего стоят! Почему мне одной расплачиваться за сомнительные эти удовольствия? И после этого он хочет, чтобы я в такт ему подпрыгивала да повизгивала?»

Когда он мне так говорил, так и тянуло признаться, что изменяла ему, — лучше аргумента не сыщешь. Представляю, какой бы для него был удар! Потому и не решилась: табу.

Сколько таких табу было в нашей жизни — шагу не ступить. Как надоело!

Из-за той же моложавости преуменьшала свой возраст на год-другой, а потом и больше, потому что сколько можно выслушивать удивленные возгласы и комплименты! На самом деле к тому времени, когда уменьшала возраст лет на пять как минимум, ностальгия по юности превратилась уже в тоску по измене, даже по разврату, потому что все это — жизнь, выход из замкнутой колеи моего существования; но хоть и тоска, а не алчущая, какая-то вялая, бесхребетная, никудышная. Какие там оргии, когда ни разу ему не изменяла, а сказать тянуло совсем о другом, да так и не сказала — теперь уже некому. Вот главный изъян нашего брака: ни о чем не поговоришь начистоту, а если что со мной случится, то я же должна еще и беречь его и все про себя таить, учитывая особую его чувствительность. Кожа у него и в самом деле тоньше, признаю: когда по лесу ходили, над ним туча комаров, надо мной — ни одного, но это черта скорее генетического вырождения, тысячи лет без примесей, без притока свежей крови, да что об этом?

В тот же лес — как все-таки им чужда природа, исключения редчайшие, он не из их числа — ходил по принуждению. А что не изменяла, жалею еще вот почему: сравнить не с кем. Может быть, все это только фантазии списанной в расход женщины? Промискуитет дает человеку выбор, которого у меня никогда не было. Он думает, я молода, пока он меня е*ет, а он е*ет не меня, а собственную память, его воображение обращено в прошлое, до сих пор, лаская, называет меня девочкой и требует, чтобы я ею была, но давно уже нет никакой девочки, и сил больше нет на его игры: я вне игры. Как надоело притворяться! Если е*ля — это борьба со старостью и смертью, то я эту борьбу проиграла. И пусть его раздражает такое меркантильное отношение к е*ле, но для меня это акт зачатия, ничего более, а если просто так, то пустые игры — потому и не хочу в них играть.

И раньше было то же самое, только до меня не сразу дошло. Не возраст, а аборты уничтожили мою страсть. Сам и уничтожил, потому что ни разу — ни разу! — не остановил меня. А где же тогда их хваленое чадолюбие? Говорил, что думал обо мне, а на самом деле — о себе, чтобы не взваливать на себя ответственность еще за одного ребенка. Мы и так едва сводили концы с концами — и там, и здесь. Кузнечик, а не человек — так всю жизнь и пропрыгал. Еще он боялся, что меня развезет, стану матроной. Так и осталась на всю жизнь девочкой — в его представлении. А в моем? Он лишил меня выбора, неудовлетворенное замужество, неудовлетворенное материнство: один ребенок, один мужчина.

Вот здесь и начинается нечто, что до тайны не дотягивает, а так — невнятица какая-то. Так что и признаваться было не в чем, а хотелось поговорить, обсудить, да разве с ним возможно? Обо всем можно, все обговаривает, даже когда слова лишние и мешают, а о главном нельзя — табу. Или это мое табу, а не его? Так и не решилась: с кем угодно, только не с ним, а это значит — ни с кем.

Изменять не изменяла, но предполагалось также, что я досталась ему целой, хотя мог бы усомниться, как сомневаюсь я, — крови же не было, что, конечно, можно объяснить худобой его пениса либо активной работой его пальцев, перед тем как я позволила ему пустить в ход его худосочный. Крови не было, а боль была далекой, тупой, легко переносимой — какая там боль, когда в первый раз, и оба истомились за месяцы рукоблудия! Вот и решила тогда, что целая осталась, и продолжала жить с ним, и замуж вышла, и понесла, а все еще считала себя девственницей и родов боялась, потому что думала: прохождение плода — как бы мал ни был, а побольше его члена — лишит меня, наконец, гимена по-настоящему. Роды были легкими и стремительными: выскочил из меня, как с горки скатился, и в тот самый момент я все вспомнила, хотя, может быть, и не все.

Когда проснулась, он стоял надо мной в голубых кальсонах с высунутым из них огромным, толстым, синим, красным — кусок сырого мяса, до сих пор подташнивает при одном воспоминании, и с тех пор пытаюсь припомнить то, чего, может быть, и не было, но может быть, и было, как узнать? — и я была голая, одеяло откинуто, неделю потом болела, мамаша решила, что ангина, в горло каждый день лезла — при чем здесь горло? что за издевательский эвфемизм!

Когда я потеряла девственность, если потеряла ее когда-нибудь: отдавшись ему наконец после долгих домогательств, измучив его и себя своим страхом перед дефлорацией, которая так и не произошла в ту новогоднюю ночь, когда я у него осталась, или значительно раньше, во сне, в беспамятстве, когда у меня вдруг без всяких на то причин подскочила температура? И что, если мамаша все знала или догадывалась, а только притворялась, спасая семью от распада — хотя спасать к тому времени было уже нечего, — и в каком-то безумном отчаянии совала мне в рот ложку обратной стороной и больно, будто нарочно, давила на язык? Как я их тогда ненавидела обоих за то, что нарушили суверенные пределы моего тела, которое стало мне после этого чужим и отвратным.

Даже если ничего не было, все равно мамаша пожертвовала мною ради своего е*аря, который сломал мне жизнь и которого однажды ночью — спустя несколько месяцев, когда вдруг проснулась и он снова стоял надо мной в своих голубых кальсонах, но на сей раз это был только сон, но я все вспомнила и проснулась еще раз, пошла на кухню и взяла нож — пыталась убить, и это было как во сне, хотя и наяву, и он прятался под одеяло, а я пыряла, пыряла, защищая маму, над которой он насильничал по ночам, как надо мной, — я сама видела! — и снова она вмешалась и спасла его, будь проклята!

Или он просто стоял тогда надо мной и, откинув одеяло, мастурбировал глядя на меня? Приняла же я за насилие то, что они с мамашей совершали по обоюдному согласию и даже в основном по ее инициативе, потому что у папаши был усредненный темперамент, зато она была похотлива, как кошка, а он давно уже к ней остыл и к тому времени измышлял, как обеспечить себе алиби и снять запреты. Главный снял, когда заподозрил, что я не его дочь, — совращение малолетних в его трусливом сознании было все-таки меньшим преступлением, чем инцест. А как на самом деле?

Мамаша ему все прощала: и вечную пьянь, и ночные скандалы, и даже то, что произошло или чуть не произошло со мной — вот уж когда ночная кукушка перекричала дневную! А меня считала зловредной — за то, что не умею прощать. Я и ей не простила, что она ради своей похоти мной пожертвовала, — о нем и говорить нечего: до сих пор жалею, что не зарезала, любой бы суд оправдал, узнав про домашний наш ад. Как мы просыпались ночью, когда он, пьяный, возвращался домой и, встав посреди комнаты, вынимал свой разбойничий х*й и по периметру поливал как из шланга, стараясь дотянуться до самых далеких точек, и казалось, у него бездонный мочевой пузырь и нас всех в конце концов затопит, и брызги его мочи до сих жгут мне лицо. Искалечил мне не только детство, но и всю жизнь: с тех пор я нравственный урод. Сама все про себя знаю, потому и злило, когда он говорил, что я росла среди скандалов, иной жизни не представляю, его путаю с отцом и воспроизвожу тогдашнюю жизнь в нынешней. А куда мне деться от той жизни, об этом он подумал?

Я его и в самом деле иногда ненавидела, как папашу, которого ненавижу всегда, хоть он давно уже в могиле, а мамаша пишет из Ярославля мне в Нью-Йорк, что мы с ней одна кровь, пытаясь теперь восстановить то, что сама тогда уничтожила. Мамаша с лицом хулиганки — враг, и всегда была врагом, не любила меня за то, что другая, чем они, книжки отбирала, лампочку выкручивала, чтобы я не читала, почему-то именно чтение ее особенно бесило, а брат насмехался — травили всей семеечкой, а теперь: одна кровь! А когда у меня с ним началось, из Ленинграда дальнего родственника вызвала, начинающего алкаша, только чтобы не за еврея. Одна кровь! Я росла в их семье сиротой, им сына было достаточно, родилась по недоразумению, по чистой случайности, затянули с абортом, которые были тогда запрещены, все тайком, а потом и тайком было уже поздно — нежеланная, ненужная, обуза, лишний рот, к тому же девочка. Мамаша всегда предпочитала брата — на отца похож, а тот в самом деле в молодости был красив, не отнимешь, да только что с его красоты? У нас с братом разные отцы, хоть и один человек, — у брата счастливое детство в лоне молодой и удачливой по советским стандартам семьи, а мое и детством не назовешь — так, мразь какая-то.

Когда брат родился, отец был в фаворе судьбы, посты какие-то партийные занимал, а когда спустя восемь лет родилась я, его уже отовсюду турнули, из партии исключили, он пил не просыхая и по ночам дебоширил, отыгрываясь на семье. И деться от этого рутинного семейного кошмара было некуда, выход был один-единственный: убить его. Так она не дала, а теперь — одна кровь! Еще бы не одна кровь: всю семью брата содержу, обуваю и одеваю, из Нью-Йорка посылки и оказии каждый месяц, воздушный мост, а они там исправно детей делают благодаря моей гуманитарной помощи. Что меня связывает с этой ярославской семеечкой ненавидящих меня дармоедов? Он говорил: добровольное рабство. Мамашу называл атаманшей, я с ним после этого неделю не разговаривала. Еще однажды сказал, что не любит их за то, что они не любят меня. Зачем он это сказал? Тактичностью никогда не отличался, главного не понимал, не хотел понять — потому и больно, что правда. И зачем мне эта правда от него, когда сама все знаю: и что притон, и что разбойники, и что планы вынашивают, хитрят и измышляют, как бы меня посильнее родственными путами опутать и тогда уже наколоть как следует. Ну, точно как в «Сказке о золотой рыбке»: все им мало — сначала квартиру в Ярославле попросили купить за валюту, потом одного из своих детенышей попытались на меня сбросить, еле отбилась. У нас родственников за границей не было, я аборты делала, а у них есть я: вот они и плодятся и размножаются, как тараканы.

В стране неуклонно падает уровень жизни — у них неуклонно растет. Брат даже с работы ушел, а мы здесь экономим и приработки ищем на стороне, никакой работой не брезгуем. Какая ни есть, была актрисой, а здесь дикторша на «Свободе», а до того как туда устроилась, продавщицей в «Лорд и Тейлор» работала. Это тоже ему в счет: ради него уехала, из-за того что еврей, актерской своей карьерой пожертвовала, вот и попрекала его этим. Эмиграция далась тяжело, больше потеряла, чем нашла. Знала бы, никогда бы не уехала. Одичала здесь совсем в одиночестве, говорить разучилась, целыми днями ни с кем ни слова, хоть и дикторша: свое отбарабаню в микрофон — и молчу.

С братом его замучила: не хотел посылать вызов, говорил, что у меня не срабатывает инстинкт самосохранения, что я самоубийца, но мне уже было все равно, что он говорит.

— А если бы у тебя там был брат или сестра... — отвечала я, и это стало рефреном чуть ли не всех наших ссор. Единственный раз, когда во мне действительно взыграла кровь, — надо было на что-то опереться в нашей с ним борьбе. Я выиграла, но это была катастрофа, я это поняла уже в Джей-Эф-Кей, когда брата встречала. И как когда-то с папашей, деться от него совершенно некуда.

Не виделись четырнадцать лет — постарел, облысел, ссутулился, обрюзг, вылитый отец, будто тот и не помер девять лет назад от рака поджелудочной железы в ярославском госпитале для старых большевиков, о чем мамаша сообщила со слезой и тайным упреком, и своего добилась: я оплатила похороны. Как и папаша тогда, брат был теперь безработный и пьющий, так и сказал с порога, обрадовал:

— Покуда все сорта здешней водяры не перепробую, от вас не съеду, — а билет, как у всех них, с открытой датой. Думала, с ума сойду. Видеть с утра его праздную морду, а под вечер пьяную!.. И где он раздобыл эти голубые кальсоны с болтающимися тесемками и выцветшим от мочи пятном в районе детородного органа, в которых расхаживал по квартире, хоть я ему и подарила в первый же день шелковое кимоно, да он его, видимо, берег для перепродажи в Ярославле — попросту, чтобы пропить. Неужели те же самые, в которых стоял тогда надо мной папаша с высунутым из них в боевой изготовке болтом? Те самые, которые, мне казалось, он никогда не снимал и даже мамашу в них трахал, потому что чего-то стыдился и комплексовал. Сам брат не подарочек, но с его приездом возвратилось все мое отверженное, калеченное, грязное детство, от которого я было избавилась, выйдя за него замуж и переехав сначала в Москву, а потом в Нью-Йорк, и теперь подозреваю, что брат все знает и нарочно, по сговору с мамашей, давит, травит, изничтожает меня, демонстрируя их тайную власть надо мной: одна кровь, один стыд, один свальный грех.

Отчего я все-таки тогда проснулась, когда он стоял надо мной с торчащим из кальсон и задранным кверху огромным фаллом? Или таким большим от страха казался? Или был таким большим в моем детском представлении? Почему, когда стала с моим спать, нет-нет отец да возникнет в самый вроде неподходящий момент? Спасибо братцу, благодаря ему только и вспомнила, как он испугался, увидев, что я открыла глаза, и попятился, пытаясь засунуть гениталии обратно в ширинку, куда они ну никак не лезли, а потом выбежал из комнаты. Вот, значит, не успел выплеснуть в меня обратно свое треклятое семя, из которого я возникла, — пусть не измышляет на мамашу, от него, от него: к сожалению. Сколько мне было тогда? Семь? Восемь? Проснулась от желания и боли, с откинутым одеялом, голая, вся в жару, мне снилось, кто-то орудует у меня там, и кажется, я помню, как он отдернул руку, когда я пошевелилась и открыла глаза. Или он отдернул руку по другой причине: когда наши руки встретились — там? Что он сделал, увидев, что я не сплю, — отдернул руку или вынул член? Или он возился у меня там своими длинными пальцами, а другой рукой мастурбировал? А не все ли равно теперь, столько лет спустя, когда он уже весь истлел, и первым, по законам природы, сгнил и отвалился его член, источник моей жизни и изначальной, с детства, порчи? Дрянь последняя, вот кто я!

Всегда был трус, как он прятался под одеялом, когда я пыряла его ножом, вырываясь от мамаши! И все-таки я его достала, поранила, постель была в крови, он еще с неделю прихрамывал, мамаша ему делала какие-то повязки, компрессы, он был окружен домашней заботой, а я — ненавистью. Потом исчез и только спустя несколько месяцев обнаружили в психушке: подобран на улице без сознания, а придя в себя, впал опять в забытье, не помнил даже своего имени, полный провал, амнезия. Эти несколько месяцев его отсутствия и семейного остракизма были самыми покойными в моем порченом детстве. А когда вернулся, прежней прыти в нем уже не было, что-то надломилось, зато мамаша стала раздражительная, нервозная какая-то — постельные утехи их к тому времени совсем кончились. Даже если я его слегка там поцарапала ножом, то не в том все-таки дело, а в психологическом запрете, который он сам на себя наложил, а он, несомненно, связывал оба события: свое покушение на мое девство и мое покушение на его жизнь. Пусть страх кастрации, но страх кастрации собственной дочерью — сам Фрейд до этого не додумался! Метила в его причинное место? Не помню, — куда ни попала, все хорошо!

Многого не помню. Но папашу в кальсонах с высунутым и готовым к разбою помню прекрасно, как будто было вчера, он до сих пор стоит надо мной, всегда стоит, всю мою жизнь, красивый покойник, из семени которого я вышла и который попытался потом вспрыснуть его в меня обратно, да, видимо, все-таки не успел, и вот теперь стоит, отбрасывая тень на будущее, которого у меня нет, — потому и нет. Если бы я его тогда убила, то сейчас была бы свободной, а так он еще явится к смертному моему одру со своим красно-синим, в голубых зассанных кальсонах, с белой пуговичкой на ширинке и болтающимися тесемками. А пока своего сына прислал, который меня не стесняется, входит без стука, расхаживает по квартире в тех же голубых кальсонах с ссакой на них, обращается ко мне «сестренка», как никогда раньше не обращался, и долдонит, как мамаша научила, про одну кровь — сам бы в жизни не додумался, будучи с малолетства дебил.

С братом связан другой стыд — за год до того, как проснулась и отец надо мной, — когда у него начался жеребяческий период, и он с первого раза подцепил триппер, и всех нас взяли на учет в венерологический диспансер, и меня регулярно вызывали, осматривали, щупали, лезли внутрь... Позор, стыд, кошмар! А потом папаша со своим х*ем и мать-заступница — как же, одна кровь, святое семейство, разбойничий притон. У кого угодно отобьет охоту, я дала слово, что никогда, и он, ничего не зная, будто все знал, никогда не принуждал, хотя было столько возможностей, которые он будто нарочно упустил, я сама уже устала, и только тогда — нет, умыкания не было, это я со зла, в помрачении, путая с папашей.

— Помнишь, сестренка... — заводит брат по утрам, хотя нет у нас никаких общих воспоминаний, кроме его триппера, которым он чуть всех нас не перезаразил, кроме его злобных насмешек по поводу моих театральных увлечений, кроме взаимного отчуждения и нелюбви. Одно слово — жлоб, живет в квартире чужой человек, входит без стука, говорит пошлости, не закрывает за собой дверь в уборной и забывает слить воду, кальсоны с тесемками и двойной ссакой — его собственной и папашиной, хватательный рефлекс наконец, а когда мой не выдержал и после нашего с ним скандала, которым брат упивался, исчез неизвестно куда, оставив меня один на один с этим быдлом, мой так называемый родственничек и вовсе распустился и стал вести задушевные разговоры на одну и ту же тему. Дурень, говорю ему, старый дурень, ведь это самое крупное в твоей и мамашиной безобразной жизни везение, что я за него вышла и уехала в Америку: вся ваша семеечка на нашем иждивении, и мы вкалываем, чтобы вас всех содержать, а ты, как свинья под дубом, живешь здесь уже третий месяц, пьешь, жрешь, ни х*я не делаешь ни там, ни здесь, в зассанных кальсонах по квартире расхаживаешь, из-за тебя с ним и поссорились, а не из-за того, что он еврей, балбес!

Думала, обидится — куда там, таких ничем не проймешь. Посидел, помолчал, почмокал своим беззубым ртом, опрокинул еще пару рюмок и заговорил об идеалах, которые русскому человеку дороже материальных благ, Волгу-матушку приплел в качестве патриотического примера — сомневаюсь, что замечал ее когда сквозь пьяный угар, хоть и прожил безвыездно всю жизнь на ее берегу, а меня попрекнул, что в Америке я оевреилась окончательно и забыла про свою кровь. И вообще, обнаружил неожиданно пафос и эрудицию, правда, по одному все вопросу — поднабрался, стоя в очередях за водкой и распивая ее с дружками в подворотнях!

Что общего у меня с этим жлобом и алкашом, антисемитизм которого только часть общей его говнистости? А может быть, он прав: в семье у нас и в самом деле антисемит на антисемите, и за столько лет замужества я так и не привыкла, что он еврей? Но у меня совсем другое, так уж устроена. Когда живешь среди сплошных антисемитов, то неизвестно откуда взявшийся еврей кажется лучом света в темном царстве — потому, может, и замуж за него пошла, чтобы вырваться из этого чертова круга. Но когда вокруг тебя сплошные евреи, хвастливые и спесивые, как бы ты под них ни подлаживалась, все равно останешься шиксой, — не нация, а клан какой-то! А их дикий эгоцентризм и гордость, хотя какое отношение имеет этот никчемный филистер к Эйнштейну и Спинозе? Можно подумать, что теория относительности открыта ими сообща. Они выискивают еврейскую кровь в знаменитостях и считают еврями даже тех, у кого ее четверть, а уж полукровки для них безусловные евреи, хотя они такие же, как евреи, французы, русские, англичане. Они тайком гордятся даже злодеями, если в их жилах капля еврейской крови, — от Торквемады до Гитлера. Они гордятся теми, кого отрицают, — тем же Иисусом. Та же гнусавая пошлость про кровь, что у мамаши с братаней. И чем еврейское быдло лучше русского? Переехала не из Москвы в Нью-Йорк, а из Москвы в местечко, и даже то, что они пользуются в общении русской речью, меня, как русскую, если не оскорбляет, то коробит. Обособились бы окончательно и перешли на идиш либо иврит! Болезненно чувствую себя здесь чужой — не в Америке, а в здешнем гетто. И они во мне видят чужую, за версту чуют. Лучше, хуже — не в том дело: другой породы! А помимо русских евреев, еще и здешние. Одни хасиды чего стоят — средневековье, черные как вороны, по субботам из-за них на улицах темно, сами евреи их не любят, он все время на их счет прохаживался. Или мне подыгрывал? Он был настоящим антисемитом, а не я, но ему можно, потому что еврей, а мне заказано, потому что русская.

Да, он — другая кровь, а мы — одна. Мамаша все делала, чтобы меня с ним поссорить, а теперь вот брата прислала. Для нее брат — сын, а я — дойная корова. Но корову любят, а меня ненавидят и желают зла, хотя все их добро от меня. Ведь я даже не решалась ей написать, если что хорошее у меня и было, — боялась расстроить старуху. И она держит меня за неудачницу и притворно сочувствует. Почему ей так нужно, чтобы я была неудачницей? Я и есть неудачница, и это ее единственное утешение в предсмертные годы, так она меня ненавидит. И я ее ненавижу вместе с мертвым папашей и живым братаней. Его тоже ненавижу, но по-другому — сильнее всех. Только я не неудачница, а уродина — пусть даже красивая, все равно уродина. Редко, но встречается — в паноптикум меня!

Братаня ходит по квартире в голубых кальсонах, и мне от него никогда не избавиться. Он быстро, с первого взгляда, оценил преимущества развитого капитализма над конченным социализмом, а сорта здешней водяры ему пробовать не перепробовать: остатка жизни не хватит, как ни велика его жажда. С шеи на шею: мамаши, жены, теперь моя, хотя на моей они давно уже сидят не слазя. Вот я и возвратилась в лоно родной семьи, а он исчез навсегда, оставив по себе не память, а ненависть. Ненавижу его как живого, думаю о нем в настоящем времени, жалуюсь ему — на него же. А кому еще пожаловаться?

Жалуюсь ему — на него: завез в чужую страну и бросил здесь одну, да еще с братом, говно жизни расхлебывать. Он во всем виноват: если бы не он, ни за что брата не пригласила бы. Из-за него и пригласила — назло ему! Не выдержал!.. А мне каково? Видеть каждый день эти голубые кальсоны и слышать этот голос, не отличимый от папашиного, — и так до конца моей жизни? Занял его комнату:

— Ты уж не обижайся, сестренка — ему она уже не нужна...

Ему она действительно больше не нужна, брат прав. Ему ничего больше не нужно теперь. Даже я ему не нужна. Он отбыл в неизвестном направлении — навсегда.

Там и здесь, до и после, какой-то рубеж, главное событие моей жизни, которое я проворонила. Роды? Нет, это не значительно — ни по ощущению, ни по результату. Два года не виделись, приехал на похороны, чужой, холодный, будто я во всем виновата. Конечно, в таком состоянии — сразу после скандала — лучше было за руль не садиться, но ведь это произошло спустя два дня, уже в Нью-Брунсвике — вот куда его занесло, наш обычный летний маршрут, на север, подальше от нью-йоркской жары, — или это все-таки самоубийство? Даже записки не оставил, а ведь так все любил обговаривать.

Дефлорация? И ее тоже у меня не было — не помню: кто? когда? Неужели сын меня ненавидит, как я — отца? Сказал, что самым тяжким впечатлением детства было, когда он, прося у меня прощения после очередного скандала, сам себе давал пощечины, а я смеялась и только тогда его прощала.

— Почему ты смеялась? — сказал он, когда мы возвратились с еврейского кладбища.

Вот он и вернулся к своим, блудный сын своей племенной семьи, а я — к своей. Его смерть все поставила на места. А что, если это и есть рубеж моей жизни: не роды, которых как бы и не было, не дефлорация, которой не помню и даже кем — не знаю, не переезд через океан, а его смерть?

Как он был мелочен, когда касалось моей ярославской родни:

— Зачем твоему брату столько джинсов? Я одни и те же ношу не снимая, а ты ему посылаешь по нескольку в год. И почему обязательно «Ли» или «Леви-Страус»?

А теперь брат хочет перетащить сюда всю семью:

— Тебе же легче: посылки не надо собирать, что на них тратиться?

Заботливый! Никуда от них не деться, не откажешь — родственнички, там у них в стране полный завал, а мне — хана. Ну и пусть, теперь уж все равно.

Одно отдохновение — ездить к нему на кладбище, пусть и еврейское. Только бы брата не видеть, только бы домой не возвращаться! Сначала огорчалась: за тридевять земель, на Стэйтен-Айленд, заброшенное, зато дешевое — откуда было деньги взять? С трудом наскребла. Два часа на дорогу: метро, паром, автобус, а потом еще пешком переться. Что делать, машины нет — разбил вдребезги, когда с моста сверзился, брат сильно сокрушался по этому поводу, мечтал, оказывается, чтобы я его по Америке на ней повозила. Нет, не плачу, да и вообще его могила никаких с ним ассоциаций не вызывает, я и ходить к ней перестала, после того как однажды искала, искала, да так и не нашла. А просто так бродить по кладбищу люблю: камни, трава, дикие яблони, кусты жимолости, зайчики на могилах сидят, вдали церковь, еще дальше, на крутом холме, маяк, а за ним уже океан: не виден. И ни одной живой души, ему бы здесь понравилось, в конце концов я его приучила к таким местам, всюду за собой таскала, хоть в массе своей к природе равнодушны, но не безнадежны.

Вот на такое же заброшенное, памятное, родное я его и привела, когда мы только познакомились. Тоже на пароме надо было ехать, а там пешком: через поле с грибами, потом лесом, деревушка, за ней кладбище. Давно не была — не с кем, а ему, москвичу, Ярославль показывала, от театра отрядили. Вот мы и обошли весь город — от маковки к маковке, Спасский монастырь, торговые ряды, Татарская слобода. И Волга, всюду Волга — от одного слова комок к горлу подступает. Упрекал, что я плакать не умею, — умею, только по другому поводу. Да разве это река? Дали, просторы, свобода. Это наше море, наш океан. Папаша гордился, что потомственный волжанин, ходил со мной, показывал и рассказывал, пока его из партии не турнули, и тогда он запил. Сколько мне было? Шесть? Семь? Как я любила эти бесконечные с ним прогулки по берегу, когда город уже кончался, а мы шли и шли, и я держалась за его длинные пальцы. Он был красивый, молодой, высокий, только слегка еще сутулился. А весной с мамашей на кладбище ездили, к Пасхе снегиря выпускали — жалко, конечно, всю зиму прожил с нами, но, Господи, как он взлетал, как, сделав прощальный над нами круг, исчезал в небе! Мамаша с папашей были тогда другими — только брат был тот же, с детства балбес. И я была другой. Когда же я перешла этот рубеж и началась нынешняя? И когда на папашу наваждение нашло и он больше не признавал во мне дочь, но домогался как женщины? Что я напридумала, а что было на самом деле?

Да, я ему сказала однажды, когда он меня довел, а я его, чтоб он сдох, — вот он и сдох, но это же спустя четыре года, когда магическая сила этих слов — даже если она в них была — должна была давно уже вся выдохнуться. А тогда он ушел на весь день в свою комнату, сын ходил утешать, а он плакал — чувствительный был. Почему он так в слово верил? Ведь чего сгоряча не скажешь! Он тогда всерьез смерти испугался — и вот сбылось мое пожелание. И приезда брата боялся и всячески оттягивал, уговаривал хотя бы повременить с приглашением. И снова оказался прав — если бы не брат, был бы жив. А что сейчас говорить? Вот дура!

Дура и есть.

Пусть сын осуждает, пусть брат радуется, пусть мамаша приезжает со всей семеечкой — теперь уже все равно, все в прошлом, хорошее и дурное, жизнь позади. Молодая еще? Это только на вид, а молодой была, пока был жив и ежедневно меня ё* и девочкой называл. Как папаша, который словно и имени моего не знал — все девочка да девочка. Пока не обнаружил во мне женщину, а я в нем — мужчину. Тогда и перестала быть девочкой, а для него — осталась навсегда. Может быть, он меня тоже целой считал — до самого конца? Кто я? Что я? Сколько мне теперь? Не знаю. Не помню.

А, все равно.

Вот и нашла, наконец, его могилу.

# Владимир Соловьев ПОСТСКРИПТУМЫ.
# ИЗ РОССИИ В НЬЮ-ЙОРК — И ОБРАТНО

*Понятно, что выход за два года восьми подряд востребованных книг Владимира Соловьева и Елены Клепиковой стал событием культурной жизни русскоязычного мира, центр которого повсюду, а поверхность нигде. Судим об этом по многочисленным печатным и сетевым откликам, по тиражам наших книг, допечаткам и обновленным изданиям под новыми обложками и с иными названиями. Не авторам, однако, решать через океан, насколько справедлив мем, пущенный в обиход в связи с этим нашим книгопадом: пир во время чумы.*

*По инициативе нашего издательства «РИПОЛ классик» в этот мемуарно-аналитический поток вклинился триллер о борьбе за Белый дом с предсказанием победы Дональда Трампа, когда никто больше не делал на него ставку, зато у нас его имя и физия украшали обложку новой книги, которая вышла задолго до выборов. Отмечаем это не в похвалу самим себе, хоть и есть чем, но единственно объяснения ради: книга о Трампе и не только о Трампе, но он ее главный герой, хорошо пошла не только благодаря ему, но и благодаря авторам, раскрученным на книгах совсем иного жанра. С другой стороны, выход нашего «Трампа» еще больше подхлестнул интерес к книгам нашей линейки «Памяти живых и мертвых» — Бродский, Довлатов, Евтушенко, Окуджава, Высоцкий, Эфрос и прочие, нас самих включая, потому как Владимир Соловьев и Елена Клепикова — не только авторы, но и герои этого авторского сериала. Недаром последняя книга так и озаглавлена — «Путешествие из Петербурга в Нью-Йорк. Шесть персонажей в поисках автора — Барышников, Бродский, Довлатов, Шемякин и Соловьев с Клепиковой».*

*В параллель и в продолжение этих книг мы печатали и продолжаем печатать в СМИ по обе стороны океана — «Московский комсомо-*

*лец», «Независимая газета», «Новая газета», «Русский базар», «В Новом Свете», «Панорама», «Кстати», «Комсомольская правда в Америке» — новые статьи и эссе, которые пригодились для этой нашей книги. Ее первый раздел «Триумф Трампа» основан на этих новых статьях — мы подвели нашего героя к его инаугурации. Как и этот заключительный раздел, где я восполняю пробелы и дополняю наш мемуарно-аналитический многотомник «Памяти живых и мертвых», приводя здесь всего лишь несколько из посткнижных публикаций.*

*По техническим причинам опускаю эссе «Довлатов с третьего этажа» — хотя мы с Леной Клепиковой выпустили три книги и полнометражный фильм о нем, однако справедливости ради решено было объективно глянуть на его писательское наследие поверх его идолизированного, китчевого образа у читателей.*

*Из двух постскриптных юбилейно-антиюбилейных эссе об Александре Кушнере приводим из экономии места только одно. Он проходит в большом фолианте о Бродском в качестве маргинального героя — как его идейный антипод, по жизни злостный супротивник, а после смерти клеветник, врунишка и мистификатор, каких поискать. Ну, к примеру, пишет, что Бродский будто бы ему сказал: «Я скоро умру — и все будет твое...» Господи, как мертвые беспомощны перед ложью живых!*

*Владимир Соловьев первым написал в «Трех евреях», а потом в «Post mortem» об их жестком противостоянии в поэзии и крутом поединке жизни, а теперь, с моей легкой руки, это стало общим местом. Вот я и решил постскриптум выяснить место этого советского стихотворца в русской поэзии и опубликовал к его 80-летию две вполне объективные, поверх барьеров, сугубо литературоведческие статьи — в «Московском комсомольце» и «Ex Libris — Независимая газета». Что тут началось! Уж на что я привык, что мои острые, парадоксальные, провокативные книги и эссе вызывают шквальную полемику на грани (и за гранью) настоящего литературного скандала, недаром меня печатно называют тефлоновый, с меня как с гуся вода, у меня закалка, но тут даже я слегка опешил. Никто не спорил со мной по сути, наоборот, я получал и продолжаю получать множество согласных отзывов, зато пара-тройка питерских литераторов, — я отфрендил их скопом, еще живя с ними в одном городе, ввиду их гэбистских связей и мафиозной спайки, вызвав огонь на себя исповедальным* романом-вызовом «Три еврея», — занялись лично мной, обрушившись с клеветой и инсинуациями. Испытал физическое чувство брезгливости, будучи оплеван не только в переносном, но и в прямом, буквальном смысле — брызгами злобной слюны. Сошлюсь на самого мною в последнее время читаемого поэта Евгения Лесина:

Что-то тяжко мне от ваших катавасий.
Неуютно бестолковыми ночами.
С подлецами не бывает разногласий.
Не бывает разногласий с палачами.
Вы убийцы, натуральные бандиты.
Ну какие тут полемика и споры?
И не врите вы себе, что из элиты.
Вы из шайки, а еще точнее — своры.

На одну такую доносительную анонимку, хоть и за несколькими подписями, я ответил статьей «Ниже плинтуса», зато обратку на следующую кляузу-донос — полный отстой! — писать не стал, а послал, что называется, через губу письмо в редакцию «Независимой газеты» с объяснением, почему мне в лом участвовать впредь в этой низкопробной склоке. Пусть лучше за меня ответят доносчикам мои друзья Иосиф Бродский и Сергей Довлатов — ниже приводятся стихотворение «Лене Клепиковой и Вове Соловьеву», лучшее из Осиных стихов на случай, и Сережина статья в защиту Владимира Соловьева «Вор, судья, палач», лучшая его публицистика. Оба эти сочинения тщательно замалчиваются питерскими фальсификаторами. Точнее — это цензурированные тексты, выброшенные не просто из книг Бродского и Довлатова, но из их литературного наследства. А вот из сочувственного мне письма: «На стезе, что ты выбрал, надо укутываться в к-н нано-технологической клобук: чтобы был тверд, как керамика, прочен на прострел, как кевлар, скользкий, как тефлон. Но я такого материала не знаю». Нет худа без добра — не скажу за керамику и кевлар, но тефлона во мне кратно прибавилось, я неуязвим к приступам такой злобной истерики, типа родимчика.

А заключает этот раздел «Постскриптумов» полемический триалог авторов с поэтом и эссеистом Зоей Межировой — «Из России в Нью-Йорк — и обратно».

# Постскриптум к «Трем евреям».
# MODUS VIVENDI & MODUS OPERANDI

## *Юбилейно-антиюбилейное*

— А от кого ты собираешься защищать Кушнера? — удивилась мой соавтор и автор сама по себе, а по совместительству жена Елена Клепикова.

От живых и мертвых.

От Бориса Слуцкого, который сказал мне, когда мы заплыли за буек в Коктебеле: «Зачем нам ваш Кушнёр, когда у нас есть свой Самойлов?»

От злоречивой Юнны Мориц, которая припечатала его острым словцом: «Сидит в танке и боится, что на него упадет яблоко».

От Анны Андреевны Ахматовой, которая наотрез отказалась расширить до квинтета свой домашний квартет (Бобышев, Бродский, Найман, Рейн), приняв в него Кушнера, несмотря на его поползновения, и тогда его подобрала и усыновила (литературно) Лидия Яковлевна Гинзбург. Когда в Комарово я удивлялся ее равнодушию к Бродскому, она процитировала пушкинскую Лауру «Мне двух любить нельзя» и предсказала, что мне тоже предстоит выбор.

От Бродского, с легкой руки которого пошел гулять в литературном мире мем «Скушнер», а уже из Америки он обрушил на своего питерского антагониста лучший в его последние «тощие» иммигрантские годы стих «Не надо обо мне. Не надо ни о ком», где обозвал Кушнера «амбарным котом».

От Лены Клепиковой, которая считала его хорошим поэтом, но не настоящим. Нечто схоже писал в «Промежутке» Тынянов о Ходасевиче.

От Владимира Соловьева, наконец. Это теперь антитеза «Бродский — Кушнер» общеизвестна, но я заговорил о ней первым, а потом первым, еще в России, написал о наших контроверзах свою горячечную исповедь «Три еврея. Роман с эпиграфами», препарировав эту антитезу научно, художественно и публицистически и порвав своей книгой с ленинградской мишпухой. Нет нужды пересказывать эту книгу, коли она выдержала столько тиснений по обе стороны океана, каждый раз вызывая очередной скандал. А этот мой юбилейно-антиюбилейный опус — пусть не апология, но защита Александра Кушнера. В том числе от самого себя.

Дело прошлое, но был какой-то период — с дюжину лет, наверное, когда ни у Кушнера, ни у Соловьева не было ближе друга: общались мы тесно, плотно, доверительно, на каждодневном уровне: часами висели на телефоне, а виделись не только по праздникам и дням рождения, хотя из дружеских ДР память удержала только два — 24 мая у Бродского и 14 сентября у Кушнера, лето проводили рядом — в Вырице на Оредеже, а уж наш город, «знакомый до слез, до прожилок, до детских припухлых желез», исходили вдоль и поперек. Один из наших излюбленных маршрутов был к Новой Голландии, где мы, помню, однажды по аналогии, что ли, говорили о любимых нами «малых голландцах», которые щедро представлены в Эрмитаже. Именно тогда мне и пришло впервые в голову назвать молодых питерских пиитов «малыми голландцами» — при наличии большого голландца: Рембрандтом на этой шкале был, понятно, Бродский. Саша отнесся к моему сравнению без особого энтузиазма. А не под влиянием ли того нашего разговора о живописи сочинил он свой чудесный стих:

*Никогда не наглядеться*
*На блестящее пятно,*
*Где за матерью с младенцем*
*Помещается окно.*
*В том окне мерцают реки,*
*Блещет роща не одна,*
*Бродят овцы и калеки,*
*За страной лежит страна.*

*Вьется узкая дорожка...*
*Так и мы писать должны,*
*Чтоб из яркого окошка*
*Были рощицы видны.*
*Чтоб соседствовали рядом*
*И мерцали заодно*
*Горы с диким виноградом*
*И домашнее вино,*
*Тусклой комнаты убранство*
*И далекий материк.*
*И сжимать, сжимать пространство,*
*Как пружину часовщик.*

Второй сборник стихов, однако, Кушнер назвал по Рембрандту «Ночной дозор». Начиная с первой, circa 1962, книжки у Кушнера выходили с завидной регулярностью, и автографы нам с Леной Клепиковой шли по нарастающей от «Дорогим друзьям Володе и Лене в память о ленинградских зимах и вырицком лете с преклонением перед их талантами в прозе и критике, с любовью» вплоть до апофеоза нашей дружбы: «Дорогим друзьям Володе и Лене, без которых не представляю своей жизни с любовью». Вот уж воистину — забегая вперед, когда мы вычеркнули друг друга каждый из своей жизни — «чем тесней единенье, тем кромешней разрыв».

Автор последних строк относился к моей с Кушнером близости скорее с удивлением, чем с ревностью. Как сытый голодного не разумеет, так и голодный сытого: с каждой новой книжкой Кушнер крепчал официально, как советский поэт, а Бродский так им и не стал ввиду тотального недоступа ему Гутенбергова станка в «отечестве белых головок». По той же причине не стал советским прозаиком Сережа Довлатов. Между Бродским и Кушнером был сильнейший напряг, встречались они крайне редко, главным образом у нас дома — на наших с Леной днях рождения либо в тот памятный вечер, когда мы позвали обоих на встречу с московским визитером Женей Евтушенко, и у нас на дому состоялся знаменитый теперь турнир трех поэтов, описанный мной отдельной главой в «Трех евреях». В питерских литературных кругах Евтушенко не признавали вовсе, мне влетело за мою о нем новомировскую статью, и Кушнер в дружеском мне стиховом послании присоединился к моим зоилам: «Кто о великом Евтушенке Нам слово новое сказал? С его стихов сухие пенки Кто (неразборчивый) слизал?» В берлоге Бродского Саша побывал единственный раз тоже с моей подачи, когда в сильном подпитии после банкета в «Авроре» я потребовал от моей жены и от моего друга вести меня к Рыжему, где мы провели целую ночь, о чем подробно рассказывает Лена Клепикова в своем мемуаре «Ночь в доме Мурузи».

Сашу я считал тогда своей креатурой, а в Осю был влюблен. Из молодых да ранний (на шесть лет моложе Кушнера и на два года Бродского, а Саша казался нам с Осей стариком), я печатно откликался по несколько раз на каждую новую книжку Кушнера — помимо рецензий, в полемиках, диалогах, обзорах. Он был сугубо ленинградским явлением, но именно я вывел его на всероссийскую сцену своими статьями в московских СМИ — от «Литературки» и «Воплей» до «Литобоза» и «Юности», которая в конце 1964-го выпустила специальный ленинградский номер, а в нем вместе со стихами и прозой Ольги Берггольц, Андрея Битова, Александа Городницкого, Нины Королевой и прочих — большая статья Владимира Соловьева под ужасным, на мой взгляд, названием «Младая песня невских берегов». Это мне удружил Стасик Лесневский, который прибыл в Питер собирать материал для спецномера, я свел его с Ахматовой, и та в своей комаровской «Будке» угостила нас водкой и сама не побрезговала. Спорить по поводу названия я не рискнул — напечатать двадцатидвухлетнему автору свое эссе в популярнейшем либеральном журнале было важнее его заголовка. С тех пор я регулярно в «Юности» печатался — вплоть до отвала за бугор.

И то сказать, в той статье крупным планом были даны несколько молодых персоналий, троих я воспринимал и воспринимаю вровень — Глеба Горбовского, Виктора Соснору и Александра Кушнера. Это и есть мои «малые голландцы» вместе с двумя «ахматовскими сиротами» — Дмитрием Бобышевым и Евгением Рейном. Однако Кушнера мне приходилось доказывать и внедрять, я чувствовал себя первооткрывателем, потому что даже серьезные писатели, типа Ахматовой, Слуцкого и Окуджавы, отрицали его за литературность, книжность, камерность, комнатность. Потому я и кончал главку о нем в полемическом задоре: «А если в комнате пожар, драма или разговор о самом важном? Все равно комнатные?»

Нет, я вовсе не отрекаюсь от этой, полувековой давности наивной, в лоб, риторики, хотя верность в литературе и не вознаграждается, хочу, однако, все-таки сказать теперь, что продолжающиеся упреки Кушнеру в литературности не то чтобы принимаю, но понимаю. Я уже ссылался на тыняновскую диатрибу Ходасевичу в его «Промежутке», одной из лучших статей о поэтах начала прошлого века — вровень разве что с портретными заметами о них Мандельштама и Эренбурга. Я далек от того, чтобы сравнивать Кушнера с одним из классиков русской поэзии, хоть и с большим отрывом от ее титанов в метрополии — ни по масштабу, ни по направленности. Скорее в ряд с Ходасевичем, пусть не один в один, возникает блистательный, остро мыслящий и тонко чувствующий Александр Межиров — Женя Евтушенко тут прав. Тынянов пишет про отход Ходасевича на пласт литературной культуры, и это при том, что в России одна из величайших стиховых культур. А отсюда уже вывод: стих Ходасевича потому не настоящий, что нейтрализуется стиховой культурой XIX века. С тех пор — добавлю от себя — русская стиховая культура в разы обогатилась, и эпигонская поэзия может выглядеть антологично, когда исполнительская деятельность — пусть «мотивы и вариации» — преобладает над творческой.

Надо отдать должное Тынянову — он провидчески сознавал, что через пару десятилетий его упрекнут в недооценке Ходасевича, однако настаивал на своей «ошибочной» точке зрения: «„Недооценки" современников всегда сомнительный пункт. Их „слепота" совершенно сознательна. Мы сознательно недооцениваем Ходасевича, потому что хотим увидеть свой стих, мы имеем на это право».

Современники Тынянова и Ходасевича обрели свой голос в стихах Хлебникова, Пастернака и Мандельштама, но и нашему поколению подфартило — спасибо Бродскому. Сошлюсь опять-таки на себя — вот две заключительные фразы напечатанного в нью-йоркском «Новом русском слове» моего пространного юбилейного адреса в связи в 50-летием Бродского: «...Мне уже трудно представить свою жизнь и жизнь многих моих современников без того, что Вами сделано в литературе. Мы обрели голос в Вашей одинокой поэзии, а это далеко не каждому поколению выпадает».

Возвращусь, однако, от этого вынужденного анахронизма к прерванному рассказу о середине 60-х. Меньше чем год спустя после ленинградского выпуска «Юности» в Город вернулся Бродский. Скопив и сублимировав в ссылке огромный потенциал, он пошел в обгон и в отрыв не только от своих питерских, но и российских коллег: «За мною не дует», — сказал он мне еще в Питере. В Нью-Йорке выходят две большие книги Бродского — сумбурно составленная по неавторизованным спискам «Стихотворения и поэмы» (1965) и составленная самим автором «Остановка в пустыне» (1970), которую он давал мне на прочтение еще в рукописи, советуясь по ее составу. Игнорировать Иосифа Бродского больше было невозможно — он вломился в русскую поэзию, минуя советскую.

В раскавыченном виде я стал вставлять его тексты в мои тексты — так в большую статью «Необходимые противоречия поэзии» в «Воплях», которая открыла дискуссию чуть ли не на год вперед, я ухитрился протащить контрабандой «душа за время жизни приобретает смертные черты».

Среди эпистолярных отзывов на ту мою статью было длинное письмо Жени Рейна, который, обсудив то, о чем в статье сказано, перешел к тому, чего в ней не было и не могло быть, за исключением анонимно приведенных строчек Бродского:

*Если бы ты еще добавил описание невидимой стороны Луны... Но что об этом. Из известных людей (мне!), думаю, ты один мог бы осмыслить и прокомментировать критские лабиринты нашей недостроенной Антологии. Теперь уже ясно, что она недостроена. Но есть достоинство замысла, идеала. У Киплинга есть замеч. стихи «Каменщик был и король я» и т.д. Найди. Так вот, там написано: «За мною идет Строитель, скажите Ему — я знал!»*

А я уже тогда, в параллель печатной продукции, писал в стол свою торопливую прозу, которая потом стала «Тремя евреями». Включая два эссе о Бродском — «Отщепенство» и «Разговор с небожителем» — первые профессиональные отклики на его поэзию, которые я решился пустить в Самиздат, а в Тамиздате — то бишь в Америке — их впервые тиснул в своем еженедельнике «Новый американец» Сережа Довлатов. Мир русской литературы — не только поэзии, — утратив свой центризм, потерял заодно пограничные очертания. Очередная вариация на извечный сюжет: центр повсюду, а поверхность нигде. Главенствующая роль литературной метрополии пошла на убыль еще до того, когда начались повальные отвалы авторов, но с миграцией их сочинений в Сам- и Тамиздат.

Ни слова больше о том, как этот разлом, эта «трещина мира», по Гейне, повлияла на судьбу Кушнера, коли этой теме посвящены мои «Три еврея». Однако какую-то часть упомянутых претензий к нему я бы локализовал — они относятся к его поведенческой манере, а не к его поэзии. Или все же и к ней тоже? Ну, молчалин, ну, совок, ну, ватник — что с того? А уж тем более грех попрекать Кушнера тем, что у него в брежневские времена был всего лишь один непечатный стишок «Каких трагедий нам занять...», тогда как у того же Слуцкого — 70 процентов его стиховой продукции, а Бродский, за исключением пяти напечатанных стихов, был непечатный весь! Не растекаясь по древу, modus vivendi & modus operandi. Я бы даже применительно к литературе сказал modus loquendi, способ выражаться, но это потребовало бы дополнительных разъяснений.

Когда мы с Кушнером обсуждали возможный переезд в Москву — у меня обменный, а у него матримониальный вариант, — он сказал мне, что потеряется в столице, где «слишком много поэтов» (его слова). И то правда: Кушнер сильно выигрывал именно как ленинградский поэт глебсеменовской школы. Ему на пользу были даже местничество, местечковость, провинциализм Ленинграда — даром что столица русской провинции! Пииты здесь варились в собственном соку, patriotisme de clocher — сознательная установка их учителя и гуру Глеба Семенова. Как будто Москвы не существовало вовсе — ни Евтушенко с Вознесенским, ни Мориц с Ахмадулиной, ни бардов Окуджавы с Высоцким, ни поэтов-переводчиков Арсения Тарковского, Марии Петровых, Семена Липкина, ни блестящей плеяды кирзятников с высокоодаренными Межировым и Самойловым и великим реформатором русской поэзии Борисом Слуцким, который на Бродского оказал решающее, формирующее влияние. Как раз Бродский не замыкался в Питере и регулярно — до и после ссылки — наведывался в столицу. Однако и на этом локальном фоне Кушнер был не один, но входил в обойму-пятерку пяти названных мною малых голландцев, был одним из них, даже не primus inter pares. Будучи не только прозаиком, мемуаристом, политологом, но и литературоведом, я ищу сейчас место советскому поэту Александру Кушнеру в русской поэзии.

Может, это я, описав в «Трех евреях» противостояние двух питерских поэтов, поставил Кушнера в сложное, неловкое, пикантное положение? Помню наш с Бродским разговор уже здесь в Нью-Йорке о моей питерской исповеди. Он сравнил «Трех евреев» с воспоминаниями Надежды Мандельштам, с чем я не согласился, хоть и лестно было: разные жанры — у нее мемуарный, а у меня романный. Милостиво разрешил печатать шесть великолепных строф его стихотворения о нас с Леной Клепиковой — щедрый дар на наш совместный день рождения. Образ Бродского в моем романе Бродский счел немного сиропным. Однако смущало его другое, и он мне выложил напрямик, что они с Кушнером разных все-таки весовых категорий:

— Есть и другие девушки в русских селеньях, — хихикнул он.

Или это сам Бродский своим колоссальным явлением исказил судьбу своего бывшего, по Питеру, антагониста?

*Загородил полнеба гений,*
*Не по тебе его ступени,*
*Но даже под его стопой*
*Ты должен стать самим собой.*

Нет, это, конечно, не Кушнер, а Арсений Тарковский. У Кушнера не хватило бы ни смелости, ни мужества, ни духа, ни таланта написать такой признательный стих. Есть у него вынужденные прорывы в чуждые ему поэтические стихии, включая гражданскую лирику. Не думаю, однако, что он останется в поэзии «как песенно-есененный провитязь», Сергей Никитин оказал ему дурную услугу, превратив в китч велеречивый стих «Времена не выбирают, в них живут и умирают». Сила Александра Кушнера — в его слабости: там, где он не повышает свой тихий голос, где не форсирует свой меланхолический темперамент, где работает в акварельных полутонах, а не в мазках маслом.

> *Танцует тот, кто не танцует,*
> *Ножом по рюмочке стучит.*
> *Гарцует тот, кто не гарцует,*
> *С трибуны машет и кричит.*
> *А кто танцует в самом деле*
> *И кто гарцует на коне,*
> *Тем эти пляски надоели,*
> *А эти лошади — вдвойне!*

Вот его кредо, в этом весь Кушнер.

# НИЖЕ ПЛИНТУСА

Есть старинный принцип: спорят с мнениями, а не с лицами. Однако мои последние публикации о Бродском, Искандере, Довлатове и особенно Кушнере — и вовсе только повод, чтобы не просто перейти на личности, но обрушить на автора всю гнусь облыжных инсинуаций и забубенного вранья. Я говорю об антисоловьевской коллективке, напечатанной в прошлом номере «НГ-Ex Libris». По жанру типичная анонимка, хоть и за пятью подписями (так! — «НГ-EL»). Злоба из нее так и пышет, прям носорожья, чтобы не сказать альцгеймерова.

Конечно, не впервой мне читать о себе разные небылицы в самых разных жанрах — вплоть до романа «Среди многих других», где главный герой Владимир Соловьев, то бишь я, а подзаголовок «роман-комментарий», потому как основан на скрупулезном чтении моих книг и полон догадок, домыслов и гипотез обо мне, иногда забавных и даже тонких, а часто — пальцем в небо. Как говорил в таких случаях родоначальник: «Твои догадки — сущий вздор». Но даже вздор читать интересно, если он написан талантливо. А талант — как деньги: есть — так есть, нет — так нет. Как писал Довлатов в «Новом американце», защищая меня от поклепов, что моих «Трех евреев» надо печатать, «если роман талантливо написан. А если бездарно — ни в кое случае. Даже если он меня там ставит выше Шекспира». Это было сказано до того, как Сережа прочел «Трех евреев», а когда прочел первое нью-йоркское издание (это была последняя прочитанная им книга), отозвался со свойственной ему лапидарностью и точностью: «К сожалению, все правда». Так вот, помянутая коллективка написана на редкость бездарно, уровень удручающий, ниже плинтуса, каждая фраза — лажа и ложь в одном флаконе, а потому хотя бы требует ответа, хоть на каждый чих и не наздравствуешься. То есть в заботе о многоуважаемом читателе и уважаемой газете, а не о неуважаемом мною авторе этого письма.

Это не оговорка, что употребил единственное число вместо множественного. Коллективка пишется обычно одним человеком, а потом под нее собираются подписи. Сужу по личному опыту — к примеру, когда подписывал в Ленинграде письма в защиту Бродского сразу после суда над ним. Данное подметное письмо — не исключение, тем более я узнал о нем заранее от человека, которому оно было предложено на подпись, но он отказался, несмотря на «административное давление», как он иронически выразился.

Когда-то, в бытность ленинградским, а потом московским критиком и литературоведом, я был неплохим текстологом, и молва даже приписывала мне способность по паре страничек анонимного текста отгадывать, кто его автор по национальности — еврей или нет. Однако в случае с этой доносительной кляузой никакие текстологические ухищрения не требуются — уши торчат. Автор легко узнаваем по стилю, который есть человек, а стиль не просто совковый, но солдафонский — вплоть до штампа-перла сталинских времен «примазался». Все вранье этого единоличного письма потому еще бездарно, что легко, слишком легко опровергаемо. Недаром в «Трех евреях» я называю этого человека унтер Пришибеевым и Скалозубом (не путать с зубоскалом), что он, понятно, простить мне не может, как и другие характеристики в том горячечно-исповедальном романе, написанном еще в России и многократно изданном по обе стороны океана. «Тремя евреями» я бросил вызов питерской мафиозно-загэбэзированной литературной мишпухе, зная, кто ее крышует. Так что, инсинуации, что я был связан с известными органами — типичный трансфер, пользуясь психоаналитическим термином, то есть перенос с больной головы на здоровую.

Той же мстительной природы и вранье Кушнера, на которое есть ссылка в этом на меня доносе — будто я ему сообщил о своих «опасных связях». Если бы так было на самом деле, то каким же нужно быть подонком, чтобы не проинформировать наших общих знакомых о моем «признании», дабы оградить их от опасного общения со мной! Когда я впервые об этом написал, Кушнер стал оправдываться, что он помалкивал, потому что я дал слово исправиться. Ну что за детский сад? Врать надо умеючи — и не завираться. А уж как он брешет в своих лжевоспоминаниях о Бродском — к примеру, что тот объявил его прямым наследником: «Я скоро умру — и все будет твое...» Или — что у Бродского в бумажнике была его «затертая фотография» — в смысле, так часто он ее вынимал и любовался физией своего заклятого друга. Если он так бесстыже изолгался о Бродском, то уж оболгать Соловьева ему — что два пальца обоссать.

Оставим эту гнусь на его «совести усталой», а объяснение этому вранью — те же «Три еврея», где «ливрейному еврею», тогда уже официально обласканному советскому поэту, противопоставлен опальный и преследуемый гений Бродский. Этот беспомощный ябеднический фальшак АК и стал распространять в ответ на «Трех евреев», дабы нейтрализовать его содержание дискредитацией их автора. Бродский не мог простить Кушнера до конца жизни, коли помимо вынужденного, выпрошенного выступления на его нью-йоркском вечере, с которого он тут же ушел, отбарабанив свою речь, а своему московскому другу Андрею Сергееву назвал Кушнера в тот день «посредственным человеком, посредственным стихотворцем», написал своему смертельному врагу резкую анафему-диатрибу «Не надо обо мне, не надо ни о ком...» — лучшее у него стихотворение в последний период его трагической жизни. Фактически, это поэтическое резюме моих «Трех евреев»: то, для чего писателю понадобилось 300 страниц, поэт изложил в 16 строчках.

Мне также смешно, как человеку, который имел достаточно мужества или легкомыслия (зависит от того, как посмотреть), чтобы вступить в рискованную и опасную конфронтацию с властями, выслушивать слабоумные инсинуации от «тварей дрожащих», включая «амбарного кота», который нежился «в тени осевшей пирамиды», пока она не рухнула окончательно. Схожее чувство, думаю, испытывал Бродский, когда не выдержал и выдал свой стих-оплеуху.

Что касается моего укрывательства в НЙ (в первой же фразе коллективки), то не я был инициатором отвала, а власти, которые в ответ на образование первого независимого информационного агентства «Соловьев — Клепикова-пресс», чьи сообщения печатала вся мировая печать, «Нью-Йорк таймс» тиснула огромную статью о работе нашего агентства с портретом авторов на Front Page, нам было предложено немедленно убираться из страны — в 10 дней, которые мы и то с трудом выторговали. Мы были поставлены перед выбором — Запад или Восток, то есть тюрьма и ссылка, около нашего подъезда круглосуточно дежурила машина с затененными окнами, на Лену Клепикову было покушение — сброшенный с крыши кусок цемента. Не только «Три еврея», но и наши статьи в ведущих американских СМИ были направлены против засилья тогдашнего гэбья в жизни страны, а первая вышедшая в Америке и переведенная на другие языки наша книга «Yuri Andropov: A Secret Passage Into The Kremlin» была признана критикой самым серьезным критическим анализом работы тайной полиции в СССР.

И, наконец, о моих отношениях с теми, кому посвящены не только статьи в российских и американских СМИ, но и наши с Еленой Клепиковой книги, включая мемуарно-аналитическое пятикнижие, выпуск которого только что завершил «РИПОЛ классик» книгой «Путешествие из Петербурга в Нью-Йорк». Здесь уже какое-то оголтелое, бесстыжее и наглое вранье. С Довлатовым мы были близки еще по Ленинграду, где я делал вступительное слово к его единственному литературному вечеру, а еще больше с ним сблизились в Нью-Йорке, где мы соседствовали и виделись последние годы ежевечерне, в чем читатель может убедиться из посвященного ему моего фильма, бесчисленных статей о нем и трех книг, где есть наши фотки и с упомянутого питерского вечера. С Бродским — наоборот. Мы были очень близки в Ленинграде, где встречались на регулярной основе — у него, у нас и у общих знакомых, и Ося относился к нам с Леной со старшебратской нежностью, о чем свидетельствует его посвященное нам прекрасное стихотворение «Позвольте, Клепикова Лена, пред Вами преклонить колена…»

Когда мы прилетели в Нью-Йорк, Бродский пришел к нам на следующий день в отель «Lucerne», приветил нас, как старых друзей, водил нас в ресторан, приглашал в гости, прогуливал по Манхэттену, мы регулярно созванивались. Это Ося, с его ястребиным глазом, когда я ему давал наш новый телефон, сказал: «И записывать не надо: последние цифры — главные даты советской истории: ...3717», чего мы сами до него не заметили. Вот уж чистое вранье, когда Гордин пишет, что в Нью-Йорке Бродский «никогда его (то бишь меня) к себе не допускал», но употребленный им глагол характерен: так пишут не о человеке, а о короле, как Бродского воспринимали даже его знакомые по Питеру — не без его подсказа. Вот это его паханство, которое так унижало бедного Довлатова, лично мне было довольно чуждо, а потому входить в его королевскую камарилью было не с руки, да и ни к чему: мы пробились сами, оклемались в новой среде и стали успешными американскими политологами. Что не мешало нам с Бродским дружески общаться. Помню, как он зазвал нас с Довлатовым на свой вечер в Куинс-колледже, было это незадолго до Сережиной смерти, мы обнялись с Осей и немного поболтали. Выглядел он чудовищно, постарел и сдал, но когда начал читать стихи, это был прежний Бродский, ни с кем не сравнимый, трогательный, близкий и любимый, как в Питере. См. мое эссе «Два Бродских» в книгах о нем.

Не буду вдаваться в подробности моих отношений с другими персонажами наших книг — с Женей Евтушенко, Юнной Мориц, Булатом Окуджавой, Борисом Абрамовичем Слуцким, Анатолием Васильевичем Эфросом. Они подробно описаны в моих книгах — «Не только Евтушенко» и «Высоцкий и другие. Памяти живых и мертвых». Временами эти отношения были очень тесные и всегда на равных — а как иначе? О чем свидетельствуют сохранившиеся у меня их письма, автографы, посвящения, фотки. И уж совсем вздорная по глупости гординская фраза: «Каждый из перечисленных авторов счел бы ниже своего достоинства реагировать на соловьевскую расчетливую похвальбу». Вот уж лажа так лажа, как любил выражаться Бродский. Потому как многие из моих аналитических портретов написаны и напечатаны при жизни портретируемых: там и здесь. Эфрос был так растроган, что плакал, читая мою статью о нем, Булат Окуджава считал рецензию Лены Клепиковой на его «Шипова» лучшей статьей о нем, а на мою статью о его стихах откликнулся чудным шутливым посланием: «Что касается меня, то я себе крайне понравился в этом Вашем опусе. По-моему, вы несколько преувеличили мои заслуги, хотя несомненно что-то заслуженное во мне есть». А вот что писал нам с Леной не так давно Женя Евтушенко: «Я люблю людей не за то, что они любят меня, а за то, что я их люблю. Володя и Лена, наши сложные, но все-таки неразрывные отношения…»

Касаемо моих последних статей о Кушнере в «МК» и «НГ-Ex Libris» — диптих, типа складня, то они замышлялись как своего рода постскриптум к «Трем евреям», чтобы, взвесив все «за» и «против», найти место этому советскому пииту под солнцем русской поэзии. Цель, согласитесь, благородная — на то я, черт побери, и критик, а не только прозаик, политолог, мемуарист и проч! И снова не по ноздре? Или Кушнер принадлежит теперь к секте неприкасаемых?

Опускаю фактические гординские ошибки, типа приписывания мне словотвора Бродского «кромешный разрыв», что для человека, мало-мальски знающего его стихи, — непростительно. Столько лет прожить на свете и не научиться уму-разуму! О таланте молчу — это от Бога.

Что касается доносительства, то доносить можно не только по начальству или власть предержащим, но и общественному мнению. Не токмо на Владимира Соловьева, но и на газету, которая — среди прочих изданий там и здесь — публикует мои сочинения: «Мы вообще поражены, что такого рода измышления известная литературная газета считает возможным печатать…» Чистый шантаж, если вдуматься. Чего добиваются авторы этого фальшака? Забанить Владимира Соловьева, не пущать и не публиковать — ну не держи ли морды? Одно из последних со мной интервью (в «МК») называлось «Последний из могикан. Тефлоновый». Перевожу идиоматически: как с гуся вода или брань на вороту не виснет.

Увы, все это для меня не внове, мне не привыкать к ябедническому жанру, я умею держать удар, за мной не заржавеет. Дабы не быть голословным, вот пример антисоловьевской деятельности приблатненной питерской хазы. В большом «Бродском» у меня есть строго документированная, основанная на редакционных письмах глава «Скандал в Питере! Приключения запретной книги о Бродском». Мой роман «Post mortem» был поначалу с большим энтузиазмом принят питерским издательством, внепланово включен в отпечатанный план, набран, чудесная обложка, но на свою беду это издательство имярек снимало две комнаты в питерском отделении ПЕН-клуба. Так вот, два подписанта этого кляузного письма — Гордин и Попов плюс Кушнер — предъявили гендиректору издательства ультиматум: если «Post mortem» будет издан, пусть тогда издательство выметается на улицу. Никакой отсебятины — слово в слово по письмам из редакции. И чего добились питерские пенклубовцы своей запретительной акцией? Книга была издана в Москве, стала бестселлером и выдержала уже пять тиснений.

Надеюсь, ничего подобного не грозит «НГ-Ex Libris», редакция которой расположена в 650 километрах от столицы русской провинции.

# P.S. НЕТ ЧЕЛОВЕКА — НЕТ ПРОБЛЕМЫ

## Письмо в редакцию

Нет, это не ответ на очередной гординский донос на Владимира Соловьева — сначала в форме анонимки за пятью подписями, а теперь только за своей, но краткое объяснение, почему я считаю ниже своего человеческого и писательского достоинства участвовать в этой помоечной склоке, да еще с такой скудотой, как их автор: совсем дурак. На предыдущий наезд я ответил в статье под названием «Ниже плинтуса», но снижать планку еще ниже не могу из уважения к читателю — моему и газеты. И еще из брезгливости, потому как брехня, грязца, гнусь и подлянка в одной упаковке. Да и что с этого автора взять — самая анекдотическая фигура окололитературного Петербурга, пусть и со слабеющим административным ресурсом (со-редактор «Звезды»). Это про него Бродский пустил свой мем «унтерпришибеев», а про Кушнера — «скушнер» (оба приведены в «Трех евреях»), а Довлатов уже отсюда, через океан, приложил Гордина «заурядным человеком». К тому же завидущий комплексант: неимоверно раздутое честолюбие при полном литературном пигмействе, как рубанул ему прилюдно Андрей Битов спьяну: что у трезвых на уме, то у пьяного на языке. Вот я и вывел про себя и про него формулу в «Трех евреях»: не надо быть Моцартом, чтобы иметь при себе Сальери.

Когда слух о моей антигэбистской рукописи дошел до Питера, Гордин был послан органами в Москву для ознакомления с «Тремя евреями»: автор имел неострожность дать ее на ночь одному сомнительному типу. Это Гордин, когда Владимир Соловьев вступил в опасную конфронтацию с властями, опубликовал против меня в «Литературке» заказную и проплаченную погромную статью: предлагали написать многим, а согласился он один. С этого, собственно, доноса под видом статьи и начался его карьерный рост с помощью Конторы Глубокого Бурения.

Это он всячески препятствовал публикации «Трех евреев», а потом «Post mortem», угрожая выгнать издательство на улицу. Это он настоял на изъятии из многотомника Бродского прекрасного стихотворения, посвященного «Лене Клепиковой и Вове Соловьеву», а потом, с его отмашки, из большой книги статей и редакторских колонок Сережи Довлатова в «Новом американце» была исключена его лучшая публицистика — статья в защиту Владимира Соловьева, хотя изначально я участвовал в работе над этим сборником, когда вместе с Леной Довлатовой мы отправились в единственную копировальную контору, где сделали копии с больших полос его газеты. Подумать только — и Бродский, и Довлатов подверглись посмертной цензуре, их штучные тексты, до которых так жадна публика, приказным путем изъяты из всех изданий! И все только из-за того, что написаны в хвалу Владимиру Соловьеву.

Ну ладно, когда Гордин сознательно участвовал в гэбистском заговоре против Владимира Соловьева карьеры ради, а сейчас-то что? Бином Ньютона! Нынешняя его рецидивная вспышка зависти легко объяснима: за последние два года «РИПОЛ классик» поставил рекорд, выпустив восемь моих и наших с Еленой Клепиковой книг кряду, а теперь вот эта — девятая. Не говоря о регулярных публикациях в СМИ по обе стороны океана. Увы, чувства недобрые я лирой пробуждаю — кой у кого. Вот этот «честный Яго» — пробы негде ставить, а строит из себя целку — весь обзавидовавшись, пишет очередной донос и шьет мне бесстыже и подложно биографию, никакого ко мне отношения не имеющую. Доносчик и заговорщик по натуре и спец-лжец по Владимиру Соловьеву, пусть у лжи длинные ноги. Тем более я сам выложился перед читателем весь как есть в «Трех евреях», ничего не утаив — по причине моей мании правдоискательства, патологической откровенности и mea culpa. Однако сколько о себе ни рассказывай, все равно за спиной расскажут интереснее. Но чтобы так удручающе бездарно!

Что еще не берет в толк этот пустоголовый человек — когда он, выполняя спецзаказ, джихадил меня в брежневско-андроповские времена, у опального писателя Владимира Соловьева не было печатной возможности ему ответить, чем он гнусно и воспользовался. Сейчас вроде бы есть, да хоть здесь, в этой книге, но я от нее отказываюсь. Отвечать человеку, прикрывающему, как стыд, свое писательское ничтожество без разницы чем — падучей «Звездой» или покойным Бродским себе в карман? Даже если этот унтер, пользуясь своими давними постыдными связями, объявит меня задним числом генералом КГБ, это не прибавит ему ни ума, ни таланта, а Кушнера не поставит вровень с Бродским, хоть тот надеется на большее и в интервью здесь, в Америке, заявил, что история его с Бродским рассудит — в его, Кушнера, пользу! И все равно не только современники судят о питерской атмосфере тех лет по «Трем евреям», но и потомки, как предсказывает критик, «конечно, забудут о поэте Кушнере и других малозначительных фигурах романа, но дух времени, так взволнованно и правдиво переданный автором, они ощутят».

Честно, я и дочитывать гординский срач не стал — такой бездарный фальшак! Зашкаливает. Нет, уж — увольте: резвитесь, господа, без меня. Помимо прочего, мы разных весовых категорий: мой клеветник — литературный легковес: легче пера. По определению: меня только равный убьет. А потому напоследок совет всей этой редеющей по натуральным причинам бандочке, а по сути — расстрельной команде. Если уж несмотря на все усилия никак не удается уничтожить Владимира Соловьева литературно, как было задумано, то не проще скинуться по рублику и заказать меня киллеру? Как говорил ваш тайный гуру, нет человека — нет проблемы.

# ЗАПРЕЩЕННЫЕ ТЕКСТЫ БРОДСКОГО И ДОВЛАТОВА

# ИОСИФ БРОДСКИЙ. ЛЕНЕ КЛЕПИКОВОЙ И ВОВЕ СОЛОВЬЕВУ

### I.

*Позвольте, Клепикова Лена,*
*Пред Вами преклонить колена.*
*Позвольте преклонить их снова*
*Пред Вами, Соловьев и Вова.*
*    Моя хмельная голова*
*    вам хочет ртом сказать слова.*

### II.

*Февраль довольно скверный месяц.*
*Жестокость у него в лице.*
*Но тем приятнее заметить:*
*вы родились в его конце.*
*    За это на февраль мы, в общем,*
*    глядим с приятностью, не ропщем.*

### III.

*На свет явившись с интервалом*
*в пять дней, Венеру веселя,*
*тот интервал под покрывалом*
*вы сократили до нуля.*
*    Покуда дети о глаголе,*
*    вы думали о браке в школе.*

### IV.

*Куда те дни девались ныне*
*никто не ведает — тире —*

у вас самих их нет в помине
и у друзей в календаре.
     Все, что для Лены и Володи
     приятно — не вредит природе.

## V.

Они, конечно, нас моложе
и даже, может быть, глупей.
А вообще они похожи
на двух смышленых голубей,
     что Ястреба позвали в гости,
     и Ястреб позабыл о злости.

## VI.

К телам жестокое и душам,
но благосклонное к словам,
да будет Время главным кушем,
достанется который вам.
     И пусть текут Господни лета
     под наше «многая вам лета!!!»

Февраль 1972 года

# СЕРГЕЙ ДОВЛАТОВ. ВОР, СУДЬЯ, ПАЛАЧ...

*Дьявол начинается*
*с пены на губах ангела,*
*вступившего в бой*
*за святое и правое дело!*

Из статьи Г. Померанца

Помните такую детскую игру? На клочках бумаги указывается: вор, судья, палач... Перемешиваем, вытаскиваем... Судья назначает кару: три горячих, пять холодных... Палач берется за дело... Вор морщится от боли... Снова перемешиваем, вытаскиваем... На этот раз достается от бывшего вора судье. И так далее.

К этой игре мы еще вернемся.

Теперь — о деле. Есть такой публицист — Владимир Соловьев. Пишет на пару с женой, Еленой Клепиковой. Оба — бывшие литературные критики, причем довольно известные. Эмигрировали года четыре назад.

В центральной американской прессе опубликованы десятки их статей. Книга «Русские парадоксы» выходит на трех языках.

В «Новом американце» Соловьев и Клепикова печатались трижды. То в соавторстве, то поодиночке. Каждый раз их статьи вызывали бурный читательский отклик. Мне без конца звонили самые разные люди. Были среди них весьма уважаемые. Были также малоуважаемые, но симпатичные и добрые. Были, разумеется, глупые и злые. Знакомые и незнакомые. И все ругали Соловьева.

Наконец позвонил один знаменитый мим. Признаться, я несколько обалдел. Миму вроде бы и разговаривать-то не полагается. Да еще на серьезные темы. Впечатление я испытал такое, как будто заговорил обелиск.

Мим оказался разговорчивым и даже болтливым. Он начал так:

— Вы умный человек и должны меня понять... (Форма совершенно обезоруживающая, как подметил Игорь Ефимов. Кстати, тоже обругавший Соловьева.)

Задобрив абонента, мим начал ругаться. Затем, не дожидаясь ответа, повесил трубку.

И тут я задумался. Раз уж мим заговорил, то, видимо, дело серьезное. Надо что-то делать. Как-то реагировать...

Так я превратился в коллекционера брани. Я записал все, что мне говорили о Соловьеве. Получилось шесть страниц убористого текста.

Подражая методичности литературных критиков Вайля и Гениса, я решил систематизировать записи (Генис на досуге вывел алгебраическую формулу чувства тревоги, охватывающей его перед закрытием ликерного магазина).

Я разбил все имеющиеся данные на группы. Несколько обобщил формулировки. Получилось девять типовых вариантов негодования.

Затем, чтобы статья была повеселее, я решил ввести дополнительное лицо. Нечто вроде карточного болвана. Причем лицо обобщенное, вымышленное. Чтобы было кому подавать реплики. Я решил назвать его условно — простой советский человек. Сокращенно — ПСЧ. Я не думаю, что это обидно. Все мы простые советские люди. И я простой советский человек. То и дело ловлю себя на атавистических проявлениях.

Так состоялся мой обобщенный диалог с ПСЧ. Нецензурные обороты вычеркнуты Борисом Меттером (воображаю презрительную усмешку Юза Алешковского).

Итак, ПСЧ:

— Зачем вы печатаете Соловьева?

— А почему бы и нет? Соловьев — квалифицированный литератор. Кандидат филологических наук. Автор бесчисленного количества статей и трех романов. Мне кажется, он талантлив...

— Талант — понятие относительное. Что значит «талантлив»?

— Попытаюсь сформулировать. Талант есть способность придавать мыслям, чувствам и образам яркую художественную форму.

— Но идеи Соловьева ложны!

— Допускаю. И отчасти разделяю ваше мнение. Возьмите перо, бумагу и опровергните его идеи. Проделайте это с блеском. Ведь идеи можно уничтожить только с помощью других идей. Действуйте. Сам я, увы, недостаточно компетентен, чтобы этим заняться...

— А знаете ли вы, что он критиковал Сахарова?! Что вы думаете о Сахарове?

— Я восхищаюсь этим человеком. Он создал невиданную модель гражданского поведения. Его мужество и душевная чистота безграничны.

— А вот Соловьев его критиковал!

— Насколько я знаю, он критиковал идеи Сахарова. Уверен, Сахаров не допускает мысли о том, что его идеи выше критики.

— Но ведь Сахаров за железным занавесом. А теперь еще и в ссылке.

— Слава богу, у него есть возможность реагировать на критику. Кроме того, на Западе друзья Сахарова, великолепные полемисты, благороднейшие люди. О Сахарове написаны прекрасные книги. Он, как никто другой, заслужил мировую славу...

— Значит, вы не разделяете мнения Соловьева?

— Повторяю, я недостаточно компетентен, чтобы об этом судить. Интуитивно я покорен рассуждениями Сахарова.

— Не разобрались, а печатаете...

— Читатели разберутся. С вашей помощью. Действуйте!

— А знаете ли вы, что Соловьев оклеветал бывших друзей?! Есть у него такой «Роман с эпиграфами». Там, между прочим, и вы упомянуты. И в довольно гнусном свете... Как вам это нравится?

— По-моему, это жуткое свинство. Жаль, что роман еще не опубликован. Вот напечатают его, тогда и поговорим.

— Вы считаете, его нужно печатать?

— Безусловно. Если роман талантливо написан. А если бездарно – ни в коем случае. Даже если он меня там ставит выше Шекспира...

— Соловьев говорит всякие резкости даже о покойном литературоведе Б. Знаете пословицу: «О мертвых — либо хорошее, либо ничего»?

— А как же быть с Иваном Грозным? С Бенкендорфом? С Дзержинским? Дзержинский мертв, а Роман Гуль целую книгу написал. Справедливую, злую и хорошую книгу.

— А знаете ли вы, что Соловьев работает в КГБ?

— Нет. Прекрасно, что вы мне об этом сообщили. У меня есть телефоны ФБР. Позвоните им не откладывая. Представьте документы, которыми вы располагаете, и Соловьев будет завтра же арестован.

— Документов у меня нет. Но я слышал... Да он и сам писал...

— Соловьев писал о том, что его вызывали, допрашивали. Рассказал о своей неуверенности, о своих дипломатических ходах...

— Меня почему-то не вызывали...

— Вам повезло. А меня вызывали, и не раз. Честно скажу: я так и не плюнул в рожу офицеру КГБ. И даже кивал от страха. И что-то бормотал о своей лояльности. И не сопротивлялся, когда меня били...

— Хватит говорить о высоких материях. Достаточно того, что Соловьев – неприятный человек.

— Согласен. В нем есть очень неприятные черты. Он самоуверенный, дерзкий и тщеславный. Честно говоря, я не дружу с ним. Да и Соловьев ко мне абсолютно равнодушен. Мы почти не видимся, хоть и рядом живем. Но это — частная сфера. К литературе она отношения не имеет.

— Значит, будете его печатать?

— Да. Пока не отменили демократию и свободу мнений.

— Иногда так хочется все это отменить!

— Мне тоже. Особенно, когда я читаю статьи Рафальского. Он называет журнал «Эхо» помойкой. Или даже сортиром, если я не ошибаюсь. А сочинения Вайля и Гениса – дерьмом.

— О вас Рафальский тоже писал?

— Было дело, писал. В таком же изящном духе. Что поделаешь?! Свобода мнений...

— А Рафальского вы бы напечатали?

— Безусловно. Принцип демократии важнее моих личных амбиций. А человек он талантливый...

— Вот бы отменить демократию! Хотя бы на время!

— За чем дело стало? Внесите соответствующую поправку. Конгресс ее рассмотрит и проголосует...

— Знаю я их! Вычеркнут мою поправку.

— Боюсь, что да.

— Однако вы меня не убедили.

— Я вас и не собирался убеждать. Мне бы сначала себя убедить. Я сам, знаете ли, не очень-то убежден... Советское воспитание...

— Значит, то, что вы мне говорили, относится и к вам.

— В первую очередь...

На этом разговор закончился. Выводов я постараюсь избежать. Выводы должен сделать читатель. А теперь вернемся к злополучной детской игре, которая называется «Вор, судья, палач».

Я не люблю эту игру.

Я не хочу быть вором. Ибо сказано — «Не укради!»

Не хочу быть судьей. Ибо сказано — «Не судите, да не судимы будете!»

И в особенности не хочу быть палачом. Ибо сказано — «Не убий!»

Обречь писателя на молчание — это значит убить его.

А Довлатов еще никого не убивал.

Меня убивали, это было. А я – никого и никогда.

Пока.

**«Новый американец», Нью-Йорк,
9 июня — 4 июля 1980 года**

# ИЗ РОССИИ В НЬЮ-ЙОРК — И ОБРАТНО

*Полемический триалог.
Зоя Межирова,
Елена Клепикова,
Владимир Соловьев*

# Лжесоавторство: каждый сам за себя

**Зоя МЕЖИРОВА.** Мое мнение, это крупное событие в нашей литературной жизни — издание мемуарно-аналитического пятикнижия Владимира Соловьева и Елены Клепиковой о поэтах, писателях, режиссерах и художниках, с которыми их свела судьба, иногда очень тесно и плотно. Групповой портрет вершинных представителей русской культуры второй половины прошлого века, восхитительно, с множеством впервые публикуемых иллюстраций, изданный в «РИПОЛ классик» в рекордные сроки — за два года. Несомненно, этот пятитомник останется в истории нашей литературы. Вот передо мной последняя книга под эффектным загадочным названием «Путешествие из Петербурга в Нью-Йорк. Шесть персонажей в поисках автора: Барышников, Бродский, Довлатов, Шемякин и Соловьев с Клепиковой». Что меня прежде всего интересует — это природа соавторского тандема «Соловьев & Клепикова». Почему на одних обложках и титулах стоят два имени, а на других один только Владимир Соловьев, хотя внутри имеются главы, написанные и подписанные Еленой Клепиковой? В отличие от ваших политических книг — последняя про Дональда Трампа и американскую демократию, где представлены и сольные и совместные главы, в этом пятикнижии каждый выступает сам по себе — почему? И такой вот лирический, что ли, вопрос: супружество вам в литературную помощь или соавторство во вред вашему супружеству?

**Елена КЛЕПИКОВА.** Скорее лжесоавторство — каждый сам за себя. Соловьев — главреж этого пятитомного издания, ему принадлежит режиссура — от текстов до картинок, он не всегда даже считает нужным довести до моего сведения состав новой книги, иногда меня ждут сюрпризы, не могу сказать, что сплошь приятные...

**Владимир СОЛОВЬЕВ.** Пятикнижие создавалось в таком скоростном темпе, что на обсуждения и споры не было ну никакого времени, а Клепикова — та самая «прекрасная спорщица», про которую знаменитый фильм Жака Риветта. А касаемо режиссуры, то «да». Я бы даже продлил этот образ, если позволите. Все эти пять книг состоят, понятно, из текстов, но каждая из них сама по себе текстом не является. Не только потому, что в них дюжины тщательно отобранных из домашних архивов и прокомментированных в титрах иллюстраций. Эти книги не просто написаны, а сделаны, срежиссированы, поставлены. Книга — это спектакль, представление, зрелище, перформанс, приключение наконец. И само собой, каждую книгу я пишу, как последнюю, иначе нет смысла браться, и какая-то, возможно, эта завершающая нашу с Леной мемуарно-аналитическую линейку, может ею оказаться, и я буду заживо замурован в этом пятикнижии. Рукотворный памятник самому себе: автор в окружении своих героев.

**Елена КЛЕПИКОВА.** Ну и заносит тебя — в памятники метишь. Вот почему в «Бродском» я сняла свое имя с обложки, хотя Володя и настаивал. Зачем нести ответственность за высказывания и приемы Соловьева, с которыми я не согласна? В «Бродском» и в следующих книгах «Не только Евтушенко» и «Высоцкий и другие. Памяти живых и мертвых» у меня свои тексты и даже свои разделы, Соловьев довольно точно называет их отсеками — они напрочь отделены от остальных частей, меня вполне устраивает такая суверенная автономия. Мы и по жизни разные. Если честно — отвечая на ваш вопрос — совместная эта работа вносила дополнительный напряг в нашу супружескую жизнь. В упомянутой вами последней, итоговой книге — «Путешествие из Петербурга в Нью Йорк. Шестеро персонажей в поисках автора: Барышников, Бродский, Довлатов, Шемякин и Соловьев с Клепиковой» — на обложке снова два имени: мои тексты там представлены не только в моем разделе, но и разбросаны по всей книге.

**Владимир СОЛОВЬЕВ.** Еще бы тебе от нее открещиваться! Если кто бенефициант этой книги, так это Елена Клепикова.

**Зоя МЕЖИРОВА.** Кажется, я догадываюсь о причинах скорее все-таки стилистических, чем идейных разногласий авторов — так, наверное, точнее будет вас называть, чем соавторами. Ваше творческое несходство бросается в глаза. Лена — приверженка классического устава, я это давно приметила, еще по публикациям в «Королевском журнале», коего Клепикова была одно время редактором и автором, выходило такое роскошное издание в конце прошлого века в Нью-Йорке. В «Путешествии из Петербурга в Нью-Йорк», помимо клепиковских портретов Бродского, Довлатов, Шемякина, в ее собственном разделе представлена проза, включая замечательную повесть «Невыносимый Набоков» — о преодолении в себе Набокова автобиографическим, несмотря на гендерную подмену, героем. Это мне напомнило стихотворение Александра Межирова:

*Воткну́та в бабочку игла,*
*Висок почти приставлен к дулу —*
*Сверхгениальная игра*
*В бессмертную литературу.*

**Елена КЛЕПИКОВА.** Знай я эти строки раньше, поставила бы эпиграфом к«Невыносимому Набокову».

**Владимир СОЛОВЬЕВ.** У нас была телепередача, посвященная выходу новой книги, где Лена прочла отрывок из «Невыносимого Набокова». Вот мгновенный отклик Жени Евтушенко: «Меня больше всего поразил кусочек блистательной Лениной прозы о Набокове. Давно не читал в русской прозе ничего равного по насыщенности и артистизму языка да и по анализу психологии. Лена, по-моему, готова для романа».

**Зоя МЕЖИРОВА.** А я была буквально потрясена ослепляющим описанием набоковского стиля. Очень мужское видение, мужская мощная лепка. Хотя с определением Ольги Кучкиной в «Комсомолке», что проза Клепиковой неженская — не согласна. Вы — поэт в прозе, проскальзывают бриллиантики настоящей поэзии даже в вашей публицистике и критике, в ваших портретах Ахмадулиной или Трампа, все равно. Признайтесь, Лена, писали когда-то стихи, да?

**Елена КЛЕПИКОВА.** На любительском уровне. Не в счет.

**Зоя МЕЖИРОВА.** Иное дело вы, Володя. Хоть и «заражены нормальным классицизмом», как сказал ваш друг Бродский, но с прививкой к нему современного сленга. Это сразу бросается в глаза — такое естественное сочетание и сосуществование жаргона и интеллигентной живой классичности, сочетание достаточно трудное для этих двух разных стихий. Как раз это меня нисколько не смущает.

*Пляшет сленг,*
*язычками узкого пламени,*
*на кончике языка,*
*Подтверждая*
*планшетно-смартфонно-сноубордовой жизни*
*реалии.*
*А на сердце, —*
*туманной дымкой*
*издалека,*
*Ящерицы,*
*снующие между храмов Греции,*
*Фрески старых соборов*
*плавной Италии.*

**Владимир СОЛОВЬЕВ.** Схвачено. У вас, Зоя, удивительная способность вживаться в чужую жизнь и схватывать ее метафизическую суть. Говорю не только о себе, хотя это из вашего стихотворения «Письмо Владимиру Соловьеву в Нью-Йорк». Узнал себя в идеализированном портрете, но буду впредь стараться ему соответствовать. Спасибо, Зоя.

**Зоя МЕЖИРОВА.** Ну почему же идеализированный портрет, Володя? Все ваши образы, поразившие меня, описаны. Это всё вы и делаете, не даете оборваться культуре. А что смущает, так это введение в ваши портретные характеристики таких подробностей, которые я предпочла бы не знать. Со многими, о ком вы пишете, я тоже была близка, но именно поэтому мне кажется без этих деталей можно было обойтись. Режут слух. В смысле, глаз.

# Принцип: интим предлагать!

**Владимир СОЛОВЬЕВ.** В смысле интим не предлагать, да? Но я-то как раз думаю наоборот. Понимая под интимом широкий сюжетный спектр и не сводя его к одному только сексу — интим интересует меня не сам по себе, но как ключ — нет, скорее как отмычка — к человеку, о котором я пишу. Следующая моя риполовская книга называется «Про это. Секс, только секс и не только секс». Вот в этом «и не только» — весь секрет. Если хотите, интимный угол зрения — то, чего я добиваюсь в моих портретах современников. Не скандала и не эпатажа ради, а токмо чтобы дать по возможности полный, объемный, парадоксальный, оксюморонный портрет художника — в дополнение к сказанному им самим о себе. К сказанному и к несказаннному — к нерассказанному, к недосказанному, к недоговоренному, к скрытому, к сокрытому, к утаенному. Не то чтобы патография взамен агиографии, но не знаю, как в России, в Америке ни одна биографическая книга не обходится без суфлерских подсказок «вселенского учителя» — великого доктора Зигги. Не то чтобы я всех своих героев в обязательном порядке укладываю на пресловутую кушетку, но какие-то тайны у них — живых и мертвых — выпытываю. Не без того. Очередное, «демократическое», вдвое меньше прежнего, издание нашей с Леной Клепиковой книги про Довлатова — четвертое, пятое, шестое, не считал — так и называется: «Скелеты в шкафу».

**Зоя МЕЖИРОВА.** Вот-вот, как раз об этом. Я верю, что не развлекухи ради, не только для читателя, вам самому интересно, а потом уже и читателю. Но, знаете, не всякое лыко в строку. Интимный угол зрения на героя — то, что я ценю в ваших и Елены Клепиковой портретах с натуры. Но Лена счастливо обходится без некоторых подробностей, когда пишет про Бродского, Евтушенко, Довлатова. А вас, Володя, нет-нет да заносит. Не настаиваю, но мне, как читателю, лучше не знать ни о том, как Фазиль Искандер гонялся с ножом за женой, приревновав ее к Войновичу, ни о любовном треугольнике Бродский — Бобышев — Басманова.

**Владимир СОЛОВЬЕВ.** Как биографу-портретисту Бродского обойтись без ménage à trois трех «Б», когда его любимая женщина изменяет ему с его близким другом? Дело тут совсем не в пикантных подробностях — что Бродский резал себе вены и гонялся с топором за своим соперником, а в том, что трагическая эта история — кормовая база его потрясающей любовной лирики. Прошу прощения, конечно, за такой меркантильный взгляд, но сошлюсь на князя Петра Вяземского, как будто он это про Бродского сказал: «Сохрани, Боже, ему быть счастливым: с счастием лопнет прекрасная струна его лиры». Или о ревности Искандера. Это важно для понимания всей тогдашней литературно-политической ситуации в стране, потому как ревность эта подменная, переносная, выражаясь опять-таки на психоаналитической фене — путем трансфера. Вот как было дело. Фазиль пошел на компромисс, согласившись на публикацию в «Новом мире» кастрированного «Сандро из Чегема», своего opus magnum, без блистательной главы «Пиры Валтасара», лучший образ Сталина в мировой литературе, тогда как другие писатели, его друзья Войнович, Владимов, Аксенов шли на разрыв с официозом и публиковали «Чонкина», «Верного Руслана», «Ожог» за границей. Фазиль пережил тогда страшную душевную травму, перенеся ее из литературно-политической плоскости в семейную сферу. То есть без всяких на то оснований взревновал жену к человеку, который решился на мужской поступок в иной, гражданской сфере, а он не решился.

## Многоуважаемый шкап...

**Зоя МЕЖИРОВА.** Объяснили, но убедить не убедили. А это жуткое описание смерти Довлатова тоже позарез? Зачем вам это? Зачем читателю?

**Владимир СОЛОВЬЕВ.** Спасибо, Зоя, вы еще деликатно так, эвфемистически выражаетесь, меня жалеючи. Другие мои друзья куда как ругачее и окрысились на меня, не стесняясь в выражениях. Вот выборочно цитирую отклик близкого мне человека, с которым я тесно и плодотворно сотрудничаю в этом пятикнижии на одну из моих юбилейно-антиюбилейных публикаций «Довлатов с третьего этажа»: «...Вы перепутали жанры и вместо оды-апофеоза-хвалы, соответствующих юбилею, написали скрытый пасквиль. Зачем нужно было в это время говорить о причинах смерти? Как вы думаете, прочтя эту статью, стал бы Сергей или Сергей Донатович, как все его теперь величают в Питере, продолжать гулять с вами и Яшей (Сережин пес) по вечерам? Вы же, я знаю, не завистник и не тщеславец, тонкой души человек. Отвергать каноны и рушить кумиры можно и нужно, только надо знать, где и когда. Помните: чувство меры, стиль, ночь, улица, фонарь, аптека. Да-с, Вольдемар, — лажанулись стопудово. Что теперь делать?»

**Зоя МЕЖИРОВА.** И что вы ответили своему другу, если не секрет?

**Владимир СОЛОВЬЕВ.** От друзей у меня секретов нет — вы ведь тоже мой друг, Зоя. Как и от читателей. Вот — опять-таки выборочно — мой ответ: «Ну, нисколько не лажанулся — ни стопудово, ни одинограммово. Как бы Сережа отреагировал? Я пишу для живых, у мертвецов своих дел предостаточно». Есть, правда, и другие дружеские отклики: «Ты правдорубишь, невзирая на лица, юбилеи, живых и мертвых. Меня это тоже часто шокирует и возмущает. Коли кто назвался или оказался public figure, тот должен быть готов к любой пытке. Тебе не след обращать внимание на вопли и лай: караван «Вл. Ис. Соловьев» должен идти своим путем (иначе он за/потеряется среди литературы)». А Павел Басинский, у которого я стырил посвящение моего большого — 720 страниц! — «Бродского»: «Иосифу Бродскому — с любовью и беспощадностью», выдал мне своего рода индульгенцию, рецензируя мою книгу: «...в целом автор свое сражение с темой выигрывает. А то, что в результате этого сражения пострадали живые и мертвые реальные люди, прежде всего Кушнер и Бродский, так это не беда. Я всегда придерживался простого мнения: если писатель полагает себя вправе, например, убивать своих героев, то визжать по поводу того, что кто-то сделал героем его самого — неблагородно и просто неприлично».

**Зоя МЕЖИРОВА.** Кстати, о Кушнере. Как и про Искандера, Бродского, Довлатова, вы выдали про него типа складня, диптиха, который тоже, я бы сказала, не в юбилейном жанре ввиду его довольного критического тона.

**Владимир СОЛОВЬЕВ.** Пусть так. Ну и что? По-любому, «Многоуважаемый шкап...» — не мой жанр, о ком бы ни писал. Сошлюсь на вольнодумца Вольтера: «Я говорю, что думаю, и очень мало озабочен тем, чтобы другие думали, как я».

**Елена КЛЕПИКОВА.** По мне, так это не просто смешение жанров, а чистая эквилибристика, не в укор тебе буде сказано. В юбилейный жанр ты контрабандой протаскиваешь критику, которую вроде бы опровергаешь, но у читателя остается выбор — принять негатив или позитив? Я про твои кушнеровские, а точнее антикушнеровские эссе, коли ты в них на меня ссылаешься и цитируешь. Думаю, не только у меня такое впечатление: критика Кушнера (олитературенность, вторичность, эпигонство) звучит сильнее, чем ее опровержение. Но что тобою движет, когда ты пишешь эти скандальные, хулиганские, с подколами, антиюбилейные статьи?

**Владимир СОЛОВЬЕВ.** Как и с Довлатовым, найти место этому насквозь советскому поэту в русской литературе. Это моя прямая обязанность, как историка литературы. Типа того, как, помню, мы со Слуцким в Коктебеле спорили о составе первой пятерки, а потом о первой десятке русских поэтов уж не упомню, каких времен. В первую пятерку наших современников во главе с Бродским и Слуцким Кушнер не входит по определению, а в первую десятку — не знаю. Может, в первую дюжину?

# Феномен Довлатова

**Елена КЛЕПИКОВА.** *Именно по этой линии к тебе претензии и по Довлатову — что ты попытался в своем эссе «Довлатов с третьего этажа» трезво оценить его достижения в литературе, подрывая тем самым его китчевый культ у фанатов. Нам свойственно недо- или, наоборот, переоценивать своих современников, а на долю Довлатова — утверждаешь ты — выпало и то и другое. Так ли? Живой Довлатов, невидимкой писательствующий на родине пятнадцать лет, никак не мог быть недооценен, ибо был «никто», был неписатель, в лучшем случае — «просто наблюдательный человек». Вся его писательская слава и звездная репутация — посмертные. Что ж, самое время — говорить сейчас о переоценке Довлатова современниками? Трезво смаргиналить его ложноклассическую (как считают его хулители) прозу? Разоблачать довла-*

товский миф? Еще не время. И, может быть, никогда не придет. Пока наблюдается в нынешней русской литературе явление уникальное, если не прямо феерическое — феномен Довлатова. Точнее — феномен популярности Сергея Довлатова, который — этот феномен — не дает спать спокойно многим, очень многим российским литераторам. Понять их можно — невероятная общенародная слава Довлатова не только не утишилась, не потускла за 26 лет со дня его смерти, а еще и зашкалила. Довлатов умер как раз тогда, когда его впервые узнал массовый русский читатель. И немедленно вслед огромная, как грозовая туча, всероссийская слава его накрыла отечественную литературу. «Он заменил собою всех нас», — писал в отчаянии Валерий Попов. Что реально случилось? Отчего такие переживания? Знакомое роковое революционное действо: кто был никем, стал всем — в полном смысле слова — стал кумиром нации.

Живой Довлатов, при тотальном литературном остракизме, прозревал свою ежеминутную востребованность, изнывал по читателю. По массовому, всесоюзному. Но вышло так, что не Довлатов нашел своего читателя, а читатель нашел Довлатова. И стал он супервостребованным писателем. И до сих пор. Любим и популярен и остро современен. В этом — тайна Довлатова. Некая магия, волшебство его «простой проходной» прозы. Да, элегантная стилистическая простота текстов. Но попробуйте быстро пробежать по ним — ничего не выйдет. Торопясь, не смакуя — спотыкнешься о каждое — каждое! — имеющее свой вес и знающее свое единственное место слово. Овеянное к тому же собственным лексическим пространством. Ни одного — бездельного, затасканного, проходного. И подражать ему — такому вроде популяристу — совершенно невозможно. Как невозможно его раскумиренную прозу превратить в китч — здесь ты, Володя, неправ. Это не китч — это ликующий, упоенный, захлебный читательский востреб. Довлатов — словесный пурист и воскрешатель — уникален, конечно. Вот так, с четвертьвековым опозданием, полюбила его прозу. Действует феномен Довлатова, что продолжает, как бес, носиться над временем. Довлатов всех опередил, но не всех заменил. И за ним не дует. Пока что.

**Владимир СОЛОВЬЕВ.** Вот вам живой пример наших, как лжесоавторов, разногласий. Хорошо еще, что без рукоприкладства. А о феномене Довлатова можем судить даже по личному опыту с нашим пятикнижием. Одно время по востребованности читателем вперед вырвался «Бродский», но сейчас снова пошел в обгон «Довлатов» — несколько разных изданий, а на недавней книжной выставке в ВДНХ именно «Довлатова» много спрашивали — больше, чем остальные книжки нашего сериала.

**Зоя МЕЖИРОВА.** Что поразительно в вашем пятитомнике, так это его разножанровость, диалогизм, полифоничность, многоголосица…

**Владимир СОЛОВЬЕВ.** Разноголосица. Разные голоса нам с Леной важнее, чем много голосов. Самый частый гость в этом сериале — Зоя Межирова, которая представлена в разных жанрах — как поэт, как эссеист и как переводчик. Опять-таки простите за перебив, но отмечаю это с благодарностью.

**Зоя МЕЖИРОВА.** Да, разноголосица. Включая голоса тех, с кем вы не согласны. Ведь вы с Леной могли ограничиться собственными воспоминаниями о том же Бродском, или Окуджаве, или Эфросе, помноженными на блестящий анализ, коего каждый из вас мастер, но вы привлекаете еще разножанровый материал. И это вдобавок к редчайшим, впервые публикуемым фоткам героев вашего пятитомника. Помимо мемуарных всплесков памяти, вы даете слово вашим персонажам в самом что ни на есть прямом, неопровержимом смысле слова. Начиная с первой книги «Быть Сергеем Довлатовым. Трагедия веселого человека». Я помню, Володя, одно из ваших первых о нем эссе так и называлось «Довлатов на автоответчике» — его доподлинные сообщения на вашем автоответчике и ваш к ним расширенный комментарий. Читателей это поразило тогда, как прием, а вы превратили прием в принцип, который подтвердили в той же книге рассказом «Уничтоженные письма Довлатова». Сюжет фантазийный, но письма настоящие. Как вам удалось их восстановить, считай, из пепла, коли адресат их уничтожила?

**Владимир СОЛОВЬЕВ.** Запросто! Это было еще в Москве. Я тогда писал докуроман, частично он реализовался в «Записки скорпиона», там была большая глава «Эпистолярий», вот я у всех и клянчил письма. Юнна Мориц, с которой мы тогда тесно дружили, вручила мне пачку писем Довлатова из Питера — ни письмам, ни их автору она не придавала никакого значения. Я их скопировал, а потом с трудом вернул ей — ни в какую не хотела брать: «Зачем они мне?» А потом — с ее слов — уничтожила.

# Разборки с Мнемозиной

**Зоя МЕЖИРОВА.** Очень содержательные, образные и неожиданные письма, раскрывающие личность писателя с неожиданной стороны. А вдобавок комментарии вдовы — Елены Довлатовой, в тесном сотрудничестве с которой вы создали этот уникальный том о вашем друге. А сколько писем в других книгах этой линейки: Евтушенко, Бродского, Окуджавы, Искандера, Слуцкого, Рейна, Юнны Мориц и Тани Бек. Или вы выступаете первопечатником стихов ваших героев — дружеские послания вам того же Бродского или Кушнера. Думаю, этот том о Бродском в вашем сериале не только самый весомый — килограмма на полтора, наверное, потянет, но и самый значительный по содержанию. Тем более он содержит не только мемуары и аналитику, но и прозу: «Post mortem», запретно-заветный роман о Бродском, очень смелый, новаторский по форме. В следующих книгах — «Не только Евтушенко», «Высоцкий и другие. Памяти живых и мертвых» и, наконец, в заключительной «Путешествие из Петербурга в Нью-Йорк» вы еще более, что ли, энергично пользуетесь этим приемом, сочетая аналитику, мемуаристику и художку. Что это вам дает? Я догадываюсь, зачем вам это смешение жанров — это скорее вопрос от имени читателей, чем мой личный.

**Владимир СОЛОВЬЕВ.** У вас тут, Зоя, не один вопрос, а враз несколько, один интереснее другого. Ну, прежде всего, хочу уточнить — я скорее мнемозинист, чем мемуарист, потому что работаю не с воспоминаниями, а с памятью. То есть спускаюсь в подвал моей памяти, извлекая на свет божий затаившееся там подсознание. Пушкин не совсем прав — «Усладить его страданья Мнемозина притекла». Когда как. Когда усладить, а когда разбередить, хотя к семитомнику Пруста был бы хороший эпиграф, да? Как кому. Мои разборки с Мнемозиной довольно болезненные, однако художественно, полагаю, результативные. Вот кто лежит на пресловутой кушетке — не я, а моя капризная, своевольная память, а я — в качестве ее психоаналитика. Недаром у моей книги «Записки скорпиона» подзаголовок «Роман с памятью», а слово «роман» — в обоих смыслах.

**Зоя МЕЖИРОВА.** Разборки с Мнемозиной – может быть, так назвать наш триалог? Вспоминая, вы бьетесь — ...на пороге / как бы двойного бытия. Потому что подсознание — глубинный колодец, откуда черпаете — да, да, — даже забытое... Мнемозина именно там. А воспоминания — это уже что-то вроде шлейфа Мнемозины, шлейфа памяти — здесь, в нашей реальности. Шлейф ведь продолжение чего-то... В дивном языке, в самом звучании слова вос-по-ми-на-ни-я — продленность и пластика этого шлейфа. Вос-по: чуть заминка, переминание с ноги на ногу — перед Бездной. А дальше — сам шлейф, уже развевающийся в прыжке над нею.

# Лот художества

**Владимир СОЛОВЬЕВ.** Теперь о гостевых отсеках, где я даю слово другим людям, без разницы, согласен я с ними или нет. Больше того, несогласных я предпочитаю согласным. Лена Клепикова — живой пример: на пальцах одной руки можно насчитать вопросы, где у нас с ней согласие, зато конфликты — далее везде и во всем, по любому поводу. Наконец, о беллетристических привнесениях. Лот художества берет глубже, чем мемуар или даже документ. По-любому, прижизненные и посмертные укоры Чехову за «Попрыгунью», где он списал главного героя с Левитана, либо к Прусту, в лирической эпопее которого узнавали реальных людей, что они не фильтровали базар, отвергаю с ходу и следую их примеру, используя реал в качестве кормовой базы для моей прозы: жизненные коллизии кладу в основу сюжетных драйвов, а фигуранты, мои друзья и знакомцы — да, мои модели, натурщики и натурщицы, пусть простят мне живые и мертвые этот утилитарный подход. Пишу с натуры, пусть натуру и искажаю — тоже мое неотъемлемое авторское право. По Спинозе: natura naturans & natura naturata. Я люблю ссылаться на это определение, прошу прощения за повтор. Понятно, я приверженец первого принципа, у меня не арийское объективистское, а иудейское субъективное восприятие натуры — не сотворенная, а творящая природа. По противоположности. А началось это совмещение беллетристики и мемуаристики не с «Бродского», а еще с первой книги, куда включена повесть «Призрак, кусающий себе локти», герой которой списан с Довлатова и легко узнаваем, а теперь еще я добавочно помещаю в новых изданиях книги «Перекрестный секс. Рассказ Сергея Довлатова, написанный Владимиром Соловьевым на свой манер». Либо «Сердца четырех» с посвящением Искандеру, Войновичу, Чухонцеву и Икрамову, которые послужили прообразами героев этого «эскиза романа», как указано в жанровом подзаголовке. Да, добираю в прозе, что не смог или не решился сделать в документалистике, в фактографе. Бесстыжая проза, если хотите. Хотя проза здесь особая: докупроза. Еще кратче: faction — неразрывная жанровая спайка fact & fiction. У Капоте есть такой термин: «non-fictional novel». Это идеальное жанровое определение моего романа о Бродском «Post mortem». Сошлюсь на моего если не учителя, то любимца среди моих любимых формалистов — Тынянова, который из литературоведа переквалифицировался в беллетриста: «Взгляд должен быть много глубже, догадка и решимость много больше, и тогда приходит последнее в искусстве — ощущение подлинной правды: так могло быть, так, может быть, было». Все это определяет характер нашего с Леной Клепиковой сериала, эту последнюю книгу включая — многожанровый, многоаспектный, многогранный, голографический, фасеточный, как стрекозиное зрение.

**Зоя МЕЖИРОВА.** Мой последний, под занавес, вопрос как раз об этой вашей последней книге. Точнее, про ее занятную обложку. Там изображены шесть ее персонажей на фоне двух земных полушарий, а пунктиром обозначен их путь через Атлантику — из Петербурга в Нью-Йорк. Такие пляшущие человечки из детской тетрадки, но на них насажены реальные головы Барышникова, Бродского, Довлатова, Шемякина и Соловьева с Клепиковой. Так вот, все фигурки бегут с востока на запад и только Володя с Леной — в обратном направлении. Случайность? Произвол художника? Или с каким-то тайным смыслом и умыслом? Намек?

**Елена КЛЕПИКОВА.** Если и с умыслом, то не нашим — вопрос к художнику. Что касается меня, то я довольно болезненно переживала эмиграцию, и душевно-духовно-творчески, да всяко чувствую свою связь с Россией и русской культурой неразрывной, хоть и маргинальной поневоле.

**Владимир СОЛОВЬЕВ.** В отличие от Лены, у меня никаких ностальгических переживаний не было и нет. Скорее космополитический принцип: моя родина там, где растут грибы. Здесь их ничуть не меньше, чем в России, а я, знаете, страстный грибник. При всех наших успехах в Америке — сотни статей в самых престижных американских изданиях и с полдюжины книг на 12 языках в 13 странах, я тоже полагаю связь с Россией тесной. Особенно теперь, когда там у нас с Леной столько публикаций в СМИ, а благодаря нашему издательству «РИПОЛ классик» — настоящий книгопад: восемь книг за два последних года. А теперь девятая, куда мы и вставим этот триалог, предварительно тиснув его в периодике. Кто-то даже пустил про нас шутку: пир во время чумы. Может быть, художник имел в виду именно эту востребованность наших опусов? Наше посильное участие в российском культурном процессе? Да, вектор указан верно.

## Книги Владимира Соловьева
## и Елены Клепиковой

Юрий Андропов: Тайный ход в Кремль
В Кремле: от Андропова до Горбачева
М. С. Горбачев: путь наверх
Борис Ельцин: политические метаморфозы
Парадоксы русского фашизма
Довлатов вверх ногами
Быть Сергеем Довлатовым. Трагедия веселого человека
Довлатов. Скелеты в шкафу
Дональд Трамп. Сражение за Белый дом
Путешествие из Петербурга в Нью-Йорк. Шесть персонажей в поисках автора: Барышников, Бродский, Довлатов, Шемякин и Соловьев с Клепиковой
США — pro et contra. Глазами русских американцев


## Книги Елены Клепиковой

Невыносимый Набоков
Отсрочка казни


## Книги Владимира Соловьева

Роман с эпиграфами
Не плачь обо мне…
Операция «Мавзолей»
Призрак, кусающий себе локти
Варианты любви
Похищение Данаи
Матрешка
Семейные тайны
Три еврея
Post mortem

Как я умер
Записки скорпиона
Два шедевра о Бродском
Мой двойник Владимир Соловьев
Осама бин Ладен. Террорист № 1
Иосиф Бродский. Апофеоз одиночества
Не только Евтушенко
Высоцкий и другие. Памяти живых и мертвых
Бродский. Двойник с чужим лицом

# Содержание

*Литературно-художественное издание*

**Соловьев** Владимир
**Клепикова** Елена

## США. PRO ET CONTRA
**Глазами русских американцев**

Генеральный директор издательства *С. М. Макаренков*

Ведущий редактор *А. Нестерова*
Выпускающий редактор *Е. Крылова*
В оформлении обложки использованы материалы
по лицензии © shutterstock.com
Художественное оформление: *Е. Саламашенко*
Компьютерная верстка: *Т. Мосолова*
Корректор *А. Агафонова*

Знак информационной продукции согласно
Федеральному закону от 29.12.2010 г. N 436-ФЗ

Подписано в печать 27.04.2017 г.
Формат 60×90/16. Гарнитура «Minion Pro».
Усл. печ. л. 23,63

Адрес электронной почты: info@ripol.ru
Сайт в Интернете: www.ripol.ru

ООО Группа Компаний «РИПОЛ классик»
109147, г. Москва, ул. Большая Андроньевская, д. 23

Отпечатано: Публичное акционерное общество
«Т8 Издательские Технологии»
109316, г. Москва, Волгоградский проспект, дом 42, корпус 5
www.t8group.ru; info@t8print.ru
тел.: 8 (499) 332-38-30